O9-AID-322

La taberna fantástica

Tragedia fantástica de la gitana Celestina

Letras Hispánicas

Alfonso Sastre

La taberna fantástica

Tragedia fantástica de la gitana Celestina

Edición de Mariano de Paco

SEGUNDA EDICIÓN

CATEDRA

LETRAS HISPANICAS

Ilustración de cubierta: Ángel Hernansáez

Telémaco, 43. 28027 Madrid
Depósito legal: M. 18.054-1992
ISBN: 84-376-0966-6
Printed in Spain
Impreso en Anzos, S. A.
Fuenlabrada (Madrid)

Índice

Introducción

A Javier.
A Conchita.

Alfonso Sastre. Foto: Juan Antonio Díaz, «Chicho»

Alfonso Sastre: comienzos literarios

Nació Alfonso Sastre en Madrid el 20 de febrero de 1926[1]. Su padre había pertenecido a grupos teatrales de aficionados y fue actor profesional en varias compañías, entre ellas la de Ricardo Calvo, pero se oponía a que su hijo se dedicara a la literatura o al teatro. Durante la guerra civil vivió cerca del frente de la Ciudad Universitaria, en la calle de Ríos Rosas, recordada en el poema «Calle de la infancia»[2]. Tras los primeros estudios en una escuela parroquial del barrio de Cuatro Caminos, realizó en 1936 el ingreso de Bachillerato en el Instituto «Cardenal Cisneros» y en los años de la contienda asistió a clase en una academia privada en la que tomó contacto con algunos compañeros con los que intercambia «experiencias literarias». Estaban entre ellos Alfonso Paso, Medardo Fraile «y otros chicos que después han sido, y son ahora aún, actores profesionales en el teatro español»[3].

---

[1] Para la biografía de Alfonso Sastre, *vid.* Alberto Fernández Torres, Javier Maqua y Moisés Pérez Coterillo, «El tiempo de Alfonso Sastre», *Pipirijaina Textos,* 1, octubre 1986, págs. 3-29; Magda Ruggeri Marchetti, «Cronobiografía de Alfonso Sastre», en su edición de Alfonso Sastre, *La sangre y la ceniza* y *Crónicas romanas,* Madrid, Cátedra, 1979, págs. 11-25; Francisco Caudet, *Crónica de una marginación. Conversaciones con Alfonso Sastre,* Madrid, Ediciones de La Torre, 1984; Mariano de Paco, «Bio-bibliografía de Alfonso Sastre», en Alfonso Sastre, *Los hombres y sus sombras,* Murcia, Universidad, Antología Teatral Española, 1988, págs. 15-24; y la entrevista de José Luis Vicente Mosquete, «Alfonso Sastre: Un largo viaje desde Madrid a Euskadi», *Cuadernos El Público,* 38, diciembre 1988, págs. 5-27.

[2] Alfonso Sastre, *El español al alcance de todos,* Madrid, Sensemayá-Chororó, 1978, págs. 90-92.

[3] Francisco Caudet, *Crónica de una marginación,* cit., pág. 16.

Escribe por entonces sus primeros poemas[4] y alguna obra dramática. Dos de éstas (*Los crímenes del Zorro,* cuyo protagonista era un actor que interpretaba el Zorro en *Volpone,* y *Otra vez el Campanero,* versión de una novela de Edgar Wallace) son producto de su colaboración con Alfonso Paso, Enrique Cerro y Carlos José Costas. Con posterioridad lleva a cabo varias piezas más con Paso: *Un claro de luna* (acerca de un individuo que cometía asesinatos en los claros de luna), *Gran borrasca* (situada en una isla del Pacífico durante una gran tormenta) y *Los muertos no están aquí,* cuya representación, con el título de *Residencia Blondel,* se anunció en el Teatro Español[5]. Sastre ha señalado que ésta «era una obra de mayor ambición. Trataba del mundo cerrado de una residencia de actores viejos, de actores moribundos. Ocurría durante la II Guerra Mundial, a la cual estábamos asistiendo»[6], lo que nos lleva a pensar en cierta relación con *Uranio 235.*

Comienza después nuestro autor a crear en solitario algunas obras, hoy perdidas, quizá sin interés especial pero que, al igual que las anteriores, muestran su temprana dedicación al teatro y sirvieron para acrecentar su capacidad. De esta época son *La sombra encarcelada,* localizada en un pueblo de Levante, y la versión dramática de un cuento de Rubén Darío. De manera que, al formarse *Arte Nuevo,* poseía ya una notable experiencia en la escritura teatral. Indica Sastre que contaba con «treinta o cuarenta obras cuando decidimos que no se podía hacer nada en el teatro profesional y que nosotros mismos debíamos hacer nuestro

---

[4] «Otoño», de 1942, se ha publicado en *El español al alcance de todos,* cit., página 15.

[5] En la prensa llegó a indicarse director (José Gordón), reparto y fecha de estreno. El Consejo de Lectura del Teatro Nacional María Guerrero emitió sobre ella (diciembre 1948) el siguiente informe: «La comedia dramática *Residencia Blondel* de los Sres. Paso y Sastre es una comedia discreta. Su tema de la guerra viene un poco tarde, los públicos no se interesan ya por él y menos cuando, más que fuerza dramática, se le ofrece una emoción dialéctica. De todos modos, se ve que sus autores saben escribir y pueden hacer otras comedias más logradas.» Es evidente que acertaron en estas últimas afirmaciones.

[6] Francisco Caudet, *Crónica de una marginación,* cit., págs. 18-19. Puede allí verse su «método de colaboración».

propio teatro»[7]. La única que conocemos es *Comedia sonámbula*[8], que fue el gran germen de la que, con el mismo título, escribió Alfonso Sastre con Medardo Fraile en 1947.

Sastre y sus compañeros entran entonces en contacto con José Gordón, sobrino de Alfonso Paso y también gran aficionado al teatro. Y el 16 de septiembre de 1945 se reúnen en el café Arizona de la calle Alberto Aguilera de Madrid (Alfonso Sastre, José Gordón, Alfonso Paso, Medardo Fraile, Carlos José Costas y Enrique Cerro) y deciden formar un grupo para hacer el teatro que estuviese de acuerdo con sus ideas y deseos[9]. Su propósito estaba lleno de ambición: conseguir «la renovación total del teatro»[10].

En la radical amplitud de esa intención reside la importancia de *Arte Nuevo*. Fue un grupo que, si apenas tuvo una influencia eficaz en el teatro de la época, sí apuntó certeramente hacia sus males y ofreció una decidida voluntad de cambio. Alfonso Sastre indicaba años después la naturaleza y el carácter que *Arte Nuevo* tenía: «Se trataba, desde luego, de una fundación confusa, pero ya uno había oído hablar de los teatros de vanguardia, de los teatros de ensayo y de combate que, en otros países, habían sido y seguían siendo los núcleos revolucionarios de la escena. ¿Qué traíamos nosotros? Traíamos fuego, pasión, inocencia, audacia, amor al teatro...»[11]. Fue por ello una protesta «impetuosa y generosísima» cuya meta definida se situaba en la negación del teatro existente y en la búsqueda a cualquier precio de nuevos caminos. *Arte Nuevo* estrenó las primeras obras dramáticas, en un acto, de Sastre: *Ha sonado*

---

[7] Francisco Caudet, *Crónica de una marginación*, cit., pág. 19.

[8] Recientemente se ha publicado en *Art Teatral*, 1, otoño 1987, págs. 45-48. La obrita se escribió en Madrid en 1945, a pesar de que se indica al final «Berlín, 29 de diciembre de 1944.» Sastre no estuvo en Berlín entonces.

[9] *Vid.* José Gordón, *Teatro experimental español*, Madrid, Escelicer, 1965, caps. VI y VII, págs. 31-42. También, Mariano de Paco, «Alfonso Sastre y *Arte Nuevo*», *Cuadernos El Público*, 38, cit., págs. 29-37.

[10] José María de Quinto, «Breve historia de una lucha», en AA.VV., *Alfonso Sastre. Teatro*, Madrid, Taurus, El mirlo blanco, 1964, pág. 49.

[11] «El teatro de Alfonso Sastre visto por Alfonso Sastre», *Primer Acto*, 5, noviembre-diciembre 1957, pág. 7.

la muerte (1946, en colaboración con Medardo Fraile), *Uranio 235* (1946) y *Cargamento de sueños* (1948)[12].

Uranio 235 se concibió bajo la influencia de la impresión que en el autor causaron las explosiones atómicas de Hiroshima y Nagasaki. En la «Autocrítica»[13] escribió éste que «el Uranio 235 —elemento base de la bomba atómica— puede convertirse, desgraciadamente, en el símbolo angustioso de esta época». Sastre relaciona la noticia en la prensa de la destrucción de dos ciudades por las bombas con la imagen simbólica existencial del *sanatorio-mundo* en el que todos van muriendo. A través de distintos momentos se advierte el contraste entre el rápido transcurrir del tiempo y la permanencia de la amenaza.

Estaba dirigida *Cargamento de sueños* «A los vagabundos. Porque en un instante cualquiera de esta noche oirán de los labios metafísicos del Cristo el anuncio de la madrugada». La pieza hace visible, sobre todo, la desorientación vital del ser humano y su acción sucede por ello en un indeterminado lugar y posee una marcada intemporalidad. Un complejo simbolismo, perceptible también en los nombres (Man, Frau, Jeschoua), un acusado sentido existencial[14], un impreciso significado cristiano y un clima cerrado y opresivo envuelven y trascienden la simple anécdota amorosa. Si el contenido de esta obrita «prebeckettiana»[15] era nuevo en el teatro español de la época, no era menor novedad la libertad formal con la que estaba configurada[16].

---

[12] Fueron publicadas en AA.VV., *Teatro de vanguardia. Quince obras de Arte Nuevo,* Madrid, Permán, 1949.

[13] *ABC,* 10 abril 1946.

[14] Medardo Fraile afirma en su edición de *Teatro español en un acto (1940-1952),* Madrid, Cátedra, 1989, pág. 124, que «*Cargamento de sueños* fue el primer brote *sincrónico* de teatro existencialista nacido en España» y que siempre le recuerda *Esperando a Godot.*

[15] Así la calificó Ricardo Doménech, «Tres obras de un autor revolucionario», en AA.VV., *Alfonso Sastre. Teatro,* cit., pág. 33.

[16] *Cargamento de sueños* ha sido escenificada en enero de 1990 en el Centro Cultural de la Villa de Madrid dentro del I Ciclo de Dramaturgia Española Moderna y Contemporánea, junto con otras obras en un acto de Antonio Buero Vallejo, Carlos Muñiz, Lauro Olmo, Francisco Nieva, José M.ª Rodríguez Méndez, Fernando Arrabal, José Martín Recuerda e Ignacio Amestoy.

Grupos teatrales y escritos teóricos

Una vez disuelto *Arte Nuevo,* por problemas económicos principalmente, en 1948[17] Alfonso Sastre colaboró en el *Teatro Universitario de Ensayo* (T.U.D.E.), en el que trabajó como actor. Con Alfonso Paso y otros amigos creó después *La Vaca Flaca,* agrupación también de carácter universitario[18]. Continuó, igualmente, su empeño renovador en las críticas de la revista *La Hora,* «un embrión de toma de conciencia del teatro como función social-política», que «se desarrollaría rápidamente o se perfeccionaría en años posteriores al intento de fundación, en 1950, del T.A.S. (Teatro de Agitación Social)»[19]. El «Manifiesto del T.A.S.» se publicó precisamente en *La Hora*[20].

En estos primeros años se apuntan ya, por tanto, los tres grandes frentes en los que Alfonso Sastre ha desarrollado su vocación dramática: la formación de grupos para producir y difundir el teatro, la teoría dramática y la creación de obras para la escena. El T.A.S. intentaba hacer llegar hasta la sociedad española la revolución que *Arte Nuevo* quería para el teatro, pero la situación política y social hacía imposible que se llevase a la práctica un Manifiesto que, firmado por Alfonso Sastre y José M.ª de Quinto, comenzaba señalando: «Concebimos el teatro como un "arte social" en dos sentidos: *a*) Porque el teatro no se puede reducir a la contemplación estética de una minoría refinada.

---

[17] De este mismo año son varios poemas de tema teatral, algunos de los cuales aparecieron en el número 4 de *Primer Acto,* recogidos en *El español al alcance de todos,* cit., págs. 41 y ss.

[18] *Vid.* Mariano de Paco, «El grupo *Arte Nuevo* y el teatro español de postguerra», *Estudios Románicos. Homenaje al profesor Luis Rubio,* II, Murcia, Universidad, 1989, págs. 1065-1078.

[19] Son palabras del dramaturgo al responder a la «Entrevista con Alfonso Sastre», de Ricardo Doménech, en *Alfonso Sastre. Teatro,* cit., pág. 57.

[20] *Vid.* Francisco Caudet, «*La Hora* (1948-1950) y la renovación del teatro español de posguerra», *Entre la cruz y la espada: En torno a la España de posguerra* (Homenaje a Eugenio G. de Nora), Madrid, Gredos, 1984, páginas 109-126.

El teatro lleva en su sangre la exigencia de una gran proyección social. *b*) Porque esta proyección social del teatro no puede ser ya meramente artística.» Y añadía después: «Nosotros no somos políticos, sino hombres de teatro; pero como hombres —es decir, como lo que somos primariamente—, creemos en la urgencia de una agitación de la vida española. Por eso, en nuestro dominio propio (el teatro), realizaremos ese movimiento, y desde el teatro, aprovechando sus posibilidades de proyección social, trataremos de llevar la agitación a todas las esferas de la vida española»[21]. El T.A.S. se agotó en esa provocadora declaración de intenciones pero, como ha señalado Francisco Ruiz Ramón, «aunque el Manifiesto no llegara a ser viable como programa, significó una importante toma de posición, un grito de protesta y de alerta que no cayó en el vacío ni se perdió en el silencio», por lo que, «vistas así las cosas, el T.A.S. no fracasó»[22].

Diez años después, Sastre y De Quinto fundan el *Grupo de Teatro Realista,* cuyas «líneas generales» serán «una investigación práctico-teórica en el realismo y sus formas, sobre la base del repertorio mundial en esta línea, y una tenaz búsqueda de nuevos autores españoles capaces de garantizar la continuidad del teatro español»[23]. En el primer trimestre de 1961 pusieron en escena *Vestir al desnudo,* de Pirandello; *El tintero,* de Carlos Muñiz, y *En la red,* de Sastre.

---

[21] «Manifiesto del T.A.S.», en *Alfonso Sastre. Teatro,* cit., pág. 97. Algunas de las afirmaciones del «Manifiesto del T.A.S.» son expresadas muchos años después por otros grupos con un sentido semejante. Un ejemplo puede ser suficiente para constatarlo. El punto séptimo del Manifiesto indicaba: «Lo social, en nuestro tiempo, es una categoría superior a lo artístico.» Y uno de los postulados del grupo de teatro independiente Los Goliardos era, en 1967: «Para nosotros, el teatro nunca es un fin en sí mismo, sino un medio de comunicación y de actuación social» (*Primer Acto,* 88, septiembre 1967, pág. 22).

[22] *Historia del teatro español. Siglo XX,* Madrid, Cátedra, 1981[5], pág. 387.

[23] «Declaraciones del G.T.R.», en *Alfonso Sastre. Teatro,* cit., pág. 115. Véase también «Documento sobre el teatro español», *ibid.*, págs. 117-123; «Breve historia de una lucha», cit. nota 10, págs. 52-53, y Alfonso Sastre, «Informe sobre la experiencia», en *Anatomía del realismo,* Barcelona, Seix Barral, 1965, págs. 153-166.

A pesar (o quizá precisamente por ello) de los exiguos resultados obtenidos, en 1977 propone Alfonso Sastre, esta vez en solitario, la idea de un *Teatro Unitario de la Revolución Socialista* (T.U.R.S.), forma actual de un teatro con «un compromiso revolucionario activo»[24].

Las críticas teatrales de *La Hora,* continuadas después en *Correo Literario,* fueron el comienzo de la mantenida reflexión de Alfonso Sastre sobre aspectos teóricos del teatro y de la cultura. *Drama y sociedad* es, como decía en el Prólogo su autor, un «primer paso», con el que pretendía poner al día la *Poética* aristotélica (como más tarde haría con las teorías brechtianas). Pensaba entonces Sastre que la tragedia recoge «situaciones existenciales concretas, episodios, por decirlo de algún modo, de la existencia humana, que remiten, eso sí, en los momentos culminantes, a la situación general del hombre en el mundo. Esta situación general, que nos es revelada a través de una concreta situación trágica,

[24] *Pipirijaina,* 4, 1977, págs. 8-9.

En la «Nota para esta edición» de su *Teatro político* (Donostia, Hordago, 1979) escribe Sastre: «Últimamente lancé la idea de un Teatro Unitario para la Revolución Socialista (T.U.R.S.), pero, hoy por hoy, no parece haber condiciones para ello» (y añade como *Postdata:* «En mayo de 1979 recibo información de que el programa del T.U.R.S. está siendo asumido por grupos de izquierda revolucionaria.») A continuación decía: «Sin embargo, mi opinión sigue siendo que sólo merece la pena hacer un teatro para el cual no haya condiciones: un teatro *imposible,* y ello no lo digo para refugiarme en una paradoja: lo digo porque creo que lo "imposible" puede ser *posibilitado* por la acción. Pero, claro está, cuando escribo "acción" quiero decir "práctica social", y el mero hecho de escribir no constituye una práctica de ese nivel. De ahí que yo haya intentado siempre algo más que escribir: agruparme para la práctica del teatro (T.A.S., G.T.R., T.U.R.S.). Con poca fortuna, desde luego, al menos hasta hoy. Pero también es cierto que estamos empezando.»

Queremos señalar a este respecto que no nos parece oportuno detenernos ahora en la conocida polémica del *posibilismo-imposibilismo,* pero quizá sí lo sea indicar que en dos obras posteriores de Buero Vallejo (*La detonación*) y de Sastre (*Crónicas romanas*) se plantea esta cuestión más o menos directamente. Pueden verse el artículo de Francisco Ruiz Ramón, «De *El sueño de la razón* a *La detonación* (Breve meditación sobre el posibilismo)» (*Estreno,* V, 1, primavera 1979, págs. 7-8; reproducido en Mariano de Paco, ed., *Estudios sobre Buero Vallejo,* Murcia, Universidad, 1984, págs. 327-331) y la «Introducción» de la edición citada de Magda Ruggeri (págs. 54-55) a propósito del cuadro V de *Crónicas romanas.*

es la sustancia metafísica de la tragedia»[25]. A este modelo estético-ideológico responden las obras escritas por Sastre en la década de los años 50 al tiempo que se conforma la idea de que «el público del teatro es siempre una cierta representación de la sociedad y de que el teatro tiene, en ese sentido, una gran capacidad de lucha»[26] y se avanza en torno a un tema fundamental, el de la Revolución.

En *Anatomía del realismo* (1965) trataba de «presentar el tema del realismo literario», investigando su verdadero sentido. Recoge Sastre en este libro el conocido artículo «Arte como construcción», publicado en 1958 en la revista *Acento cultural,* en el que decía: «El arte es una representación reveladora de la realidad. Reclamamos nuestro derecho a realizar esa representación.» La expresión «social-realismo», que para nuestro autor es el nombre de lo que entonces está sucediendo en el mundo artístico, enuncia «la categoría del tema, la índole de la intención del artista y el modo de tratamiento artístico» simultáneamente. Defiende Sastre por ello un «realismo profundo» frente a las distintas mixtificaciones que éste sufre. Al publicarse en 1974 una segunda edición, añade la introducción titulada «Lanza por el realismo en tiempos de mucha confusión», un epílogo y una «Nota post scripta» en la que insiste en su adhesión al utópico proyecto de una vanguardia realista[27].

---

[25] *Drama y sociedad,* Madrid, Taurus, 1956, pág. 25.

[26] «El teatro de Alfonso Sastre visto por Alfonso Sastre», cit., pág. 7.

[27] *Anatomía del realismo,* Barcelona, Seix Barral, 1974², pág. 313. Es conveniente recordar aquí el irónico artículo de Alfonso Sastre «Graves medidas necesarias para la salvación del teatro dramático español» (*El viejo topo,* 51, diciembre 1980, págs. 57-59), que se ha reproducido en *Romea Revista,* 2-3 (verano 1981), con una nota introductoria de César Oliva, «Alfonso Sastre: manifiesto de un luchador» (pág. 26).

Etapas en el teatro de Alfonso Sastre

Tras las cuatro obritas en un acto de los años de *Arte Nuevo,* escribió Sastre *Prólogo patético,* que le supuso, según sus propias palabras, el bautizo «como autor dramático». Se acercaba con este texto al drama del terrorismo y a los problemas morales que puede ocasionar en quienes lo practican, como hizo entonces Albert Camus en *Los justos,* obra que el autor español no conocía. En *El cubo de la basura,* la pieza siguiente, se plantea la cuestión de la justicia personal y de la justicia social y en ella ve el autor «el precipitado de toda guerra civil: el desolador panorama de los vencidos. La sangre ciega los caminos de reconciliación. El drama, hoy, es testimonio y denuncia»[28].

Estas obras, sin embargo, no se estrenaron (aún hoy no lo ha sido *Prólogo patético*) y Sastre se dio a conocer a un más amplio público con *Escuadra hacia la muerte,* que el Teatro Popular Universitario, dirigido por Gustavo Pérez Puig, presentó en el Teatro María Guerrero en 1953. La obra fue prohibida[29] y comenzó entonces la extraña andadura que caracteriza al teatro sastreano de aquellos años: constantes vetos censoriales, escasa presencia en escenarios comerciales y, por el contrario, muy frecuentes representaciones en teatros de aficionados o independientes. No pocos vieron en la cerrada situación de esta escuadra de castigo, sin esperanza alguna y sometida a una arbitraria y cruel disciplina, un paradigma de sus inquietudes sociales, de la oposición a un sistema establecido que los gobernaba y que disponía de sus vidas sin contar con ellos. Pero el dra-

---

28 Alfonso Sastre, *Obras Completas,* I, Madrid, Aguilar, 1967, págs. 109-110. El drama «está dedicado a Máximo Gallego, niño del pueblo de La Granja, merodeador de desperdicios, que comía del sobrante del rancho, bajo la amenaza de la Guardia Civil».

29 Se suspendieron las representaciones en la tercera de ellas por la protesta de una autoridad militar, que la creía antimilitarista y antipatriótica. Recientemente (diciembre 1989), Antonio Malonda, con la Compañía de Teatro de Madrid, la ha repuesto por vez primera en teatro profesional.

maturgo se inclinaba más en su planteamiento a la presentación de problemas existenciales (como en los pasados tiempos de *Arte Nuevo)* del ser humano colocado frente a un mundo absurdo y sin sentido o frente a un Dios que no ofrecía ninguna respuesta.

Es este drama, construido con sabia precisión en doce breves cuadros en los que se dosifican ajustadamente ideas, sentimientos y efectos teatrales, un acertado compendio del universo humano, manifestado en la media docena de personajes, y de las tensiones a las que el hombre se ve sometido tanto en sus relaciones con los demás como en el examen de su misma condición.

El primer estreno propiamente profesional de Alfonso Sastre fue *La mordaza* (la dirigió José M.ª de Quinto en 1954 en el Teatro Reina Victoria de Madrid), drama que gozó de buena acogida por parte del público y que tiene varios puntos de contacto con *Escuadra hacia la muerte*[30], desde su misma estructura formal o su eficacia teatral. Inspirado lejanamente en unos sucesos reales, con la apariencia superficial de un drama rural, lleva al escenario una situación cerrada para la que cabría una interpretación metafísica, pero que apunta principalmente hacia una protesta social. Con él Sastre quiere protestar, en efecto, contra la censura (todas sus obras se encontraban prohibidas en aquel momento) y, en general, contra toda opresión y tiranía. En definitiva pretendía decir: «Vivimos amordazados. No somos felices. Este silencio nos agobia. Todo esto puede apuntar a un futuro sangriento»[31].

Domingo Pérez Minik, en «una clasificación de urgencia» hecha en 1967[32] señalaba tres fases en la producción dramática de Alfonso Sastre, la primera de las cuales se caracterizaba por el sentido existencialista. En ella figuran *Escuadra hacia la muerte, El pan de todos* y *La mordaza.* La se-

[30] Para la relación entre las dos obras, *vid.* Farris Anderson, Introducción a Alfonso Sastre, *Escuadra hacia la muerte* y *La mordaza,* Madrid, Castalia, 1975, págs. 283 y ss.

[31] Alfonso Sastre, *Obras Completas,* I, cit., pág. 283.

[32] Alfonso Sastre, *Obras Completas,* I, cit., pág. XIX.

gunda, de un realismo crítico de denuncia, engloba piezas como *El cubo de la basura, Tierra roja* y *Muerte en el barrio;* mientras que la última pensaba él entonces que respondía «a la experiencia del distanciamiento épico» con obras como *Guillermo Tell tiene los ojos tristes, Asalto nocturno* y *La cornada.* Con una mayor perspectiva, otorgada por el conocimiento de textos posteriores, Ricardo Doménech[33] y Farris Anderson[34] hablan también de tres etapas o momentos; el primero de ellos corresponde a los años de *Arte Nuevo* y el final, a la utilización de la *tragedia compleja,* a la que después nos referiremos[35].

Entre una y otra, la amplia y decisiva etapa de los que Anderson llama *dramas de posibilidad,* caracterizada por la profundización en la tragedia como género y en el realismo como procedimiento, y por la evolución desde los planteamientos metafísicos hasta los sociales (pensemos en *Muerte en el barrio* y *La cornada)* y abiertamente revolucionarios. Pretendía Sastre en estas «tragedias socialistas» la subversión social de nuestro tiempo, pero la existencia de una grave mediación como la censura franquista lo obligaba, cuando mayor era la subversión, a utilizar tiempos y lugares imaginarios[36]. Son en este sentido destacables piezas como la extraordinaria *Guillermo Tell tiene los ojos tristes,* que concluye con la muerte del tirano y la victoria de la revolución frente a la soledad del protagonista, con los ojos tristes «ya para siempre»; o *En la red,* apasionada defensa de

---

[33] «El teatro desde 1936», en AA.VV., *Historia de la Literatura Española,* III, Madrid, Guadiana, 1974, págs. 642-643.

[34] *Alfonso Sastre,* Nueva York, Twayne, 1971, págs. 70-72. Puede verse también en su Introducción a Alfonso Sastre, *Escuadra hacia la muerte* y *La mordaza,* cit., págs. 21-24.

[35] Magda Ruggeri Marchetti realiza una ordenación más pormenorizada, en siete periodos, y desde distinto punto de vista *(Il teatro di Alfonso Sastre,* Roma, Bulzoni, 1975, págs. 20-21; reproducida en su edición citada, págs. 27-28), y señala así mismo el carácter formalmente distinto de «los dramas pertenecientes a la madurez del autor», que son las *tragedias complejas.*

[36] *Vid.* Francisco Caudet, «1957-1961: Hacia una tragedia socialista», *Cuadernos El Público,* 38, cit., págs. 49 y ss. «El discurso teórico-intelectual chocaba con unas estructuras sociales, la mediación franquista, que impedían poner en práctica esas actuaciones» (pág. 55).

la libertad y de los oprimidos y honda reflexión acerca de la condición humana del «hombre clandestino» situada en la lucha por la independencia de Argelia. En el programa de estreno de esta última expresaba el autor su voluntad de lograr la toma de conciencia del espectador[37].

La «tragedia compleja»

La concepción de la tragedia que Sastre tenía cuando escribió *Drama y sociedad* cambia paulatinamente. Si allí se indicaba, por ejemplo, que el grado último de tragicidad es aquél en el que la situación es más cerrada, en *Anatomía del realismo* se afirma que la tragedia, en sus formas más perfectas, significa una superación dialéctica del pesimismo y del optimismo[38]. Y en *La revolución y la crítica de la cultura* (1970) se plantea con claridad la teoría de la *tragedia compleja,* que es el resultado de un proceso teórico-práctico cuya primera manifestación acabada es *La sangre y la ceniza,* obra que se concluye en 1965. En la *tragedia compleja* se reúnen diversos aspectos de los que, como hemos apuntado, se ocupa Alfonso Sastre desde que se encontraba en *Arte Nuevo:* el teatro como «agitación social» y, después, como auténtica revolución; la profundización en el realismo y el empleo de la tragedia como forma de su teatro.

La *tragedia compleja* es un hallazgo de tanta importancia en el teatro de Alfonso Sastre que éste respondía en una entrevista de 1974 a la existencia sobre dos periodos en su vida teatral: «Tragedia neoaristotélica y tragedia postbrechtiana (es la tragedia "compleja" que yo digo y, ¡ay, no puedo hacer!). A este último campo pertenece mi teatro

---

[37] Juan Villegas («1949-1955. Lo social, una categoría superior a lo artístico», *Cuadernos El Público,* 38, cit., pág. 47) concluye que «en la primera década después del término de la Segunda Guerra Mundial construye un teatro cuya aspiración era concienciar al espectador de su tiempo, tanto de la necesidad de transformar la condición insatisfactoria del mundo como de sensibilizarlo y familiarizarlo con los procedimientos teatrales de la tradición de Occidente».

[38] *Drama y sociedad,* cit., págs. 35-38; *Anatomía del realismo,* cit., pág. 65.

inédito en español: *La sangre y la ceniza, Crónicas romanas,* sobe todo»[39]. Aunque esta afirmación admite diversas matizaciones, lo cierto es que una ordenación de la obra dramática sastreana ha de considerar *La sangre y la ceniza* como el inicio de una época distinta (con *Asalto nocturno* como antecedente y elemento de unión). A ella pertenecen *El banquete, La taberna fantástica, Crónicas romanas, El camarada oscuro, Tragedia fantástica de la gitana Celestina, Los hombres y sus sombras, El viaje infinito de Sancho Panza, Los últimos días de Emmanuel Kant, Revelaciones inesperadas sobre Moisés* y *Demasiado tarde para Filoctetes.*

De *tragedia compleja* puede también calificarse *¿Dónde estás, Ulalume, dónde estás?,* escrita por Sastre en 1990, «homenaje de admiración a Edgar Allan Poe», profundo análisis teatral y *fantástico* de los días postreros del escritor norteamericano, de su irremediable viaje hacia la muerte, destruido y degradado por el alcohol. Acompañan a este drama unas Notas, como en los últimos ha sido habitual, que nos ofrecen datos del proceso de su escritura, pero las dos finales tienen un alcance mayor y un extraordinario interés. En la titulada «Hasta luego», fechada en Hondarribia el 5 de julio de 1990, Alfonso Sastre se despide (¿definitivamente?) como autor dramático con estas terminantes palabras: «Efectivamente, he decidido clausurar mi escritura teatral, lo cual encierra, quizás, un gesto vanidoso y no de cansancio y de resentimiento. Al caer el telón sobre este "Poe" he experimentado una alegría muy especial, que se diría la de toda una obra terminada, en el sentido de que esto es lo que yo deseaba hacer, ni más ni menos; de que este corpus me parece suficiente para mantenerse en el futuro como un notable desafío al teatro español y a sus inercias e ignorancias. Queda aquí, como una prueba elocuente para el teatro (cuarenta y cuatro originales y veinticuatro versiones). ¿Sumar y seguir? No, no: ya estoy diciendo que esta obra que termino es... el acabóse.»

El origen de la *tragedia compleja* está, según Sastre, en la

---

[39] Amando Carlos Isasi Angulo, *Diálogos del teatro español de la postguerra,* Madrid, Ayuso, 1974, pág. 93.

conciencia precisa de la degradación social, frente a la «no conciencia» (que lleva a la ilusión de la tragedia pura) y a la «conciencia hipertrofiada» de esa degradación (que conduce al esperpento, sea el nihilista de Valle-Inclán o el socialista de Brecht)[40]. Y añade: «Habiendo reclamado en otras ocasiones los fueros de la tragedia frente —o junto— al esperpento, y planteado el proyecto de una instauración (que no restauración) post-brechtiana de la tragedia, apuntamos ahora a una poética de la tragedia planteada desde una conciencia correcta de la degradación social que no trate de mantener el elemento trágico en un estado "ideal" de pureza, pero lo proteja contra la disolución, *complejizándolo.* La tragedia será así el núcleo real de una historia aparentemente no trágica.» Este núcleo estaba en los esperpentos y en las obras épicas más logradas, pero «la diferencia con nuestra tragedia compleja reside en que en ésta tal núcleo es directa e inmediatamente perceptible, como esencia de la obra, por el espectador; mientras en esas otras producciones su revelación no se produce sin un trabajo de análisis crítico».

La «complejidad» de lo catastrófico-irrisorio conduce precisamente a lo que Sastre llama una especie de «dramaturgia de boomerang», construida con la «dialéctica de la participación y la extrañeza». La ambivalencia de este efecto, para el que se propone el nombre de «efecto A» (de *Anagnórisis*), daría lugar no a un reconocimiento *inmediato,*

---

[40] Comentamos y citamos algunas de las ideas que expone Sastre en el capítulo 9 de *La revolución y la crítica de la cultura* (Barcelona, Grijalbo, 1970), donde se ocupa de la teoría de la *tragedia compleja.* En la citada entrevista de Isasi Angulo (nota 39) dice Sastre: «No me produzco en forma de condena a la «tragedia moderna» ni al teatro épico ni al del absurdo, cada uno de ellos (con sus limitaciones) admirables expresiones teatrales en su momento. Precisamente yo sitúo la crisis a la altura de la decadencia de estas formas. Por lo demás, una negación dialéctica no es precisamente una condenación. La "tragedia compleja" sería una superación en cuanto que aceptaría como legítima expresión la desesperación humana, sin dejarse sumergir y ahogar en ella, la carga nihilista del teatro del absurdo; reconocería el carácter trágico de la existencia individual (agonía) y, al mismo tiempo, la perspectiva histórica (socialista) para la que es ciega la tragedia moderna al ser invisible para ella lo que la actividad humana tiene de praxis» (pág. 87).

propio del naturalismo y sus secuelas, sino a un «extrañado» reconocimiento que apuntaría «a una catártica toma de conciencia»[41]. Es, pues, necesario un armónico equilibrio entre distanciamiento y participación entre la reflexión crítica y la identificación emotiva, como, por otra parte y en distinto contexto, pide también Buero Vallejo[42].

La *tragedia compleja* recoge elementos de la tragedia clásica, del esperpento de Valle-Inclán y del teatro épico brechtiano[43]. Fundamental en ella es la presencia de un héroe irrisorio, con la consiguiente utilización de lo grotesco y de lo esperpéntico. La comicidad puede servir justamente «como un vehículo para encontrar *lo irrisorio* del ser humano, *lo pobre* del ser humano, *las deficiencias* del ser humano. De modo que es una comicidad que no tiene la crueldad de lo cómico propiamente dicho, sino que sirve para la comprensión de lo trágico. Se ríe uno, pero con pena»[44]. Se da también en ella una mayor libertad y

---

[41] *La revolución y la crítica de la cultura,* cit., cap. 3, págs. 42-43.

En *El lugar del crimen* (Barcelona, Argos Vergara, 1982, pág. 10) escribe Alfonso Sastre: «Arduamente me he expresado, desde hace ya muchos años, a favor de un efecto clave para la literatura y el teatro: el doble efecto de la extrañeza y el reconocimiento de la realidad; y sobre la manquedad de los hechos literarios basados en uno u otro de estos dos momentos, con exclusión del otro.»

[42] Como indiqué hace tiempo («El teatro de postguerra», en Mariano de Paco, coord., *Literatura española del siglo XX,* Alcoy, Marfil, 1978, pág. 189) pienso que, «aun con todas las divergencias que entre ambos se dan, el teatro de Sastre parte de principios similares a los de Buero».

[43] Puede verse la nota 1 que precede a *La sangre y la ceniza*. Sastre ha tenido siempre una postura de crítica matizada acerca del teatro de Brecht (por ejemplo, en *Anatomía del realismo,* págs. 47-55 y 207 y ss. Sobre Valle-Inclán y el esperpento, *ibíd.,* págs. 56-67).

[44] En Francisco Caudet, *Crónica de una marginación,* cit., pág. 106. *Vid.* al respecto Sandra N. Harper, «Alfonso Sastre nos habla de su "tragedia compleja"», *Estreno,* XI, 1, primavera 1985, págs. 21-24. En *La revolución y la crítica de la cultura* precisa Sastre (pág. 103): «En esta sociedad degradada se produce la objetiva identificación de lo trágico puro como cómico o, por lo menos, irrisorio. Lo trágico es cómico y, al contrario, en la comicidad de muchas situaciones reside lo más profundo e inalcanzable de la tragedia humana en esta sociedad. En tal medio degradado, podría decirse: yo me río antes y cuando usted alce su guardia para reírse conmigo se va a encontrar con que le

complejidad en el lenguaje escénico (con ejemplos tan notables como el de *La taberna fantástica* o el de la *Tragedia fantástica de la gitana Celestina*) y se emplean de modo sistemático y acentuado elementos del teatro precedente de Sastre (división en cuadros, mezcla de realidad y ficción, partes narrativas...) a los que se añaden otros nuevos (grabaciones y proyecciones, carteles, ampliación de acotaciones, efectos de participación...).

Estos nuevos elementos escénicos pueden ya verse en la primera de las *tragedias complejas, La sangre y la ceniza,* escrita entre 1962 y 1965 pero que no pudo publicarse en España hasta 1976, el mismo año en el que llegó a estrenarse. El protagonista de la obra, figura muy querida de Alfonso Sastre, es Miguel Servet, héroe quijotesco, constante defensor de la verdad y víctima de la intolerancia y de la hipocresía de quienes, católicos o protestantes, tienen el poder. Pero Servet es también un héroe con dudas y miserias, personaje *irrisorio* por su misma constitución física, que tiembla y grita ante la amenaza de la hoguera, aunque nunca olvida su dignidad ni renuncia a sus creencias y pensamientos.

Es ésta una obra histórica en un sentido muy particular, puesto que el autor pretende que la historia sirva de iluminación del presente (como otros dramaturgos de la posguerra lo procuran desde el estreno en 1958 de *Un soñador para un pueblo,* de Buero Vallejo), pero lo hace con procedimientos de actualización *directos,* como la utilización de una lengua que conecta con el presente por medio de usos coloquiales o como la reiteración de anacronismos de evidente significación. La pieza se inicia, en efecto, cuando en el Prólogo «algunas gentes de uniforme, sin muchas explicaciones, destruyen una estatua». Es la estatua de Servet y en el Epílogo se muestra un pedestal vacío porque, en el transcurso de la representación, persona y símbolo, héroe e imagen, han sido vencidos en un intemporal momento

---

he contado —sí, a traición— la tragedia que usted hubiera rechazado, o incomprendido, planteada en los términos inalcanzables para usted de una conciencia no degradada en pugna con la degradación.»

que es el del siglo XVI y el nuestro. Alfonso Sastre, que no ha prescindido de referencias autobiográficas en su Miguel Servet, expresa a un tiempo la lucha del espíritu libre del médico y teólogo aragonés contra el poder que lo sojuzgaba y la opresión que en los años de escritura del drama padecen los individuos insumisos que se rebelan contra un sistema igualmente coactivo. Y lo hace de manera que en el escenario se perciban simultáneamente aquellos y estos sucesos.

Junto a este propósito figura el de hacer visible que lo que presenciamos es una representación, que es teatro, como de modo más reiterado se advierte en *Tragedia fantástica de la gitana Celestina*. Y ello bien expresamente (así sucede, por ejemplo, con la voz que por los altavoces pone fin a la escena de la muerte en la hoguera de Miguel Servet: «¡Corten! ¡Corten! ¡Ya es suficiente! ¡Corten! ¡Retírense todos los actores de escena! ¡Vamos al epílogo!»), bien por la utilización de frecuentes recursos de humor, del peculiar empleo de la lengua o de elementos de distanciamiento escénico-temporal.

Entre las *tragedias complejas* ocupan un puesto singular aquellas que se centran en una muy personal recreación de mitos literarios[45]. En *Tragedia fantástica de la gitana Celestina,* como veremos, Melibea, Calixto y Celestina son los personajes de la tragicomedia de Fernando de Rojas, pero son personajes distintos, en los que se ha producido un interesante tratamiento desde el punto de vista actual. Una atractiva visión del mito tiene también lugar en *El viaje infinito de Sancho Panza,* donde el dramaturgo nos ofrece lo que pudo ser la otra cara de lo que en la propia literatura se nos ha venido transmitiendo. La novedad de la pieza estriba en que si bien se reconoce en todo momento el texto cervantino y la naturaleza de sus aventuras, nos encontra-

---

[45] Con anterioridad se ocupó Sastre de un mito clásico (en su versión de *Medea,* de Eurípides, 1958) y del mito literario de Guillermo Tell (*Guillermo Tell tiene los ojos tristes,* 1955), tratado desde otra perspectiva en *El hijo único de Guillermo Tell* (1983). *Vid.* M.ª Francisca Vilches de Frutos, «Introducción al estudio de la recreación de los mitos literarios en el teatro de la postguerra española», *Segismundo,* 37-38, 1983, págs. 183-209.

mos también ante *otro* Don Quijote y ante *otro* Sancho Panza. Es esta ambigüedad un valor fundamental del experimento dramático en el que el espectador ha de sentirse en un mundo familiar y extraño. Finalmente, *Jenofa Juncal, la roja gitana del monte Jaizkibel* es una pieza basada lejanamente en *La serrana de la Vera,* de Vélez de Guevara, en la que se mantiene la figura de la mujer vengadora, pero situando a ese «monstruo femenino» en el País Vasco y en «nuestros días». Con relación a ella escribió Sastre[46] que, al igual que con *Celestina,* no pretendía «hacer una versión de la obra clásica sino otra obra a propósito de un ilustre mito».

Los últimos días de Emmanuel Kant contados por Ernesto Teodoro Amadeo Hoffmann es el título del más reciente estreno del dramaturgo[47]. Esta obra, que fue escrita cinco años antes, dramatiza los dieciséis días que anteceden a la muerte del genial filósofo, aquellos momentos en los que la singular inteligencia de Kant languidece, su humanidad se consume y nos encontramos con el límite agónico entre la muerte inminente y una vida que se degrada aceleradamente. Pero Sastre, que toma como base documental del drama el opúsculo de Thomas de Quincey *Los últimos días de Emmanuel Kant,* introduce una perspectiva fantástica con la presencia de Hoffmann, nacido como Kant en Könisberg pero que nunca conoció al filósofo[48]. Este punto de vista fantasmagórico reitera una idea que Alfonso Sastre ha tenido presente en la construcción de sus *tragedias complejas* y que supone el hallazgo en lo *fantástico* de una honda dimensión del realismo[49].

---

[46] Alfonso Sastre, «¿Otro monstruo femenino?», artículo que introduce el texto de *Jenofa Juncal, la roja gitana del monte Jaizkibel,* en *Gestos,* 1, abril 1986, pág. 192.

[47] Ha tenido lugar en el Teatro María Guerrero (Centro Dramático Nacional), con dirección de Josefina Molina, en febrero de 1990.

[48] *Vid.* Alfonso Sastre, «Nota sobre si Hoffmann tuvo algo que ver con Kant en la realidad», en *Los últimos días de Emmanuel Kant,* Madrid, El Público Teatro, 1989, págs. 109-111.

[49] En las *tragedias complejas* emplea Alfonso Sastre, articulándose con la significación de la obra, elementos de fantasía y terror que nunca le fueron ajenos. En 1969 escribía: «*Ejercicios de terror* pertenece, si así puede decirse, a la "serie B" (con *Ana Kleiber, La sangre de Dios* y *El cuervo)* de mi modesta y hones-

En *La taberna fantástica* lo insólito se consigue, junto a las escenas oníricas y fantasmagóricas (Intermedio y Epílogo), con el reflejo de una realidad que sorprende por lo que tiene de familiar. *Tragedia fantástica de la gitana Celestina* ofrece otra perspectiva de lo fantástico, lograda con la superposición de distintos planos (el recuerdo de la *Tragicomedia*, la historia situada en el siglo XVI, nuestra propia época) y la configuración de los personajes, especialmente la mágica de Celestina.

El lenguaje marginal

La libertad en el lenguaje de las tragedias complejas tiene antecedentes en otras obras de Sastre. En la «Noticia» de *Oficio de tinieblas* comenta el autor que este drama «significa, como lenguaje, un experimento de "expansión" con relación al lenguaje empleado» hasta entonces. Y añade: «No se trata, creo, de un viaje, ni siquiera de una excursión, al "naturalismo", pero sí de una cierta "liberación" del "cuaresmático" idioma que yo suelo emplear. Con ello no hago, por supuesto, un experimento de carácter puramente formal: la dilatación —o liberación— se ha producido desde dentro: desde la vitalidad del personaje femenino central y desde la descomposición moral del grupo dramático que presento.» En la nota 1 de *El banquete* alude a «los saludables efectos de esta liberación». Magda Ruggeri afirma que hay en ellas «un constante esfuerzo orientado a la búsqueda y realización de un lenguaje vivo, popular,

---

ta —¡y también asendereada e impertinente; inoportuna y un tanto pretenciosa!— producción teatral. No desecho, sin embargo, una vez dicho esto, la idea de que, en el caso, ¡desde luego muy improbable!, de que algo de mi trabajo "quedara" como acertado o digno de feliz recordación en el próximo futuro desde el punto de vista teatral o literario, muy bien podría alcanzar esta mezquina gloria alguna de las experiencias o tentativas que yo considero hoy como "menores": expresiones, más o menos lúdicas, de angustias meramente individuales o, en palabra de mayores resonancias estéticas, "caprichos"; quizá "lúgubres divertimentos"...» (*El escenario diabólico,* Barcelona, Los Libros de la Frontera, 1973, pág. 67). Esta «serie B», pues, ha proporcionado un ingrediente fundamental a obras que podrían denominarse «mayores».

sencillo, que representa la oposición contestataria al lenguaje burgués»[50].

Es el de *La taberna fantástica* un «lenguaje bronco» en el que se mezclan elementos de la lengua coloquial media y popular (referencias al «yo» y al «tú», comparaciones y frases hechas, sufijaciones expresivas, oraciones sincopadas...) con vulgarismos (contracciones, alteraciones vocálicas y consonánticas, cambios de acentuación, laísmos, falsas concordancias, anacolutos, cambios de preposiciones...). Pero lo más significativo es la utilización de un vocabulario marginal que une voces de germanía con algunas que provienen del caló, formando una *jerga aflamencada* (o *caló jergal*)[51] a la que se añaden términos procedentes del argot carcelario (o *taleguero*), otros de origen merchero o quinquillero[52] y ciertos vulgarismos léxicos[53]. El vocabulario actúa, pues, como principal especificador de la lengua empleada, frente a la importancia que en casos semejantes suelen tener los rasgos fonéticos[54].

---

[50] Edic. cit. nota 1, pág. 45. *Vid.* también Magda Ruggeri Marchetti, «La tragedia compleja. Bases teóricas y realización práctica en *El camarada oscuro* de Alfonso Sastre» (*Pipirijaina Textos,* 10, septiembre-octubre 1979, págs. 2-9), y el capítulo 14 («Lenguaje, Teatro, Estructura, Historia») de *La revolución y la crítica de la cultura.*

[51] *Vid.* el capítulo XXI (especialmente págs. 122-125) de Alfonso Sastre, *Lumpen, marginación y jerigonça,* Madrid, Legasa, 1980. Puede también verse Pilar Daniel, «Panorámica del argot español», en Víctor León, *Diccionario de argot español y lenguaje popular,* Madrid, Alianza Editorial, 1980.

[52] El merchero o habla de los quinquilleros es «habla de oficio, fronterizo muchas veces, es verdad, con la pequeña delincuencia» (*Lumpen, marginación y jerigonça,* cit., cap. XIX, pág. 104). Es una lengua que está muy fijada y apenas se transforma, aunque se ha mezclado con expresiones y términos jergales o vulgares.

[53] Comenta Sastre en *Lumpen, marginación y jerigonça* (págs. 149-150): «Son palabras de la jerga actual, del caliente de hoy, pero en la mayor parte de los casos no puedo precisar su origen, pues los informadores me han dado siempre opiniones muy contradictorias.»

Recordemos, por su utilización de las jergas actuales, dos recientes obras dramáticas: *Bajarse al moro,* de José Luis Alonso de Santos, y *La Trotski,* de José Martín Recuerda, estrenada aquélla y publicada ésta en 1985.

[54] Esta «fonética convencional», de la que habla Manuel Seco en «Lengua coloquial y literatura» (*Boletín Informativo de la Fundación Juan March,* 129, septiembre 1983, pág. 12), posee particular alcance, por referirnos sólo a obras

En alguna ocasión había introducido Sastre en sus obras términos de las hablas marginales. Recordemos como lejano ejemplo un fragmento de *El cubo de la basura* (C. II, E. I):

LUIS.—¿Cómo te va el negocio?
JUANITO.—Regular. Ayer atrapé una saña blanca, maldita sea. Y con mucho peligro. Mala suerte.
LUIS.—¿Vas por el centro?
JUANITO.—Trabajo en el Metro. A veces no se da mal.
LUIS.—Un día te van a coger y te la cargas.
JUANITO.—No fastidies. Sé pirármelas a tiempo; si veo que el julay se me resiste, me largo. Voy sobre seguro y a lo fácil. No soy tan tonto...

En el drama escrito a continuación de *La taberna fantástica, Crónicas romanas,* en el que el lenguaje actúa como elemento de contraste burlesco y distanciador en determinadas situaciones, encontramos también algún curioso ejemplo de utilización del léxico jergal con marcada intención humorística. En el cuadro III se produce este diálogo entre dos soldados:

SOLDADO 2.—¿Qué hacías tú antes de venir a esta guerra por la defensa del mundo libre?
SOLDADO 1.—Vendía bocadillos a la entrada del circo. ¿Y tú?
SOLDADO 2.—Me da vergüenza.
SOLDADO 1.—¿A ti? Qué raro.
SOLDADO 2.—Choriceaba de buten a cualquier julai que se me presentara, ya al descuido, ya al tope, a la entrada y a la salida; siempre a base del baste y salir de pinreles, si mi consorte o tronco me daba el queo de que venían jundunares. ¿Chanelas mi chamullo?
SOLDADO 1.—Comprendido, Petrus, comprendido, aunque es un latín un poco raro.

---

muy próximas en el tiempo de su creación a *La taberna fantástica,* en dos dramas de José M.ª Rodríguez Méndez, *Bodas que fueron famosas del Pingajo y la Fandanga* (1965) y *Los quinquis de Madriz* (1967), que tienen lugar en ambientes madrileños semejantes al de esta obra de Sastre. Prescindimos de si *Los quinquis de Madriz* se ocupa de los quinquilleros o, como Sastre indica (*Lumpen, marginación y jerigonça,* pág. 283), de unos «golfos suburbiales», aunque creemos que en el lenguaje puede residir una de las claves de esa distinción.

Ahola no es de leil supone un empleo más sistemático de este lenguaje marginal. Recordemos un fragmento de la escena VIII:

CORTADO.—Hablando de otra cosa. Percátate de aquel julai, el manús que te semo. *(Hace una seña.)*
RINCÓN.—¿El que va con la ja de las chochais?
CORTADO.—Angá, chaval. Tenela asina de jurdós. Mostró pasta de buten pagándole al baranda. Va de cula.
RINCÓN.—Se agradece la sema.
CORTADO.—Peluco de colorao y sornas de lo mismo. Prepara el baste y zúmbale.
RINCÓN.—Le zumbo los jalleres. El colorao, sin una pera, ¿te lo jalas? ¿De cula, dices? Está hecho.
CORTADO.—¡Exprópiale el peluco, ya de paso!

La mezcla de distintos registros lingüísticos y la acertada combinación de un lenguaje de sabor clásico con expresiones de carácter marginal, términos y frases en caló (en boca de Celestina) e, incluso, citas textuales de la obra de Fernando de Rojas son características fundamentales de la *Tragedia fantástica de la gitana Celestina*. En este drama se lleva a cabo un irónico juego de sentimientos y actitudes de los personajes dentro de una medida ambigüedad en la que la alternancia de usos lingüísticos posee especial significación y se aprecia de modo singular en Melibea y en Celestina.

La dedicación de Alfonso Sastre a las jergas marginales[55] culmina con la publicación de su muy interesante

---

[55] A veces emplea Sastre, siquiera sea circunstancialmente, hablas o argots diferentes a éstos. Pensemos en la intervención de una joven en el cuadro II («Comentarios en la calle») de la Parte Primera de *Análisis espectral de un Comando al servicio de la Revolución Proletaria* (una obra que se sitúa entre diciembre de 1988 y el mismo mes del año siguiente): «O sea, yo, no sé, me gusta vivir y eso, o sea, y no... o sea, que miras las cosas y te das cuenta, ¿no?, o sea, a ver si me entiendes, que tú puedes decir esto o lo otro pero en el fondo hay un respeto ¿no?, o sea; y eso es una barbaridad, o sea, que no; vamos, eso a nivel de calle, es... no funciona, te... te entra algo que dices: no, se puede pasar de muchas cosas pero, o sea, el terrorismo, o sea: el terrorismo es terrorismo, ¿no?, y si estás en otro rollo pues, o sea, no, que no te va» (*Teatro político,* cit., pág. 251).

Lumpen, marginación y jerigonça. Una afirmación de esta obra nos parece particularmente útil para comprender el hondo sentido de la marginalidad del lenguaje en *La taberna fantástica:* «Se es como se habla y de ahí que las hablas sean un inmejorable hilo conductor para penetrar en esos recónditos mundos de la marginación»[56]. La lengua de los quinquilleros no es, por lo tanto, un simple recurso caracterizador[57] ni «una mera ilustración del parentesco estético entre el naturalismo y la vanguardia» (nota 1 de *La taberna fantástica),* sino el modo de manifestar la profunda realidad de los personajes, su más radical identidad. Si el quinquillero *es el otro* (nota 3), también es *otra* su expresión lingüística. Por otra parte, nos parece imprescindible en este sentido aludir a la conciencia de marginación que el propio Sastre tiene, a su idea de que él es «un escritor lumpen»[58]. De manera que puede comenzar así uno de sus poemas:

En *Jenofa Juncal, la roja gitana del monte Jaizkibel* (c. IV) explica así el sargento «a sus subordinados la operación en marcha»: «Bueno, pues, en fin, este es el tema a nivel de Jaizkibel, o sea, vamos a ver, a corto plazo, es el tema de mañana al amanecer, bueno, o sea, que mañana, operación Gitana, vamos a asaltar su campamento...»

En esta obra se utiliza de una manera amplia el euskera (que ya había sido empleado en *Askatasuna!);* y en *Demasiado tarde para Filoctetes,* un habla imaginaria de esa «pequeña isla perdida en medio del Atlántico» cuyo nombre es Nhule.

[56] Cap. XIX, pág. 101.

[57] Manuel Seco, art. cit., nota 54, pág. 12, señala: «El lenguaje coloquial popular se desplaza con facilidad de la propiedad de los tipos al *tipismo,* buscado por medio de la hipercaracterización, tanto en el plano léxico como en el fonético.»

[58] Véase *Lumpen, marginación y jerigonça,* cap. IV («Que el escritor se encuentra muy solo y reflexiona sobre la marginación propia de algún hombre de letras y su punzante soledad»), págs. 31-32. También, Francisco Caudet, *Crónica de una marginación,* cit., págs. 146-149.

En este sentido deben recordarse las graves dificultades que Sastre ha tenido siempre para que su teatro llegase hasta el público con normalidad. En las «Noticias» que preceden a sus dramas en *Obras Completas,* I, cit., hay abundante información de esa lucha constante que, en lo relativo a la censura, resume el autor en su respuesta a «Encuesta sobre la censura» *(Primer Acto,* 165, febrero 1974, pág. 5). El tiempo que algunas de sus obras han permanecido —o permanecen— sin estrenar o inéditas *(La taberna fantástica,* diecinueve y diecisiete años respectivamente) habla también por sí solo. La «Nota previa»

En recintos cerrados y fatales
tu adulto hijo sin querer reside
tratando de hacer bienes de sus males.

He de decir si el tiempo no lo impide
que vivo mal en una gris chabola
en la que el sol, sin calentarla, incide.

¿Cuándo saldrá este menda al fin en bola?
En la espera converso con piqueros
y gente de mandanga, lo cual mola.

Empleo los voquibles talegueros
—el chamullo que usamos en el maco—
y un argot de colgados mandangueros.

No escucharás palabra sin su taco
—el hablar al pensar corre parejo—
y me apuesto no un cangri sino un saco[59].

«La taberna fantástica»

La taberna fantástica, según nos dice Alfonso Sastre en la nota 1 que precede al texto, es «consecuencia de una larga experiencia personal acumulada»; está, pues, originada por unas vivencias inmediatas que, a nuestro juicio, son funda-

---

a *Los hombres y sus sombras,* escrita en el verano de 1983, concluye así: «Por lo demás, ahora se trata de escribir una obra, aunque lo que uno escriba nunca llegue a alcanzar la luz de los escenarios, como ha sido tan frecuente en mi vida, pues en los teatros, a decir verdad, no ha aparecido hasta ahora sino una leve sombra de mí mismo.» No es difícil establecer la relación entre lo aquí indicado y la decisión de Alfonso Sastre, expresada, como dijimos, en unas Notas de *¿Dónde estás, Ulalume, dónde estás?,* de no escribir más teatro tras este drama de 1990: «Para terminar ahora, digamos que esto no tiene ya vuelta de hoja o, lo que es lo mismo, que se acabó lo que se daba: lo que uno ofrecía al teatro español, el cual, a su vez, no vamos a negarlo, también ha estado muy por debajo de estas escrituras que hoy acaban...»

[59] «El poeta cuenta a su madre en tercetos encandenados cómo es su vida en la prisión de Carabanchel empleando para ello el habla propia de aquel siniestro medio entre boqueras reptantes y monos encalomados», *TBO,* Madrid, Zero-Zyx, 1978. (El poema está fechado el 4 de noviembre de 1974.)

mentales en la propia estructuración de la obra. El primer personaje que aparece en el Prólogo es, por eso, el del Autor, que nos introduce en el ambiente[60] (antes incluso que la acotación inicial que esquematiza un lugar de indudable raigambre barojiana) y nos señala, en unos versos muy libres, el núcleo aparente del drama, «la historia de una sangrienta pajarraca». En la conversación que sigue con Luis, el tabernero, éste muestra su recelo por lo que allí puede pasar un sábado, cuando sus clientes se encuentran bajo la influencia del vino (el del alcohol y sus efectos es un tema de importancia en la obra) y, en un irónico juego de Sastre, dice al Autor: «Claro que a usted, si se arma, a lo mejor le interesa para sus sainetes, pero a mí me joden, con perdón.» Uno de *esos sainetes* es precisamente lo que estamos leyendo o viendo, porque lo que aquí se dramatiza bien podía haber sido un episodio costumbrista, reflejado en un sainete, pero se encuentra trascendido de modo profundo y constante (la misma presencia del Autor lo expresa ya). El paso de una carroza fúnebre sirve para que se hable de uno de los protagonistas, Rogelio, cuya madre va a ser enterrada.

La segunda parte del Prólogo la ocupa el episodio del Badila y es como un presagio de lo que después ocurrirá. Las últimas palabras del Autor, que habla de volver al final de la obra (lo hace en el Epílogo, cerrando el «marco» en el que se encuadra el drama), provocan un evidente distanciamiento y muestran una duplicidad de planos que se unen en el personaje ambivalente del Autor: el del espectador y el de los hechos que se representan.

La Parte Primera (como después la Segunda) se organiza en torno a una serie de «entradas» que se inician con la de Rogelio, que viene, borracho, para estar presente en el entierro de su madre. Comienza con Luis y con el Caco,

---

[60] Aunque se trata de obras de sentido e intención muy diferentes, parece oportuno recordar, al respecto, *La estratoesfera,* de Pedro Salinas, que se subtitula «Escenas de taberna en un acto» y tiene lugar «en una taberna del barrio madrileño de La Guindalera, hacia 1930»; como puede también pensarse en una lejana relación con la *tragedia grotesca* de Arniches.

que permanecen en la taberna desde el Prólogo, un diálogo caracterizado por la alternancia de actitudes pacíficas y violentas. En una grotesca escena Rogelio pierde el conocimiento a causa de la borrachera y, ante la llegada de la Guardia Civil, se ven obligados a encerrarlo en el retrete. El Caco, que es, como el Badila, un personaje víctima de sus propios compañeros, se ha de meter con él. Cuando al fin salen los guardias y, más tarde, Rogelio, llega el Carburo buscándolo para exigirle cuentas por unas palabras suyas que lo han difamado. El Carburo es presentado como un quinquillero que ha ascendido algo socialmente al proletarizarse[61] (mientras que Rogelio es huido) y que tiene por ello una conciencia de superioridad. Entre bromas y veras expresa una amenaza que no tardará en realizarse: «Hoy corre la sangre en este barrio...» Al volver Rogelio y enfrentarse con el Carburo, tiene lugar una medida escena que empieza con una impetuosa disputa, resuelta en el episodio del pellejo de vino roto, y sigue con la conversación en la que el Carburo y Rogelio piden y se dan vacías explicaciones mientras continúan bebiendo.

El Intermedio es, como un cartel anuncia, «un sueño del Caco». La taberna se convierte en un espacio «fantástico» y el Caco, hasta entonces humillado, se transforma en un «señor», egoísta y poderoso. La ruptura de la cotidianidad se advierte incluso en su nuevo nombre (Don Tiburcio) y en el enorme puro que está fumando. Esta onírica inversión de papeles da lugar a una amarga situación porque en ella se expresan los deseos inalcanzados, y quizá mucho tiempo inalcanzables, de estas gentes.

La Parte Segunda conecta con el final de la Primera,

---

[61] «Conozco personalmente —indica Alfonso Sastre— y he tratado de modo habitual a muchos de estos hombres y sé de sus problemas: especialmente los derivados del marco social a que se les somete (discriminación) y que dificulta la por muchos de ellos ansiada proletarización que los redimiera de buscarse la vida de aquí para allá practicando sus humildes oficios —paragüeros, lañadores, silleros—, andariegos y socialmente desarraigados» (*Lumpen, marginación y jerigonça,* cit., cap. XL, pág. 276). Ese *desarraigo* es quizá su principal problema: no saben dónde están (fuera de lugar, de tiempo, de la misma historia).

puesto que el Rojo no se ha marchado y cuenta su vida, «una novela», «una película», a los demás, estableciendo una clara relación entre su condición de quinquillero y su estado actual: perseguido por un delito del que no es responsable, como antes le había sucedido a su padre. Con esta historia enlaza la del Carburo, completada por Rogelio, que saca a la luz la unión de ambos en tiempos pasados. La intensificación del lenguaje marginal concuerda con sus experiencias, igualmente al margen de la sociedad. La llegada de la familia que viene del entierro da un brusco giro a la acción, con las discusiones entre Rogelio y Ciriaco, su padre. Entre ellas se comenta la muerte de Cosmospólita con un tinte esperpéntico que deja traslucir un negro humor. Aparece el Ciego de las Ventas, Loren, que fue amante de la difunta y de la que tuvo un hijo, el Chuli, que ahora le acompaña junto con el Tiritera, hermano de ella, y acusa a todos de no haberle prestado la debida asistencia, provocando una agria pendencia en la que el Carburo apuñala al Rojo. Este suceso se produce de modo fortuito, por un error de Rogelio al atacar al Carburo. Se cumple así la amenaza del Prólogo y esta absurda bronca termina con la muerte[62]. Hay, pues, un camino indirecto, como un destino ciego, que, a través de repetidas tensiones, lleva a un trágico desenlace las diferencias entre el Carburo y Rogelio.

La acción del drama concluye (el Carburo sale huyendo, Luis llama a la policía, Loren amenaza al tabernero con un ajuste de cuentas), pero el Epílogo, dividido en ocho momentos, hace comprender al espectador que el hecho trágico que acaba de presenciar es sólo un reflejo de una más amplia tragedia, la de ser quinquillero. El distanciamiento reflexivo ante lo sucedido (como la fantasía soñada del Intermedio) debe conducir a una toma de conciencia de la verdadera opresión que la sociedad ejerce sobre esos seres marginados, si bien no siempre inocentes.

---

[62] Acerca del posible tono esperpéntico en esta acumulación de acontecimientos, *vid.* Antonio Díez Mediavilla, «A propósito de A. Sastre y *La taberna fantástica*», *Campus* (Universidad de Alicante), 11, primavera-verano 1989, pág. 73.

En el Momento I el Autor vuelve a la escena para contar «el desenlace de la historia» y no dice más cosas acerca de la muerte de Rogelio el Quinquillero porque «es mejor no hablar»; en el Momento II comenta simplemente que el Carburo es ahora el que ha de huir, recogiendo esta triste herencia de su víctima. En el siguiente se muestra con un recorte de periódico la versión deformada que la prensa ofrece. Los Momentos IV y V presentan una visión «fantástica» de la «verdadera» muerte de Rogelio, tras su fantasmal aparición en la taberna, causada, en una especie de siniestra corrida de toros, por los espectros que representan los auténticos males: Hambre, Incultura, Terror, Sufrimiento, Enfermedad, Frío. Rogelio es ejecutado por ellos mientras se escucha un enorme «Olé», sin duda de toda la sociedad, cómplice de esa cruel muerte, como la voz anónima del palco.

Sin embargo, todo vuelve rápidamente a la normalidad (Momentos VI y VII), el Caco es arrojado a la calle, la taberna se cierra y el Autor desaparece. Pero tiene lugar entonces (Momento VIII) un diálogo entre el Caco y el Badila, que estaba allí desde el Prólogo. Estos seres oprimidos por encima de todos, que recuerdan en sucesivos instantes a Vladimir y Estragón, a Don Quijote y Sancho[63] y a Max Estrella y don Latino, evidencian la más radical falta de apoyo y de las más elementales referencias:

> VOZ DE BADILA.—¡Me he perdido! ¡No sé dónde estoy! ¡Socorro!
>
> (*Llora. El* CACO *se asoma al borde del foso.*)
>
> CACO.—Badila, ¿eres tú?
> BADILA.—Sí. ¿Tú quién eres?

---

[63] En los dramas de Alfonso Sastre no son infrecuentes los recuerdos de Miguel de Cervantes y de su obra. Pensemos, como buena muestra de ello, en las referencias quijotescas de *Comedia sonámbula* (en colaboración con Medardo Fraile); en *Crónicas romanas,* donde hay una evidente memoria de la *Numancia* cervantina; en el comienzo de la Parte segunda de *La sangre y la ceniza;* en el nombre de los protagonistas de *Ahola no es de leil* (Rincón y Cortado); y en *El viaje infinito de Sancho Panza.*

CACO.—El Caco.

BADILA.—Sácame de aquí. No sé qué hago metido en este hoyo. ¿Qué hora es? ¿Dónde estoy? ¿A cuántos estamos?

CACO.—Yo tampoco lo sé, Badila.

Se agitan en el vertedero, entre la basura, y se lamentan de «los defectos de uno», de la ceguera que sufren y, lo que es peor, apenas sin enterarse. Cuando aparece el último letrero en la pizarra («¡¡Mañana será otro día!!»), el espectador no tiene más remedio que preguntarse si será por fin otro día o el mismo eternamente repetido. Este «diálogo tomado del natural entre dos hombres de nuestro tiempo» es, sin duda, una de las escenas más emotivas, elocuentes y logradas del drama.

La taberna fantástica, según hemos podido advertir, es una *tragedia compleja* con ciertas peculiaridades palpables. La más importante en cuanto a la forma es que su acción no está fragmentada, no se divide en cuadros, frente a lo común en el teatro de Sastre, en especial desde *La sangre y la ceniza.* El *héore irrisorio* no es un personaje determinado, sino una colectividad, la de los quinquilleros, que protagoniza unas situaciones trágicas, con momentos grotescos y esperpénticos, a las que el espectador ha de dar un sentido de generalidad. El lenguaje es un elemento de especial valor por lo que tiene de configurador de la realidad más íntima de los personajes y de factor de distanciamiento (junto con los que ya hemos indicado en el Prólogo, Intermedio y Epílogo) para el lector o el público. La mezcla de realidad y ficción es, finalmente, decisiva para que éstos puedan llegar desde el extrañamiento a una identificación, no ya con los hechos concretos, sino con su significación social.

El estreno de «La taberna fantástica». Texto y representación

La taberna fantástica se estrenó en la Sala Fernando de Rojas del Círculo de Bellas Artes de Madrid el 23 de septiembre de 1985, casi veinte años después de haber sido escrita. El último estreno anterior de Sastre en un teatro comercial español fue, en 1967, el de *Oficio de tinieblas*. En los dieciocho años transcurridos entre tanto se hicieron cuatro montajes de su teatro por grupos independientes. «El Búho» llevó a cabo el de *La sangre y la ceniza* en 1976 con dirección de Juan Margallo. Tres años más tarde, «El Gayo Vallecano» puso en escena una versión de *Ahola no es de leil* realizada, con adiciones sobre el texto original, por Fermín Cabal y Juan Margallo, que también la dirigió[64]. La compañía murciana «Julián Romea» estrenó en 1981 *Terrores nocturnos,* espectáculo dirigido por César Oliva que era el resultado de unir tres piezas breves: *El vampiro de Uppsala, El Doctor Frankenstein en Hortaleza* (ambas de *Ejercicios de terror)* y *Las cintas magnéticas,* concebida ésta por su autor como «un cuento de terror antiguo para una radio de nuestro tiempo»[65]. El «Grup d'Acció Teatral» (G.A.T.), con dirección de Enric Flores, llevó a cabo en 1985 el estreno en España de la *Tragedia fantástica de la gitana Celestina.*

Por esta larga ausencia de los escenarios españoles, el estreno de *La taberna fantástica* estuvo precedido de una lógica expectación. Gerardo Malla planteó su montaje, como precisaremos, con una supresión de escenas que ofrecían en el texto la dimensión «fantástica», potenciando la perspectiva fantástica de la realidad cotidiana de estos «habi-

---

[64] *Vid.* Juan Margallo: «El montaje de *Ahola no es de leil* en El Gayo Vallecano» y la «Nota del Autor» en Alfonso Sastre, *Ahola no es de leil,* Madrid, Vox, «La Farsa», 6, 1980.

[65] *Vid.* «Nota del Autor», en Alfonso Sastre, *El escenario diabólico,* cit., pág. 189.

tantes de un mundo marginado incluso en el mundo de la marginación». El autor advertía de este tratamiento en la nota del programa de estreno: «¿Taberna fantástica? ¿Por qué? ¿Qué sucede de fantástico en ella? Para mí, lo que en ella puede producir extrañeza será precisamente lo que de "familiar" aparece en ese mundo. Este doble efecto —de extrañamiento y reconocimiento— no se producía, creo yo, en más antiguas tabernas literarias y teatrales, como la de *L'Assommoir* de Zola o la del *Juan José* de Joaquín Dicenta. Este "efecto" es, cuando se consigue, una revelación de lo *siniestro* en el sentido en que lo definió Freud: la extrañeza habita en lo familiar, lo familiar habita en lo extraño... ¿Consistirá en esto el experimento que ahora hace Gerardo Malla con su grupo de excelentes colaboradores?»[66].

El estreno de *La taberna fantástica* y sus posteriores representaciones dentro y fuera de España han gozado de un extraordinario éxito[67]. En ella recayeron los premios «El Espectador y la Crítica» al mejor texto, a la mejor interpretación masculina y al mejor director de escena de la temporada 1985-1986. A Alfonso Sastre se le concedió el Premio Nacional de Teatro de 1985[68].

Para la primera edición de *La taberna fantástica* escribió Alfonso Sastre una Nota, también publicada ahora, en la que se refería a las modificaciones que el texto sufriría en

---

[66] *Vid.* Alfonso Sastre, «Teatro, bajos fondos, argot», *Antzerti,* 12, 1985, págs. 21-22. Con relación a esto, puede verse «Una nota (siniestra) del autor de este libro», en Alfonso Sastre, *El lugar del crimen,* cit., págs. 9-10.

[67] *Vid.* por ejemplo, la nota editorial de *Primer Acto,* 210-211 (septiembre-diciembre, 1985), págs. 72-73, «Sastre, uno de los grandes nombres de la temporada madrileña». En este número se publica el texto de *La taberna fantástica* que se estrenó, junto con artículos de Jesús Campos, Mariano de Paco y Alfonso Sastre (citados en nuestra bibliografía), una entrevista a Malla («Gerardo Malla, director de *La taberna fantástica*»), un resumen del Coloquio celebrado en el Círculo de Bellas Artes («Sastre y Arrabal frente al público») y un artículo de José Luis Alonso de Santos acerca del protagonista de la obra («Rafael Álvarez, El Brujo, en el corazón de *La taberna*»).

Es de interés al respecto el breve artículo de Alfonso Sastre, «El éxito en el teatro: ¿un incidente?, *Gestos,* 3, abril 1987, pág. 132.

[68] *Vid.* Domingo Miras, «Sastre y Alonso para el Premio Nacional», *Primer Acto,* 213, marzo-abril 1986, págs. 123-125.

su estreno[69]. Pero en 1984, antes de que éste tuviese lugar, pensó que podría suprimirse la escena final entre el Caco y el Badila y para ese supuesto escribió unos versos y diseñó una conclusión «que nunca se han dicho ni se han hecho, pero que constituyen otra posibilidad de final para la obra»[70]. Es como sigue y se situaría a continuación del Momento I del Epílogo:

> De tal manera, lúgubre y fantástica,
> acabó este suceso.
> Yo no sé qué pensar de lo que pasa
> y ando triste por eso.
> Represento al autor de la comedia
> que ha estado muy ausente.
> Se metió en laberintos —alma en pena la suya—
> y conoció a esta gente.
> Ahora, agur, mis señoras y señores.
> ¡Gracias, por la ocasión
> de contarles un poco de la vida
> y de la muerte! Y ya telón, telón...

(Va bajando el telón sobre su figura congelada en un último gesto. La obra continuará, sin embargo, hasta el final de los saludos, que serán una sucesión de cuadros compuestos de figuras inmóviles. Se parte del momento general de la puñalada, y cada vez se van retirando actores. El penúltimo cuadro son sólo ROGELIO *y* CARBURO, *en ese momento de la navajada en el vientre. En el último cuadro, también ha desaparecido la figura de* CARBURO *y está solo* ROGELIO *en su gesto agónico, antes de derrumbarse. Cuando salga el público, en el vestíbulo estará el cadáver de* ROGELIO *sobre la mesa del depósito.)*

En el estreno de *La taberna fantástica* y durante algunos meses se prescindió del «Intermedio que es un sueño del Caco» y de los Momentos II, III, IV y V del «Epílogo». El VI y el VII se narraban en estos versos dichos por el Autor:

---

[69] *Vid.* «Nota del autor para la primera edición de la obra en los Cuadernos de la Cátedra de Teatro de la Universidad de Murcia», pág. 76.

[70] *Vid.* «El autor escribe una nota para esta edición», en Alfonso Sastre, *La taberna fantástica,* Madrid, Antonio Machado, 1986, pág. 8. Se escribió este final el 8 de marzo de 1984.

¡Fantástica taberna! Aquella misma noche,
según me contó Luis unos días después,
al barrer su taberna tropezó con el Caco
y lo invitó a salir tirando de sus pies.
Mejor no despertarlo, pensó piadosamente.
Lo arrastró hacia la calle con alguna ternura
y allí lo recostó sin más contemplaciones,
ser humano quizás, también quizás basura.
Echó el cierre metálico como ausente de todo.
¡Oh la vida, ay la muerte! Sudores de agonía
dice Luis que sintió cuando se fue a dormir
y creyó haber soñado lo que pasó aquel día.

Era lo previsto en la Nota antes indicada de acuerdo con el deseo del director, Gerardo Malla: «Cuando leí la obra, me encontré con unas partes oníricas que eran, según Alfonso, las que justificaban, en gran medida, el título mismo del drama. Pero yo consideré que todo es posible en la realidad, y, por tanto, que lo que ocurría en ella ya integraba el concepto de lo fantástico.» Pensaba, además, «que restaba unidad estilística, unidad dramática, la inclusión de escenas oníricas»[71].

Alfonso Sastre admitía, como dijimos, el punto de vista de Malla[72] y en el citado número de *Primer Acto* se publicó el texto reducido estrenado. Algún crítico se mostró disconforme con las supresiones efectuadas porque creía que modificaban el verdadero sentido de la obra[73].

Posteriormente se prescindió también en las representaciones del último Momento («Diálogo tomado del natural entre dos hombres de nuestro tiempo») y en su lugar hablaba de nuevo el Autor:

(Se oye algo que parece un llanto de niño. Es como un lamento que llegara de algunas profundidades.)

---

71 «Gerardo Malla, director de *La taberna*», *Primer Acto,* 210-211, cit., pág. 95.

72 Alfonso Sastre, «Una ronda por mi cuenta (Palabras para esta edición)», *Primer Acto,* 210-211, cit., pág. 84.

73 *Vid.* Magda Ruggeri Marchetti, «*La taberna fantástica:* texto y realización escénica», *Campus* (Universidad de Murcia), 5, marzo 1986, págs. 12-13.

¿Qué es eso? ¿Algo que llora? ¿Un gato que maúlla?

(*Escucha. El lamento se hace más prolongado y angustioso.*)

¿De dónde viene el llanto? ¿De qué lejano mundo?

(*Escucha aún y se da cuenta de que viene de la zanja en la que cayó el* BADILA.)

El Badila allá abajo soñará que está triste,
entre mierda y desechos, acaso moribundo.

(*Mira hacia el rascacielos iluminado.*)

El Caco, por su parte, sueña estrellas lejanas
y placeres sin cuento en los lechos y mesas
que iluminan aquellas lamparitas de oro.
¿No lo veis? Se sonríe con tan dulces promesas...

(*Empieza a oírse la música para el final.*)

El drama se termina con un Réquiem de estaño y de
[quincalla
con un epitafio de aguardiente.
En la pared de ladrillo, tu nicho, Rogelio, es una sombra
fugitiva y errante, «y anda uno encabronao por el mundo»,
[bella gente
que nunca olvidaremos andando por la vida.
Al menos este autor, también un poco errante,
no os olvida.

(*Sube la música y va haciéndose el oscuro y cayendo el telón*)[74].

Junto a la de escenificar el texto completo de la obra existen, pues, otras tres posibilidades para su conclusión dispuestas por el dramaturgo, dos de los cuales se han llevado a cabo ya.

Por otro lado, al no incluir Gerardo Malla en su puesta en escena el «Intermedio, que es un sueño del Caco», Sastre creó un breve texto de unión entre la Primera y la Se-

[74] Este final fue escrito el 3 de febrero de 1986.

gunda Parte, que se publicó en *Primer Acto*. A la acotación: *Luis, desolado, opta por servirles.* ROGELIO *—piensa* LUIS*— no se marchará ya nunca,* sigue:

(Les va poniendo las bebidas. ROGELIO, *sumergido en su grandísima trompa, empieza a reflexionar filosóficamente sobre su vida. Se halla en una especie de soledad cósmica. El* CACO *está como dormido, soñando, y el* CARBURO *y* PACO *son como dos estatuas siniestras.* LUIS *en un gesto de su habitual limpieza de mostrador.)*

ROGELIO.—Es que... lo mío es una novela. Porque, sin ir más lejos, recordando lo que a mí me pasaba de chaval, sin ir más lejos, lo que... sin ir más lejos, mi vida es una novela; y no lo digo por lo de hoy, que ando borracho y no puedo encontrar, antes de que la entierren, el fiambre querido de mi madre... *(Suena una musiquilla en la radio.)* Sino porque de siempre mi vida ha sido una novela... *(Está solo. Se bebe un trago. Parece que está llorando silenciosamente.)* ¿Mi vida? Una novela... una novela que... yo no sé... Una novela en la que le joden a uno demasiao, y suena mucho, muchísimo ruido, y anda uno encabronao, y...

(Llora. Es como si no hubiera nadie con él en este momento)[75];

y se enlaza con el inicio de la Parte Segunda.

---

[75] Una nota de dirección (*Primer Acto,* 210-211, cit., pág. 118) señala: «Como continuación del lamento de Rogelio, atraviesa el aire un grito flamenco. Corresponde a la última Toná que grabó Antonio Mairena unas horas antes de morir y cuya letra es:

Cuando corren los cerrojos
y al alba del nuevo día
a unos le estaban dando
martirios dobles
y a otro le estaban
quitando la vida.

Al tiempo que suena esta Toná se hace lentamente el oscuro que funde con las nuevas luces que corresponden a la noche y que se justifican con los siguientes puntos de luz: bombilla con plafón encima del mostrador; bombilla con plafón encima de la mesa del autor en primer término; pequeño brazo con bombilla en el rincón de Caco; brazo de luz (alumbrado público) en la esquina de la taberna y el emparrado. En el descampado luz de luna.»

«Tragedia fantástica de la gitana Celestina»

La *Tragedia fantástica de la gitana Celestina* tuvo su origen, como Alfonso Sastre explica en una nota publicada con el texto, en la petición que María Luisa Aguirre d'Amico le hizo de una versión de *La Celestina* para una puesta en escena de Luigi Squarzina, director del Teatro de Roma[76]. En un primer momento pensó el autor en una adaptación fiel del texto de Rojas, pero pronto abandonó esa idea puesto que *lo demasiado* que le gustaba impedía que llegase a realizar apenas algo más que «una mera copia». Resuelve entonces hacer «otra obra», al menos relativamente, y, siguiendo la línea iniciada con *La sangre y la ceniza,* compone una nueva tragedia compleja «con materiales no *nobles* sino irrisorios, como corresponde a mi estilo experimental "trágico-complejo", una *tragedia de amor,* granguiñolesca quizás...»[77]. Sastre trabajó el texto en estrecha relación con el director italiano, a pesar de lo cual la versión representada en Roma no coincide totalmente con la definitiva, ahora publicada[78]. Hasta llegar al título actual, *Tragedia fantástica de la gitana Celestina o Historia de amooor y de magia con*

---

[76] La obra, con traducción de María Luisa Aguirre d'Amico, se estrenó en el Teatro Argentina de Roma el 26 de abril de 1979 dirigida por Luigi Squarzina. En junio de 1981 se presentó la versión alemana en la Schauspielhaus de la ciudad de Karl-Marx-Stadt, R.D.A. En España fue estrenada el 30 de abril de 1985 en la Sala Villarroel de Barcelona por el G.A.T., como dijimos.

[77] Además de la indicada nota, *vid.* Francisco Caudet, *Crónica de una marginación,* cit., pág. 142; y Moisés Pérez Coterillo, «Alfonso Sastre: mi patria es el idioma», *El Público,* 19, abril, 1985, pág. 11.

[78] Como en las notas al texto señalaremos, hay alguna escena que no se encuentra en la versión italiana y se advierten ciertos cambios en otras. Luigi Squarzina («"Solo tu, Melibea" (II, 7)», en Alfonso Sastre, *La Celestina. Storia di amore e di magia con qualche citazione dalla famosa tragicommedia di Calisto e Melibea,* Roma, Officina Edizioni, 1979, págs. 11-12) se refirió a que la necesidad de dejar clara, para un público no español, «la distanza e autonomia ma al tempo stesso la relazione genetica fra le due *Celestine»,* la «tragedia compleja» de Sastre y la «tragicomedia» de Rojas, determinó que se llevasen a cabo algunas modificaciones del texto.

algunas citas de la famosa tragicomedia de Calixto y Melibea, la obra tuvo otros durante su gestación: *¡Arde, Celestina!, Celestina en la hoguera, Arde la Celestina, ¡Arde la vieja puta Celestina!, Celestina o las tragedias corporales, Tratado de Celestina y de las tristezas y alegrías de la carne humana, Quema de Celestina, Celestina, cuento de amooor o tragedia fantástica de la gitana Celestina,* y el de la publicada en Italia, *La Celestina, storia di amore e di magia con qualche citazione dalla famosa tragicommedia di Calisto e Melibea.*

Uno de los cambios básicos respecto a *La Celestina* que se produce en esta tragedia compleja es la configuración de los personajes. El dramaturgo actual utiliza los principales nombres del texto clásico aplicados a seres que poco tienen que ver, sin embargo, con los de la pieza de Rojas; son, en palabras de Melibea, «caricaturas de bellos personajes». El joven enamorado Calixto es aquí un fraile de más de cuarenta años que ha colgado los hábitos, feo y patizambo, a quien apodaban «el Gordo». Al enamorarse de Melibea, lo acosa el temor a su impotencia, ocasionada por el prolongado celibato, las miserias físicas y el exceso de aguardiente. Melibea se sitúa en el polo opuesto a la heroína literaria: entrada en años, aunque aún bella, antigua prostituta y ahora Abadesa de un singular convento, su sistema expresivo delata en múltiples ocasiones la procedencia lupanaria. En Celestina se superponen la misteriosa juventud y su condición de bruja[79], gitana y vampira.

Los personajes, y esto es lo más curioso e interesante de todo ello, conocen la casual identidad onomástica que los une a los de la obra escrita por el Bachiller Fernando de Rojas y esa conciencia les hace temer que los trágicos destinos de los héroes anteriores se crucen con los suyos. Se establece así un siniestro juego teatral de cercanía y de distancia entre la realidad de estos personajes y su imagen precedente que crea una reiterada ambigüedad, hasta el punto de que ellos mismos dudan acerca de su personali-

---

[79] Si hay encontradas opiniones críticas en cuanto a los elementos mágicos en *La Celestina* y a la brujería de la tercera, en la obra de Sastre la magia es aspecto fundamental desde el mismo título.

dad y de su existencia material o literaria. De ahí que lectores o espectadores hayan de establecer una permanente relación, irónica muchas veces, entre el texto que Rojas compuso y el que ahora crea Alfonso Sastre.

El tema de la *Tragedia fantástica de la gitana Celestina* trae a la memoria el clásico del «amor constante más allá de la muerte», puesto que, a pesar de la forma *irrisoria* con la que está expresado, al concluir las infaustas vidas de los degradados protagonistas «algo sobrevive un poco», el amor que se profesan. La «complejización» del mito se produce a partir de los caracteres de los que están dotados los personajes que le dan vida y de las constantes injerencias del autor, que, como ser omnisciente, conduce la acción (o las acciones) y dirige el punto de vista del posible lector-espectador mediante sus propias palabras a través de las acotaciones o sirviéndose de las reflexiones distanciadas de sus criaturas. Junto a las repetidas referencias a la conciencia de la situación teatral, a lo largo de los momentos que componen la acción se van intercalando distintos elementos temáticos que se identifican con las preocupaciones ideológicas del autor[80].

El argumento se desarrolla en ocho cuadros que podemos agrupar en tres partes. La inicial corresponde a los tres primeros, que constituyen un pórtico en el que se unen ya el recuerdo de la pieza clásica y la dimensión actual en un espacio y tiempo distintos, la Salamanca del siglo XVI («es un decir»). En el cuadro I Calixto, que ha abandonado el claustro y es perseguido por defender las heréticas teorías de Miguel Servet, llega acompañado de Parmeno al convento en el que se ha recluido Melibea tras dejar su vida de pecado. Se trata, pues, de dos trayectorias

[80] En «*La Celestina* de Alfonso Sastre: Niveles de intertextualidad y lector potencial» (*Estreno,* XII, 1, primavera 1986, pág. 40) apunta Juan Villegas: «Esta nueva versión de *La Celestina* es más representativa del tiempo de su producción y del autor que de una nueva interpretación de la tragicomedia de Fernando de Rojas. *La Celestina* de Sastre es una afirmación, una toma de posición frente a su propio mundo, frente a su espacio vital y político. La concepción del mundo social que funda el texto evidentemente tiene sus raíces y referente en el mundo español contemporáneo.»

de sentido contrapuesto. El cambio de situación para el encuentro y la diferente índole de los personajes provocan el contraste con el fulminante enamoramiento de Calixto al ver a Melibea[81] y crea la distancia con el texto literario, del que los protagonistas de la trama amorosa recitan algunos fragmentos.

El tema de lo desconocido e imprevisible del destino surge a raíz de que los personajes adviertan «el azar de la vida» por el que se ha producido la coincidencia entre sus nombres y los de la pieza clásica. Como en la *Tragicomedia*, este primer encuentro termina con el rechazo de Melibea hacia Calixto, pero la actitud adoptada por la heroína la hace mostrar violentamente una naturaleza demoniaca que Calixto es incapaz de soportar. Puede ya advertirse que la posible relación amorosa se ha de resolver trágicamente porque se trata de una «relación imposible» por la condición de los personajes y por «la estructura social, política e ideológica del momento»[82]. Las bellas palabras pronunciadas en *La Celestina* y ahora repetidas se resuelven igualmente en un aciago final.

El cuadro II es un guiño burlesco que sirve para perfilar la faceta irrisoria de la inexperiencia erótica de Calixto, que, vestido de monja y con sus barbas, es asediado y requerido por una monjita ciega y ninfómana (de nombre Elicia). Las voces que avisan de la llegada del Visitador del Santo Oficio lo salvan apenas de la apurada situación. Melibea, informada por el representante del Santo Tribunal de que Calixto es un hereje, se siente burlada y pierde la

---

[81] Dorothy S. Severin («Introducción» a su edición de Fernando de Rojas, *La Celestina,* Madrid, Cátedra, 1987) recuerda que la crítica reciente ha llamado la atención acerca de los elementos paródicos de la obra y afirma de Calisto, al que cree «el personaje de la *Comedia* original más claramente marcado con un matiz cómico» y una parodia de Leriano, el protagonista de la *Cárcel de amor:* «Calisto actúa como un típico loco de amor; sus criados le insultan regularmente y se burlan de él, en su cara y a sus espaldas; habla como un hereje y actúa como un necio o un loco...» (pág. 28).

[82] *Vid.* Francisco Caudet, *Crónica de una marginación,* cit., pág. 142.

No es posible, ni conveniente, entrar aquí en el problema de hasta qué punto el mundo exterior, la sociedad de la época, hace fracasar el amor de Calisto y Melibea en *La Celestina.*

compostura lingüística propia de su papel de Abadesa, lo que da origen a una escena en la que el lenguaje es acertado resorte de humor.

Vuelve a enlazarse en el cuadro III con la pieza clásica. Calixto, fracasado su intento de suicidio, manifiesta a Parmeno y a Sempronio la ardiente pasión que por Melibea siente. La grosera (y real) descripción que Parmeno hace de ella en el pasado provoca la cólera en el amante, que, «llorando y berreando como una fiera», mata al rufián. Sempronio le propone entonces la intervención de la gitana Celestina. El nombre de la hechicera provoca en Calixto una nueva sorpresa por el recuerdo de la obra que leyó a escondidas en su convento y que le avisa de la repetición de sucesos («Entonces le ha llegado su turno a Celestina») y siente temor por su futuro. Sempronio lo tranquiliza, afirmando que la tercera es distinta y que la historia no puede ser igual: Parmeno ha muerto a sus manos.

En la que hemos llamado segunda parte (cuadros IV-VII) se desarrollan los puntos centrales de la trama y el personaje principal es Celestina, «una calé indoegipciaca» con más de cien años y una eterna juventud, que dice haber sido quemada en la hoguera (recuérdense los títulos provisionales de la obra), aunque es creencia popular que fue su madre la que padeció ese castigo. Celestina, genuina representante de la transgresión y la marginalidad, es una vampira, duerme durante el día en un ataúd con tierra de sus antepasados y vive por la noche, adora a Satanás, desprecia lo divino y es, sin embargo, vulnerable por el dolor. El personaje se presenta en el cuadro IV, en el que tiene lugar la entrevista con Calixto, a quien promete conducirlo hasta Melibea, su antigua pupila, haciendo de «puente diabólico» entre ellos. Pero, al confesarle el fraile su fracaso con la monjita lasciva, se apresura a procurar el remedio al defecto del enamorado. El conjuro abrirá, como en la *Tragicomedia,* el camino hacia la conquista de la amada.

Está dividido el cuadro V en cinco secuencias ubicadas en espacios escénicos diferentes que ofrecen distintas actuaciones de Celestina. A través de ellas se configura la vieja personalidad de esta peculiar tercera, astuta y embaucadora pero con poderes sobrenaturales ciertos. Estos momentos se distribuyen durante la noche, «como siempre que vemos a Celestina». El primero tiene lugar en su casa, donde induce a Areusa a recibir a su antiguo amante Centurio. En la calle, el segundo, mientras Centurio hace la ronda ante el convento por si Calixto se acerca. Celestina lo convence para que visite a Areusa y abandone la vigilancia. Transcurre el tercero en el despacho del Visitador del Santo Oficio; Celestina consigue, tras ser torturada, su puesta en libertad con la promesa de convertirse en confidente. De nuevo en su casa, Celestina «se maquilla como vieja» en una breve escena muda y, por último, en el convento logra que Lucrecia, la hermana tornera, la conduzca hasta la Abadesa.

La persuasión de Melibea, que se flagela en su celda mostrando la sinceridad de su propósito de purgar el pasado y de afianzarse en la nueva vida, se produce en el cuadro VI, en unos términos que distan mucho de los del texto original. La metamorfoseada Celestina consigue al fin la cita, aunque ésta se produzca con la ayuda de la transformación que en Melibea ha causado «el bello hastío de la virtud». También el cuadro siguiente se fragmenta en secuencias. La primera es la de la eliminación de Crito, el cabo de Centurio. En una escena de «sombras chinescas» Celestina da las órdenes necesarias a dos gitanos (puede hacerlo en su propia lengua) y éstos las ejecutan de inmediato. Se produce entonces el encuentro entre el simiesco Centurio y su amiga Areusa, con un delicado recuerdo del mito de la bella y la bestia en la versión de King-Kong. La tercera es la de la llegada de Calixto, con Celestina, al convento y el encuentro de los amantes. Melibea responde con suma frialdad a su ingenuo y arrebatado amor y la distancia se hace mayor al salir a la luz los «errores teológicos» del fraile servetiano. Lentamente se va creando la «escena» en la que el poder de la imaginación les hace superar sus miserias y ampararse en un fascinante sueño de amor que se trunca con la «irrupción zoológica de gentes armadas con ballestas y portadores de hachones encendidos» que ponen fin a la vida de los amantes, no sin que Melibea tenga tiempo de confesar, abrazada al cadáver de Calixto, que él ha sido su único y eterno amor.

El cuadro VIII sirve de epílogo a la pieza y hace patente el carácter *eterno* de ese amor. El espectador se ve de nuevo sumergido en la alucinación de esta «historia» que parecía haber llegado a su final. La escena puede recordar, no sólo por el ambiente sepulcral, la del acto primero de la parte segunda de *Don Juan Tenorio*. Sempronio, al igual que don Juan, llega ante las tumbas de Calixto y Melibea y, como el Escultor, cuenta lo ocurrido. Allí topa con el «bulto de trapos» en que ha ido a parar Celestina al ser privada de la nutricia tierra de sus antepasados. La vieja vampira intenta revitalizarse con la sangre del criado, pero éste la hiere de muerte. Mientras Celestina agoniza, le grita con todo su odio una terrible maldición expresada en caló. Por fin, Sempronio se cuelga, «ocurrencia lúgubre y particularmente divertida» que había tenido al final del cuadro III.

Tampoco estas muertes hacen que concluya la obra. Las «estatuas yacentes de los pobres amantes» cobran vida para darse un adiós que quizá sea el postrero. Nuevamente, las palabras tomadas de la *Tragicomedia* manifiestan la realidad del amor eterno. La posible presencia del grupo de turistas provoca el distanciamiento en tan emotivo desenlace. El tiempo de la historia ha sufrido un vertiginoso avance hasta nosotros y nos encontramos con los visitantes actuales, que proyectan su indiferencia ante los sufrimientos del pasado convertidos en espectáculo para otros. Sin embargo, el autor reserva con habilidad una última sorpresa (y una última significación) que ofrece el amor de esa «parejita —ella puede ser blanca y él negro— que se ha quedado quieta, de espaldas a nosotros, ante las estatuas de los pobres amantes», en una ambigua situación, puesto que en su inmovilidad parece «formar parte del monumento». Como en *La taberna fantástica,* corresponde al espectador discernir realidad y ficción, proximidad y lejanía, teatro y vida, en esta *Tragedia fantástica de la gitana Celestina*[83].

[83] Agradezco a la profesora Virtudes Serrano sus útiles ideas y sugerencias acerca de esta obra.

Nuestra edición

Reproducimos el texto completo de *La taberna fantástica* que editamos en 1983 en los Cuadernos de la Cátedra de Teatro de la Universidad de Murcia. Recogía éste, con leves correcciones de su autor, un original mecanografiado de la obra, inédita hasta entonces, que formaba parte, junto con *M.S.V. (o La sangre y la ceniza), El banquete, Crónicas romanas, Ejercicios de terror* y *El camarada oscuro,* de un volumen titulado *Teatro penúltimo.* Hemos tenido en cuenta las restantes ediciones, especialmente la de la revista *Primer Acto,* en la que apareció la obra como se representó en su estreno.

Para *Tragedia fantástica de la gitana Celestina o Historia de amooor y de magia con algunas citas de la famosa tragicomedia de Calixto y Melibea,* utilizamos un texto mecanografiado, facilitado por Alfonso Sastre, que hemos confrontado con el único publicado en castellano, en *Primer Acto.* Las ligeras diferencias que entre ellos existen no pueden considerarse variantes sino simples erratas de la revista. En las notas correspondientes indicamos las peculiaridades más notables de la versión italiana.

Bibliografía

I. Ediciones de «La taberna fantástica»

— Murcia, Universidad, Cuadernos de la Cátedra de Teatro, 1983.
— *Primer Acto,* 210-211, septiembre-diciembre 1985 (texto estrenado).
— Milán, Tranchida Editori, 1985 (en italiano).
— Madrid, Antonio Machado, 1986.
— Madrid, Taurus, Temas de España, 1986.

II. Ediciones de «Tragedia fantástica de la gitana Celestina»

— Roma, Officina Edizioni, Collana del Teatro di Roma, 1979 (en italiano).
— *Primer Acto,* 192, enero-febrero 1982.

III. Obras de Alfonso Sastre

1. *Dramáticas*

Comedia sonámbula. Escrita en 1945. Sin estrenar.
Ha sonado la muerte (en colaboración con Medardo Fraile). Escrita en 1945. Estrenada por «Arte Nuevo» en Madrid, 1946.
Uranio 235. Escrita en 1946. Estrenada por «Arte Nuevo» en Madrid, 1946.
Cargamento de sueños. Escrita en 1946. Estrenada por «Arte Nuevo» en Madrid, 1948.
Comedia sonámbula (en colaboración con Medardo Fraile sobre su pieza del mismo título de 1945). Escrita en 1947. Sin estrenar.

Prólogo patético. Escrita en 1949-1950 y reelaborada en 1953. Sin estrenar.

El cubo de la basura. Escrita en 1950-1951. Estrenada en la Universidad Obrera de Ginebra, 1966.

Escuadra hacia la muerte. Escrita en 1951-1952. Estrenada por el Teatro Popular Universitario en Madrid, 1953.

El pan de todos. Escrita en 1952-1953 y reelaborada en 1957. Estrenada por Adolfo Marsillach en Barcelona, 1957.

La mordaza. Escrita en 1953-1954. Estrenada por la «Nueva Compañía Dramática», dirigida por José María de Quinto, en Madrid, 1954.

Tierra roja. Escrita en 1954 y reelaborada en 1956. Estrenada en Montevideo.

Ana Kleiber. Escrita en 1955. Estrenada en Atenas, 1960.

La sangre de Dios. Escrita en 1955. Estrenada por «Teatro de Arte», con dirección de Alberto González Vergel, en Valencia, 1955.

Muerte en el barrio. Escrita en 1955. Estrenada por el TEU del Colegio Mayor Francisco Franco en Madrid, 1959.

Guillermo Tell tiene los ojos tristes. Escrita en 1955. Estrenada por el grupo «Bululú» en Madrid, 1965.

El cuervo. Escrita en 1956. Estrenada por la Compañía del Teatro Nacional «María Guerrero» en Madrid, 1957.

Asalto nocturno. Escrita en 1958-1959. Estrenada en el Teatro Club Iber de Barcelona, 1965.

En la red. Escrita en 1959. Estrenada por el «Grupo de Teatro Realista» en Madrid, 1961.

La cornada. Escrita en 1959. Estrenada por Adolfo Marsillach en Madrid, 1960.

Oficio de tinieblas. Escrita en 1960-1962. Estrenada en el Teatro de la Comedia de Madrid, 1967.

El circulito de tiza o Historia de una muñeca abandonada. Escrita en 1962. La segunda parte de este «intento de teatro infantil» («Pleito de la muñeca abandonada») se representó en Alicante, 1969, y luego en diversos lugares de Europa. En Italia, la estrenó Strehler en el Piccolo de Milán en 1976.

La sangre y la ceniza. Escrita entre 1962 y 1965. Estrenada por el colectivo «El Búho» en Barcelona, 1976.

El banquete. Escrita en 1965. Sin estrenar. Inédita.

La taberna fantástica. Escrita en 1966. Estrenada en el Círculo de Bellas Artes de Madrid, 1985.

Crónicas romanas. Escrita en 1968. Sin estrenar en español. Se ha representado, en traducción francesa, en el Festival de Aviñón de 1982 por el «Théâtre de l'Instant».

Melodrama. (Breve «Autobiografía para cantar en una fiesta».) Escrita en 1969.
Ejercicios de terror. Escrita en 1969-1970. Estrenada en parte, junto con *Las cintas magnéticas,* con el título de *Terrores nocturnos,* por la Compañía Julián Romea, Murcia, 1981.
Las cintas magnéticas. Escrita en 1971. Retransmitida por France-Culture, 1973. Estrenada en Lyon, 1973.
Askatasuna! Escrita en 1971. Emitida por televisión en varios países escandinavos, 1974.
El camarada oscuro. Escrita en 1972. Sin estrenar.
Ahola no es de leil. Escrita en 1975. Estrenada, con un montaje de «El Gayo Vallecano», en Madrid, 1979.
Tragedia fantástica de la gitana Celestina. Escrita en 1977-1978. Estrenada en Roma, 1979.
Análisis espectral de un Comando al servicio de la Revolución Proletaria. Escrita en 1978. Sin estrenar.
Las guitarras de la vieja Izaskun. (Versión muy libre de *Los fusiles de la madre Carrar,* de Bertolt Brecht.) Escrita en 1979. Sin estrenar. Inédita.
El hijo único de Guillermo Tell. Escrita en 1980. Sin estrenar.
Aventura en Euskadi. Escrita en 1982. Sin estrenar. Inédita.
Los hombres y sus sombras (Terrores y miserias del IV Reich). Escrita en 1983. Sin estrenar.
Jenofa Juncal, la roja gitana del monte Jaizkibel. (Basada lejanamente en *La serrana de la Vera,* de Vélez de Guevara.) Escrita en 1983. Estrenada en la Universidad de Leeds por The Workshop Theatre, con dirección de César Oliva, 1988.
El viaje infinito de Sancho Panza. Escrita en 1983-1984. Sin estrenar.
El cuento de la reforma o ¿Qué demonios está pasando aquí? (Divertimento escénico firmado como Salvador Moreno Zarza.) Escrito en 1984. Sin estrenar. Inédito.
Los últimos días de Emmanuel Kant contados por Ernesto Teodoro Amadeo Hoffmann. Escrita en 1984-1985. Estrenada en el Teatro María Guerrero de Madrid (Centro Dramático Nacional) con dirección de Josefina Molina, 1990.
Detrás de algunas puertas o La columna infame. Escrita en 1986. Sin estrenar. Inédita.
Revelaciones inesperadas sobre Moisés. Escrita en 1988. Sin estrenar. Inédita.
Demasiado tarde para Filoctetes. Escrita en 1989. Sin estrenar.
¿Dónde estás, Ulalume, dónde estás? Escrita en 1990. Sin estrenar. Inédita.

Comedia sonámbula se ha publicado en *Art Teatral* (1, otoño 1987). Las dos obritas que Alfonso Sastre escribió con Medardo Fraile formaron parte, al igual que *Uranio 235* y que *Cargamento de sueños*, de *Teatro de vanguardia. Quince obras de Arte Nuevo*, Madrid, Permán, 1949. Las *Obras Completas*, I, de Sastre, Madrid, Aguilar, 1967, recogen su producción dramática desde *Uranio 235* hasta *El circulito de tiza. La sangre y la ceniza* y *Crónicas romanas* han aparecido en Madrid, Cátedra, 1979; *Melodrama*, en *Camp de l'Arpa* (1, mayo 1972). En *El escenario diabólico*, Barcelona, Los Libros de la Frontera, 1973, se incluyen *Ejercicios de terror* y *Las cintas magnéticas. Teatro político*, Donostia, Hordago, 1979, reúne *Askatasuna!*, *El camarada oscuro* y *Análisis espectral de un Comando al servicio de la Revolución Proletaria. Ahola no es de leil* se ha publicado en la Colección La Farsa, Madrid, Vox, 1980; *El hijo único de Guillermo Tell*, en *Estreno* (IX, 1, primavera 1983); *Jenofa Juncal, la roja gitana del monte Jaizkibel*, en *Gestos* (1, abril 1986); *El viaje infinito de Sancho Panza*, en Firenze, Le Lettere, 1987 (edición bilingüe); *Los hombres y sus sombras*, en Antología Teatral Española, Murcia, Universidad, 1988; *Los últimos días de Emmanuel Kant*, en Madrid, El Público Teatro, 1989; *Demasiado tarde para Filoctetes* y *¿Dónde estás, Ulalume, dónde estás?*, en Bilbao, Hiru, 1990.

Muchas de estas obras se encuentran también en otras ediciones.

2. *Versiones*

El cobarde, de Lenormand. Estrenada (1950).
El tiempo es un sueño, de Lenormand. Estrenada (1951).
Medea, de Eurípides. Estrenada (1958) y editada.
La dama del mar, de Ibsen. Editada.
Los acreedores, de Strindberg. Estrenada (1962) y editada.
Mulato, de Hughes. Estrenada (1963) y editada.
Persecución y asesinato de Jean-Paul Marat (Marat-Sade), de Weiss. Estrenada (1968) y editada.
La p... respetuosa, de Sartre. Estrenada (1968) y editada.
A puerta cerrada, de Sartre. Estrenada (1968) y editada.
Muertos sin sepultura, de Sartre. Editada.
Las troyanas, de Sartre. Editada.
Rosas rojas para mí, de O'Casey. Estrenada (1969) y editada.
Trotsky en el exilio, de Weiss. (En colaboración con Pablo Sorozábal.) Editada.
Mockinpott, de Weiss. (En colaboración con Pablo Sorozábal.) Editada.

Noche de huéspedes, de Weiss. (En colaboración con Pablo Sorozábal.) Editada.
El seguro, de Weiss. (En colaboración con Pablo Sorozábal.) Editada.
Liolà, de Pirandello.
Las moscas, de Sartre. Estrenada (1970) y editada.
Asalto a una ciudad (sobre *El asalto de Mastrique,* de Lope de Vega). Editada.
Los secuestrados de Altona, de Sartre. Estrenada (1972) y editada.
Hölderlin, de Weiss. (En colaboración con Pablo Sorozábal.) Editada.
Historia de Woyzeck, de Büchner. (En colaboración con Pablo Sorozábal.) Estrenada y editada.
¡Irlanda, Irlanda! (La sombra de un guerrillero), de O'Casey.
Búnbury (opereta sobre *La importancia de llamarse Ernesto),* de Wilde. Editada.

3. *Narrativa*

Las noches lúgubres, Madrid, Horizonte, 1964; 2.ª ed., Madrid, Júcar, 1973.
El paralelo 38, Madrid, Alfaguara, 1965.
Flores rojas para Miguel Servet, Madrid, Rivadeneyra, 1967; 2.ª ed., Barcelona, Argos Vergara, 1982.
Lumpen, marginación y jerigonça, Madrid, Legasa, 1980.
El lugar del crimen —Unheimlich—, Barcelona, Argos Vergara, 1982.
Historias de nada (1988. Inédita).

4. *Ensayo y opinión*

Drama y sociedad, Madrid, Taurus, 1956.
Anatomía del realismo, Barcelona, Seix Barral, 1965; 2.ª ed., ampliada, 1974.
La revolución y la crítica de la cultura, Barcelona, Grijalbo, 1970.
Crítica de la imaginación, Barcelona, Grijalbo, 1978.
Escrito en Euskadi, Madrid, Revolución, 1982.
Artículos y cartas de distintas épocas se han recogido en los volúmenes inéditos *De Carabanchel a Burdeos* (1974-1976), *¿Dónde estoy?, Prolegómenos a un teatro del porvenir, Del diario de un escritor teatral* y *Entre Hondarribia y Madrid.*

5. *Poesía*

Balada de Carabanchel y otros poemas celulares, París, Ruedo Ibérico, 1976.
El Evangelio de Drácula, Camp de l'Arpa, 33, junio 1976.
El español al alcance de todos, Madrid, Sensemayá Chororó, 1978.
TBO, Madrid, Zero-Zyx, 1978.
Vida del hombre invisible contada por él mismo (1980. Inédita).
Residuos urbanos (Poemas de diferentes años. Inédita).

6. *Cine y televisión*

Guión de *Amanecer en Puerta Oscura* (1956. Con José María Forqué).
Guión de *La noche y el alba* (1957. Con José María Forqué).
Guión de *Un hecho violento* (1957. Con José María Forqué).
Guión basado en *Carmen,* de Merimée (1958).
Guión de *A las cinco de la tarde,* basado en su drama *La cornada* (1960. Con Juan Antonio Bardem).
Diálogos de *Nunca pasa nada* (1961. Guión de Juan Antonio Bardem).
En el cuarto oscuro, siete historias para un cine de terror tomadas de *Las noches lúgubres* y *Ejercicios de terror* (1986).
Guiones para la serie de Televisión Española en siete episodios *Miguel Servet. La sangre y la ceniza* (1987-1988. Con Hermógenes Sáinz y José María Forqué).
Guión de *La taberna fantástica,* basado en el texto dramático de ese título (1990).

IV. Estudios sobre el teatro de Alfonso Sastre

AA.VV., *Alfonso Sastre. Teatro,* Madrid, Taurus, El mirlo blanco, 1964.

Anderson, Farris, *Alfonso Sastre,* Nueva York, Twayne, 1971.

— Edición, introducción y notas de *Escuadra hacia la muerte* y *La mordaza,* Madrid, Castalia, 1975.

Bryan, T. Avril, *Censorship and Social Conflict in the Spanish Theatre: The Case of Alfonso Sastre,* Washington, D.C., University Press of America, 1982.

Caudet, Francisco, *Crónica de una marginación. Conversaciones con Alfonso Sastre,* Madrid, Ediciones de la Torre, 1984.

CRAMSIE, Hilde F., *Teatro y censura en la España franquista: Sastre, Muñiz y Ruibal,* Nueva York, Peter Lang, 1984.

Cuadernos El Público, 38, diciembre 1988 (Monográfico: «Alfonso Sastre. Noticia de una ausencia»).

ESTRUCH, Joan, Edición, estudio preliminar y notas de *Escuadra hacia la muerte,* Madrid, Alhambra, 1986.

FORYS, Marsha, *Antonio Buero Vallejo and Alfonso Sastre. An Annotated Bibliography,* Londres, The Scarecrow Press, Inc., 1988.

GIULIANO, William, *Buero Vallejo, Sastre y el teatro de su tiempo,* Nueva York, Las Américas, 1971.

NAALD, Anje C. Van der, *Alfonso Sastre, dramaturgo de la revolución,* Nueva York, Anaya-Las Américas, 1973.

PALLOTTINI, Michele, *La saggistica di Alfonso Sastre. Teoria letteraria e materialismo dialettico (1950-1980),* Milán, Franco Angeli, 1983.

RUGGERI MARCHETTI, Magda, *Il teatro di Alfonso Sastre,* Roma, Bulzoni, 1975.

— Edición, introducción y notas de *La sangre y la ceniza* y *Crónicas romanas,* Madrid, Cátedra, 1990.

SCIALDONE, Pierluigi, *Caratteri e figure muliebri nel teatro di Alfonso Sastre,* Florencia, Università degli Studi, 1984.

V. ESTUDIOS QUE INCLUYEN A ALFONSO SASTRE

ARAGONÉS, Juan Emilio, *Teatro español de postguerra,* Madrid, Publicaciones Españolas, 1971.

EDWARDS, Gwynne, *Dramaturgos en perspectiva. Teatro español del siglo XX,* Madrid, Gredos, 1989.

FERRERAS, Juan Ignacio, *El teatro en el siglo XX (desde 1939),* Madrid, Taurus, 1988.

GARCÍA LORENZO, Luciano, *Documentos sobre el teatro español contemporáneo,* Madrid, S.G.E.L., 1981.

— *El teatro español hoy,* Barcelona, Planeta, 1975.

GARCÍA PAVÓN, Francisco, *El teatro social en España (1895-1962),* Madrid, Taurus, 1962.

GARCÍA TEMPLADO, José, *Literatura de la postguerra: El teatro,* Madrid, Cincel, 1981.

GORDÓN, José, *Teatro experimental español,* Madrid, Escelicer, 1965.

HOLT, Marion P., *The Contemporary Spanish Theatre (1949-1972),* Boston, Twayne, 1975.

HUERTA CALVO, Javier, *El teatro en el siglo XX,* Madrid, Playor, 1985.

ISASI ANGULO, Amando C., *Diálogos del teatro español de la postguerra,* Madrid, Ayuso, 1974.

MARQUERÍE, Alfredo, *Veinte años de teatro en España,* Madrid, Editora Nacional, 1959.
MEDINA, Miguel A., *El teatro español en el banquillo,* Valencia, Fernando Torres, 1976.
MOLERO MANGLANO, Luis, *Teatro español contemporáneo,* Madrid, Editora Nacional, 1974.
OLIVA, César, *El teatro desde 1936,* Madrid, Alhambra, 1989.
PÉREZ MINIK, Domingo, *Teatro europeo contemporáneo,* Madrid, Guadarrama, 1961.
PÉREZ-STANSFIELD, María Pilar, *Direcciones del Teatro Español de Posguerra,* Madrid, Jesús Porrúa Turanzas, 1983.
RODRÍGUEZ ALCALDE, Leopoldo, *Teatro español contemporáneo,* Madrid, EPESA, 1973.
RUIZ RAMÓN, Francisco, *Historia del teatro español. Siglo XX,* Madrid, Cátedra, 1981[5].
— *Estudios de teatro español clásico y contemporáneo,* Madrid, Fundación Juan March/Cátedra, 1978.
SALVAT, Ricard, *El teatre contemporani,* vol. 2, Barcelona, Edicions 62, 1966.
SANZ VILLANUEVA, Santos, *Literatura actual,* Barcelona, Ariel, 1984.
TORRENTE BALLESTER, Gonzalo, *Teatro español contemporáneo,* Madrid, Guadarrama, 1968[2].
URBANO, Victoria, *El teatro español y sus directrices actuales,* Madrid, Editora Nacional, 1972.

VI. ARTÍCULOS ACERCA DE ALFONSO SASTRE

ALBORNOZ, Aurora de, «La prosa narrativa de Alfonso Sastre», *Cuadernos para el diálogo,* XXVI, julio 1971, págs. 34-41.
AMORÓS, A., MAYORAL, M., NIEVA F., «*Escuadra hacia la muerte* (1963), de Alfonso Sastre», en *Análisis de cinco comedias (Teatro español de la postguerra),* Madrid, Castalia, 1977, págs. 54-95.
ANDERSON, Farris, «Sastre on Brecht: The Dialectics of Revolutionary Theatre», *Comparative Drama,* III, 4, invierno 1969-70, páginas 282-296.
— «The New Theatre of Alfonso Sastre», *Hispania,* LV, 4, diciembre 1972, págs. 840-847.
— «Introducción a *El hijo único de Guillermo Tell* de Alfonso Sastre», *Estreno,* IX, 1, primavera 1983, págs. T1-T2.
ARAGONÉS, Juan Emilio, «Alfonso Sastre y el "realismo profundizado"», *Punta Europa,* 83, marzo 1963, págs. 24-35.
BILYEU, Elbert E., «Alfonso Sastre's *Escuadra hacia la muerte:* An Exis-

tential Interpretation», *Proceedings of the Pacific Conference on Foreign Languages,* 24, mayo 1973, págs. 109-114.

CAUDET, Francisco, «Alfonso Sastre», *Primer Acto,* 192, enero-febrero 1982, págs. 46-49.

— «*La Hora* (1948-1950) y la renovación del teatro español de posguerra», *Entre la cruz y la espada: En torno a la España de posguerra* (Homenaje a Eugenio G. de Nora), Madrid, Gredos, 1984, págs. 109-126.

— «1957-1961: Hacia una tragedia socialista», *Cuadernos El Público,* 38, diciembre 1988, págs. 49-59.

COSTER, Cyrus C. de, «Alfonso Sastre», *Tulane Drama Review,* V, 2, invierno 1960, págs. 121-132.

DOLFI, Laura, «Alfonso Sastre», *Le lingue del mondo,* XLI, 2, marzo-abril 1976, págs. 169-174.

DOMÉNECH, Ricardo, «Tres obras de un autor revolucionario», en AA.VV., *Alfonso Sastre. Teatro,* Madrid, Taurus, El mirlo blanco, 1964, págs. 37-47.

DONAHUE, Francis, «Alfonso Sastre and Dialectical Realism», *The Arizona Quarterly,* XXIX, 1973, págs. 197-213.

FERNÁNDEZ TORRES, A., MAQUA, J., PÉREZ COTERILLO, M., «El tiempo de Alfonso Sastre», *Pipirijaina Textos,* 1, octubre 1976, págs. 3-29.

FRIEDMAN, Edward H., «Sastre's Tragic Vision: The Dialectical Process in *Ana Kleiber, Muerte en el barrio* and *La cornada»,* *West Virginia University Philological Papers,* 25, 1979, págs. 46-60.

HARPER, Sandra N., «The Function and Meaning of Dramatic Symbol in *Guillermo Tell tiene los ojos tristes», Estreno,* IX, 1, primavera 1983, págs. 11-14.

— «Miguel Servet and the Struggle for Truth», *Estreno,* XIII, 1, primavera 1987, págs. 36-40.

LADRA, David, «*En la red*», en AA.VV., *Teatro de liberación,* Madrid, Girol Books Inc.-Primer Acto, 1988, págs. 215-225.

MARKS, Martha Alford, «Archetypal Symbolism in *Escuadra hacia la muerte», Estreno,* XI, 1, primavera 1985, págs. 16-20.

MARTÍN, Salustiano, «Alfonso Sastre: el teatro como aventura hacia la realidad», *Reseña,* 112, febrero 1978, págs. 22-25.

MARRA LÓPEZ, José R., «Alfonso Sastre narrador: un nuevo realismo», *Ínsula,* 212-213, julio-agosto 1964, pág. 10.

MEDINA, Miguel Ángel, «Alfonso Sastre, desde su "prólogo" hasta su epílogo», *Primer Acto,* 183, febrero 1980, págs. 28-32.

MIRAS, Domingo, «Sastre y Alonso para el Premio Nacional», *Primer Acto,* 213, marzo-abril 1986, págs. 123-125.

MOYA DEL BAÑO, Francisca, «Un mito en el teatro español contemporáneo», en *Estudios Literarios dedicados al profesor Mariano Baquero Goyanes,* Murcia, Universidad, 1974, págs. 297-338.

NONOYAMA, Minako, «*Guillermo Tell tiene los ojos tristes,* drama de revolución. Análisis de tema y técnica», *Hispanófila,* 50, enero 1974, págs. 77-83.

OBREGÓN, Osvaldo, «Introducción a la dramaturgia de Alfonso Sastre», *Études Ibériques,* XII, 1977, págs. 19-70.

PACO, Mariano de, «Bio-bibliografía de Alfonso Sastre», en Alfonso Sastre, *Los hombres y sus sombras,* Murcia, Universidad, Antología Teatral Española, 1988, págs. 15-24.

— «Alfonso Sastre y *Arte Nuevo»*, *Cuadernos El Público,* 38, diciembre 1988, págs. 29-37.

— «Alfonso Sastre: ein Dramatiker im Wandel», en Wilfried Floeck, Hrsg., *Spanisches Theater im 20. Jahrhundert. Gestalten und Tendenzen,* Tubinga, Francke, 1990, págs. 179-196.

PASQUARIELLO, Anthony M., «Alfonso Sastre y *Escuadra hacia la muerte»*, *Hispanófila,* 15, mayo 1962, págs. 57-63.

PÉREZ MINIK, Domingo, «Alfonso Sastre, ese dramaturgo español desplazado, provocador e inmolado», en Alfonso Sastre, *Obras Completas,* I, Madrid, Aguilar, 1967, págs. IX-XXXI.

PIQUÉ, Antonio, «Una cierta esperanza. *En la red,* de Alfonso Sastre», *Homenaje a José Alsina,* Barcelona, Ariel, 1969, páginas 191-200.

PRAAG CHANTRAINE, Jacqueline van, «Tendances du théâtre espagnol d'aujourd'hui», *Syntèses,* 178, marzo, 1961, págs. 111-121; 179, abril 1961, págs. 278-288.

PRONKO, Leonard G., «The Revolutionary Theatre of Alfonso Sastre», *Tulane Drama Review,* 2, 1960, págs. 111-120.

QUINTO, José M.ª de, «Breve historia de una lucha», en AA.VV., *Alfonso Sastrre. Teatro,* Madrid, Taurus, El mirlo blanco, 1964, págs. 48-55.

RUGGERI MARCHETTI, Magda, «La tragedia compleja. Bases teóricas y realización práctica en *El camarada oscuro* de Alfonso Sastre», *Pipirijaina Textos,* 10, septiembre-octubre 1979, págs. 2-9.

— «Elementi paralinguistici nel teatro di Alfonso Sastre», en AA.VV., *La cultura spagnola durante e dopo il franchismo,* Roma, Cadmo, 1982, págs. 65-74.

— «La tragedia compleja en sus mejores realizaciones», *Cuadernos El Público,* 38, diciembre 1988, págs. 61-75.

SACKETT, Theodore Alan, «*Prólogo patético*», *Primer Acto,* 183, febrero 1980, págs. 21-27.

SAN MIGUEL, Ángel, «M. Servet y G. Galilei. Un diálogo correctivo de Alfonso Sastre con Bertolt Brecht», *Romanische Literaturbezie-*

hungen im 19. und 20. Jahrhundert. Festschrift für Franz Rauhut, Tubinga, Gunter Narr, 1985, págs. 267-277.

Scaramuzza Vidoni, Mariarosa, «Immaginazione e libertà nella ricerca teatrale di Alfonso Sastre», *Annali della Facoltà di Lettere e Filosofia dell'Università degli Studi di Milano,* XXXI, 2, 1978, páginas 329-344.

Schwartz, Kessel, «Tragedy and the Criticism of Alfonso Sastre», *Symposium,* XXI, invierno 1967, págs. 338-346.

— «Posibilismo and Imposibilismo. The Buero Vallejo-Sastre Polemic», *Revista Hispánica Moderna,* XXXIV, 1-2, 1968, páginas 436-445.

Seator, Lynette, «Alfonso Sastre's "Homenaje a Kierkegaard": *La sangre de Dios», Romance Notes,* XV, 3, 1974, págs. 546-555.

— «*Ana Kleiber* and the Traditional Nature of Sastre's Unconventional Women», *Revista de Estudios Hispánicos,* XII, 2, mayo 1978, págs. 287-302.

— «Alfonso Sastre, Committed Dramatist», *Papers on Language and Literature,* XV, 2, primavera 1979, págs. 207-223.

Serrano García, Virtudes, «De Lope de Vega a Alfonso Sastre: *Asalto a una ciudad», Campus* (Universidad de Murcia), 27, noviembre 1988, pág. 11.

Villegas, Juan «La sustancia metafísica de la tragedia y su función social: *Escuadra hacia la muerte* de Alfonso Sastre», *Symposium,* XXI, otoño 1967, págs. 255-263.

— «Alfonso Sastre y la modernización del teatro español», *Anales de la Universidad de Chile,* CXXV, 141-144, 1967, págs. 27-45.

— «Acción dramática y disposición temporal en *Ana Kleiber* de Alfonso Sastre», *Explicación de textos literarios,* IV, 2, 1975-76, páginas 121-133.

— «1949-1955. Lo social, una categoría superior a lo artístico», *Cuadernos El Público,* 38, diciembre 1988, págs. 39-47.

Vogeley, Nancy, «The Picaresque Tradition Updated: Alfonso Sastre's *Lumpen, Marginación y Jeringonça», Ideologies & Literature,* II, 2, 1987, págs. 25-42.

VII. Críticas, artículos y reportajes sobre «La taberna fantástica»

Armiño, Mauro, «Alfonso Sastre estrena en Madrid», *Deia,* 10 octubre 1985.

Arroyo, Julia, «La importancia del texto en *La taberna fantástica», Ya,* 29 septiembre 1985.

BAYÓN, Miguel, «Qué grande ser actor», *Comunidad Escolar,* 28 octubre/3 noviembre 1985.

BERRUTI, Rómulo, «Una taberna habitada por fantasmas», *Clarín* (Buenos Aires), 11 abril 1986 (*Vid.* en *Primer Acto,* 213).

BLÁZQUEZ, Manuel G., «El otro Madrid. *La taberna fantástica*», *Punto y Hora,* 31 octubre 1985.

CAMPOS, Jesús, «Bastante más que una crónica», *Primer Acto,* 210-211, septiembre-diciembre 1985.

CERETTI, Mario E., «Lo cómico que concluye con gusto amargo», *La Razón* (Buenos Aires), 12 abril 1986 (*Vid.* en *Primer Acto,* 213).

DÍEZ MEDIAVILLA, Antonio, «A propósito de A. Sastre y *La taberna fantástica*», *Campus* (Universidad de Alicante), 11, primavera-verano 1989.

G[UERENABARRENA], J[uanjo], «*La taberna fantástica:* Sastre y el Brujo», *Época,* 21-27 octubre 1985.

HARO TECGLEN, Eduardo, «Un sainete bronco», *El País,* 25 septiembre 1985.

LÓPEZ SANCHO, Lorenzo, «*La taberna fantástica,* duro alarde realista de Alfonso Sastre», *ABC,* 25 septiembre 1985.

MALLA, Gerardo, «*La taberna fantástica*», *Primer Acto,* 213, marzo-bril 1986.

MARTÍN BERMÚDEZ, Santiago, «*La taberna fantástica.* La difícil recuperación del sainete», *Reseña,* 59, noviembre-diciembre 1985.

MONLEÓN, José, «La vuelta de Alfonso Sastre», *Diario 16,* 6 octubre 1985.

PACO, Mariano de, «*La taberna fantástica,* tragedia compleja», *Primer Acto,* 210-211, septiembre-diciembre 1985.

PREGO, Adolfo, *La taberna fantástica, Cinco Días,* 26 septiembre 985.

RUGGERI MARCHETTI, Magda, «*La taberna fantástica:* texto y realización escénica», *Campus* (Universidad de Murcia), 5 marzo 1986.

SASTRE, Alfonso, «Ni circo ni bronca: algo sobre el teatro español de hoy», *El País,* 28 octubre 1985.

— «Teatro, bajos fondos, argot», *Antzerti,* 12, 1985.

— «Una ronda por mi cuenta (Palabras para esta edición)», *Primer Acto,* 210-211, septiembre-diciembre 1985.

— «El éxito en el teatro: ¿un incidente?», *Gestos,* 3, abril 1987.

T. T., «*La taberna fantástica* de Sastre, en pleno corazón de Madrid», *Egin,* 26 octubre 1985.

TORRES, Rosana, «Alfonso Sastre usa el lenguaje de los marginados de Madrid en su último estreno teatral», *El País,* 24 septiembre 1985.

VALENCIA, Antonio, *La taberna fantástica,* Marca, 11 octubre 1985.
V[ICENTE] M[OSQUETE], J[osé] L[uis], «Una taberna de Sastre realmente fantástica», *El Público,* 25, octubre 1985.
YVARS, Pilar, «Llegar al fondo», *Combate,* 11, octubre 1985.

VIII. CRÍTICAS, ARTÍCULOS Y REPORTAJES SOBRE «TRAGEDIA FANTÁSTICA DE LA GITANA CELESTINA»

ALBERDI, A., Una nueva Celestina para Calixto y Melibea, *Deia,* 18 febrero 1986.
BACIGALUPE, Carlos, *Tragedia fantástica de la gitana Celestina, El Correo Español. El Pueblo Vasco,* 23 febrero 1986.
BARBERO, Julio, *Tragedia fantástica de la gitana Celestina, Las Provincias,* 1 febrero 1986.
CALLEJA, Hernando F., *La tragedia fantástica de la gitana Celestina, Cinco Días,* 1 agosto 1985.
FÁBREGAS, Xavier, «Entre monjas anda el juego», *La Vanguardia,* 2 mayo 1985.
GARCÍA-OSUNA, Carlos, «Las locuras de Sastre con La Celestina», *Ya,* 1 agosto 1985.
GIL ZAMORA, «Alegato *melibeo», Egin,* 15 junio 1985.
LARRAÑAGA, Nere G., «Group D'Accio Teatral, una "Celestina" muy distinta», *Punto y Hora,* 28 febrero 1986.
PARRALEJO, Jesús, «Alfonso Sastre ofrece una particular visión de La Celestina, situada en la actualidad», *Diario 16,* 30 julio 1985.
PÉREZ COTERILLO, Moisés, «Alfonso Sastre: "Mi patria es el idioma"», *El Público,* 19, abril, 1985.
PÉREZ DE OLAGUER, Gonzalo, «El discurso radical de la "Celestina" de Sastre», *El Público,* 21, junio 1985.
SAGARRA, Joan de, «Sarcástica meditación», *El País,* 2 mayo 1985.
— «¡Viva la Agricultura!», *Guía del Ocio de Barcelona,* 10-16 mayo 1985.
SQUARZINA, Luigi, «"Solo tu, Melibea" (II, 7)», en Alfonso Sastre, *La Celestina. Storia di amore e di magia con qualche citazione dalla famosa tragicommedia di Calisto e Melibea,* Roma, Officina Edizioni, 1979.
VILLEGAS, Juan, «*La Celestina* de Alfonso Sastre: niveles de intertextualidad y lector potencial», *Estreno,* XX, 1, primavera 1986.
ZIGGI, *Tragedia fantástica de la gitana Celestina, Punto y Hora,* 10 mayo 1985.

Dibujo de Ángel Hernansáez para la primera edición de *La taberna fantástica*

La taberna fantástica

Drama que se procurará representar
sin ninguna interrupción: en un acto

NOTA 1

Esta es la tercera de las que yo llamo mis «tragedias complejas». El año pasado escribí las otras dos: *La sangre y la ceniza* y *El banquete*. Ninguna de ellas se ha representado en el momento en que hago esta nota y este drama. *Oficio de tinieblas,* que es un antecedente de esta inflexión en mi trabajo, tampoco se ha representado aún. Yo pensaba no escribir más obras teatrales hasta que empezara a contrastar escénicamente los dramas ya escritos; pero la presión de este tema —consecuencia de una larga experiencia personal acumulada— ha sido más fuerte que cualquier proyecto.

Los invito a entrar en esta taberna poblada de fantasmas reales, a escuchar este lenguaje bronco, a presenciar este drama lúgubre.

No es una mera ilustración del parentesco estético entre el naturalismo y la «vanguardia». Si su significación se redujera a eso no habría merecido la pena: es cosa sabida y, si fuera necesario, se puede explicar por otros medios: No es preciso escribir una obra.

Tampoco es una pura muestra del lenguaje de las zahúrdas; aunque me parece conveniente escribirlo y no se suele hacer. Si la obra interesara en ese sentido, ¿a los lingüistas?, ¿al público en general?, ya sería algo, pero...

Resumiendo, se trata de un momento más de mi solitaria exploración, a la busca de un nuevo drama; en este caso se trata de la incorporación al teatro de una experiencia inmediata, para lo que hay que torear el toro del naturalismo, cuyas cogidas son mortales: una faena difícil...

Alfonso Sastre,
Madrid, 22 agosto 1966

Nota 2

El Autor hace constar que el nombre de «El Gato Negro» que lleva la taberna donde se desarrolla la acción de este drama no supone relación alguna con la taberna del mismo nombre que existía en la Calle de los Misterios (Pueblo Nuevo, Madrid) y que ha sido recientemente demolida*.

También hace constar que ha empleado algunos nombres y motes existentes realmente en el Barrio de San Pascual y en otros barrios, sin que ello comporte referencia alguna a lugares o personas reales.

A. S.

* Hoy existe de nuevo una taberna con el mismo nombre en lugar próximo a donde se encontraba la anterior.

NOTA 3

(Sobre «quinquilleros»)

Varios personajes —y seguramente los más importantes— de *La taberna fantástica* pertenecen a un mundo que ha saltado con frecuencia últimamente a las páginas de sucesos de los periódicos españoles: el de los *quinquilleros*. Éste es un oficio nómada, no étnicamente diferenciado, socialmente marginal, y siempre segregado en sus intentos de integración suburbana: el «quinquillero», en la vecindad, *es el otro.*

Se va realizando últimamente, de modo individual y con muchas dificultades, la proletarización de algunos *quinquilleros,* como también, más lentamente, la de algunos gitanos, con los que aquéllos tienen cierto parentesco social, situacional.

El oficio *quinquillero* —el «gremio»— es nómada, pero cada vez se centra más en torno a un domicilio habitual, casi siempre mísero y suburbano: cueva, lona, chabola o, ahora, viviendas «de absorción» (en Madrid, U.V.A.: «Unidades Vecinales de Absorción»). Consistía en la venta ambulante de «quincalla» y, ahora, sobre todo, en el arreglo de cacharros de cocina y paraguas («paragüero, lañaor») y sillas («la sillera»); así como chapuzas de fontanería y fabricación de cacharras para la leche, etc., hojalateros.

El desamparo social, el vacío cultural en que viven —la cruel miseria, en fin, de sus condiciones de vida— crean en ellos una moral, un lenguaje, una idiosincrasia *sui generis:* y tales condiciones constituyen, desde luego, un caldo de cultivo en el que crece, en porcentajes seguramente más elevados que en otros grupos o capas sociales, la pequeña delincuencia: el hurto de efectos no guardados, etc.*.

Pero un quinquillero no es, forzosa y necesariamente, un delincuente, ni los quinquilleros son asociaciones de delincuentes, como ha pretendido, con notoria falta de información o recusable descaro, gran parte de la prensa española al comentar algunos últimos sucesos; contribuyendo así al acorralamiento social de estos grupos y al mayor desarrollo, en ellos, de una delincuencia defensiva.

También, la indefensión social en que viven —y la necesidad de defenderse como sea, para sobrevivir en tan desfavorables condiciones— crea en muchos de ellos un componente (defensivo) de agresividad, de violencia. Atribuyo a estas condiciones la generosidad que es nota generalizada en ellos: una generosidad sin límites, casi agresiva, con la que ellos se hacen aceptar: imponen su presencia, jovialmente, en un mundo enemigo.

Alfonso Sastre,
Madrid, 10 septiembre 1966

---

* A los dos días de escribir esta nota —y tres de haber terminado la obra—, el autor sufrió un arresto gubernativo y tuvo ocasión de conocer en la Prisión de Carabanchel a la «gran delincuencia» quinquillera: Medrano, *Lute,* los hermanos Romero y otros. Ellos significan un «salto» a la delincuencia profesionalizada; fenómeno que no sólo no obliga a rectificar ningún detalle de la presente nota, sino que la ilustra, y constituye una acusación viva contra la sociedad en que se ha producido este género de delincuencia.

A. S.

Nota del autor para la primera edición de la obra, en los Cuadernos de la Cátedra de Teatro de la Universidad de Murcia

Mientras el querido amigo Mariano de Paco prepara esta edición, hay un proyecto concreto para el estreno de *La taberna fantástica* durante el año 1984. Lo que aquí se edita es el texto completo.

En la versión teatral quedará suprimido el «Intermedio que es un sueño del Caco», y Rogelio dirá aún algunas frases «en una especie de soledad cósmica», hasta que cae el telón para el Intermedio. El Acto segundo empezará cuando «es ya de noche. Luz eléctrica, amarilla...».

El Epílogo quedará muy abreviado. Se suprimirán el «Comentario sobre la huida del Carburo» (Momento II) y también los Momentos III, IV, V, VI y VII. La representación terminará como en el texto que aquí se edita: con el «Diálogo tomado del natural entre dos hombres de nuestro tiempo».

De todas maneras, será durante los ensayos cuando todo esto tome forma... provisionalmente definitiva: valga la paradoja. Muchas veces recuerdo lo que decía Valéry de que una obra literaria nunca se termina, sino que, llegado un momento, se abandona... O, como yo decía ahora, se termina... provisionalmente. Esto, en el teatro, es más evidente todavía.

Les saluda muy afectuosamente desde Fuenterrabía, a 7 de octubre de 1983.

Alfonso Sastre

Esta obra se estrenó el 23 de septiembre de 1985 en la Sala «Fernando de Rojas» del Círculo de Bellas Artes de Madrid con el reparto:

PERSONAS DEL DRAMA
(por orden de aparición)

EL AUTOR	Eduardo Mac Gregor
LUIS	Carlos Marcet
EL BADILA	Mauro Muñiz
EL CACO	Rafael Díaz
ROGELIO EL HOJALATERO	Rafael Álvarez, «El Brujo»
PACO EL DE LA SANGRE .	José Manuel Mora
GUARDIA CIVIL 1	Fulgencio Saturno
GUARDIA CIVIL 2	Francis García
EL CARBURO	Vicente Cuesta
CIRIACO	Ramón Durán
EL MACHUNA	Avelino Cánovas
LA VICENTA Y SU CRÍO ..	Concha Rabal
LOREN, EL CIEGO DE LAS VENTAS	Enrique Navarro
EL TIRITERA	Suprimidos en la representación
EL CHULI	
LAS MÁSCARAS	
Escenografía	Rafael Palmero
Ayudante de Escenografía ...	Carlos Dorremochea
Realización Decorado	Alberto Valencia
Pintor	Luis Barbeyto

Montaje	Anselmo Alonso
Luminotecnia	David Álvarez
Vestuario	Peris Hermanos
Regidor	Jorge Murano
Ayudante de Dirección	Fulgencio Saturno
Dirección	Gerardo Malla

UN CARTEL QUE DICE:

EL AUTOR DE ESTA OBRA FRECUENTA ALGUNAS TABERNITAS CERCANAS A LAS VENTAS DEL ESPÍRITU SANTO

EL CARTEL ES RETIRADO PARA QUE COMIENCE EL:

PRÓLOGO

(Luz sobre el AUTOR*)*[1].

AUTOR.—*(Al público:)*[2]
Represento al autor de la comedia.
En su nombre les digo:
Les agradezco muy de buten[3]
que hoy bacilen[4] conmigo.

---

[1] La presencia del Autor como personaje (aparte de las menciones en distintas tragedias complejas) es de gran importancia dramática en los cuadros XXV y XXVI de *El camarada oscuro,* y es elemento fundamental en los poemas de Alfonso Sastre y en *Lumpen, marginación y jerigonça.*

[2] La primera «nota de dirección» que acompaña al texto de la obra publicado en *Primer Acto* (210-211, septiembre-diciembre de 1985), que corresponde al montaje de Gerardo Malla, señala que «cuando el público entra en la sala, el autor y Luis el tabernero están en escena». Junto a otras indicaciones, precisa respecto al sonido: «En la radio se escucha una de las tradicionales novelas históricas que Radio Madrid emitía por los años 60. Mientras suenan músicas y efectos, Luis escucha atentamente pero, cuando entra el diálogo, cambia de emisora y se escucha canciones de Karina y Rafael» (pág. 100).

[3] *muy de buten:* muy de veras *(buten:* bueno). Salvo indicación contraria, nos referimos a las acepciones utilizadas en el texto.

[4] *bacilar* (o *vacilar):* divertirse.

Por mí podrían fumar y beber tragos
(si les gusta la priba[5]),
¡pero nos lo prohíbe
la Autoridad gubernativa!

Contribuirían al ambiente
con el humo y el vino pues la escena
es una tasca suburbana
triste y acetilena[6].

La taberna es tranquila y cuasi fúnebre
cuando el currante[7] vaca.
Pero los sábados... En fin, ésta es la historia
de una sangrienta pajarraca[8].

Una tarde de sábado (y agosto)
bajo un sol de justicia me aburría.
Entré a charlar con Luis el tabernero.
¡Y nada presagiaba lo que sucedería!

(Luz a la taberna[9]. *La muestra dice: «El Gato Negro»*[10].

---

[5] *priba* (o *priva*): bebida (alcohólica).

[6] *acetilena:* con luz de acetileno (el Diccionario de la Real Academia Española —en adelante citamos DRAE y nos referimos a la vigésima edición, 1984— define *acetileno* como «hidrocarburo gaseoso que se obtiene por la acción del agua sobre el carburo de calcio, y se emplea para el alumbrado, la soldadura, etc.»).

[7] *currante:* trabajador (después aparece *curro:* trabajo).

[8] *pajarraca:* bronca, pelea.

[9] Las tabernas son lugares de encuentro frecuentes en la obra dramática de Sastre, así «Casa Antonio» en *El cubo de la basura* (C. II); la de Luis en *Tierra roja* (C. II); el «bar modesto» de *Muerte en el barrio* (Prólogo, C. V y Epílogo); la taberna en Altdorf de *Guillermo Tell tiene los ojos tristes* (C. II); la de Pastor en el Epílogo de *La cornada;* la «lúgubre taberna» de la señora Paca en *El camarada oscuro* (C. IV); la de Onintze en *Jenofa Juncal, la roja gitana del monte Jaizkibel* (C. I); la «tabernucha portuaria» de *Demasiado tarde para Filoctetes* (C. I, III y VIII); e, incluso, el «café de la ciudad de Segeda» del cuadro V de *Crónicas romanas.* Distinta función tiene la «Taberna del Ciprés Rojo» en *¿Dónde estás, Ulalume, dónde estás?*

Podemos también recordar al respecto los poemas agrupados con el título «Tarde en la taberna» y la «Elegía en la muerte del tabernero Juanito Carpetón» en *El español al alcance de todos.*

[10] Afirma Sastre en la nota 2 que precede al texto que esta taberna no se

Encima del dintel, un gato de escayola, erizado. Es una taberna vieja. Detrás del mostrador tres pellejos de vino. Radio. Teléfono. El decorado es complejo: comprende el interior de la taberna, la explanada exterior no urbanizada y el arranque de un vertedero de basura. Fondo de rascacielos y chabolas[11]. *Cae un sol de justicia.* LUIS, *el tabernero, se dirige al público:)*

LUIS.—¡Las broncas es una cosa mala! Se hartan de vino, aquí la clientela, y luego a ver quién carga con las consecuencias, yo[12].

AUTOR.—*(También al público:)* Cualquiera diría.

LUIS.—*(También al público:)* Hombre, usted porque no viene los sábados por la noche. Se pone esto de miedo.

AUTOR.—*(También al público:)* ¿Esto?

LUIS.—*(Asiente.)* De miedo. Yo, en cuanto llega la noche, loco por cerrar. Es un compromiso, ya le digo.

---

corresponde con la que poseía ese nombre en la calle de los Misterios de Pueblo Nuevo, Madrid. La taberna en la que la acción se desarrolla tiene mucho de «La Serrata», situada, lejos de «El Gato Negro», en el Barrio de San Pascual, frecuentada por el autor, «pero también de otras que no desaparecen de mi memoria: "Los Claveles" (hoy existente no lejos de donde estuvo la anterior, que antes se había llamado "Salón Quevedo"), "Los Pinchos", "La Única", "Casa Poli"... ¡Vulgares tabernas, fantásticas tabernas!» (Alfonso Sastre, «Una ronda por mi cuenta (Palabras para esta edición)», *Primer Acto,* 210-211, pág. 84).

Por otra parte, la denominación *Gato Negro* (en la quizá se recuerda también el relato de Poe) ha sido utilizada por Alfonso Sastre en otros lugares de su obra. Así, en el capítulo I de la primera parte del relato «Las noches del Espíritu Santo», incluido en *Las noches lúgubres,* el narrador señala: «Yo estaba una vez más, digo, en la taberna de los "Gatos Negros", cuya portada, que exhibe el bajorrelieve de dos gatos crispados en la escayola, es bien conocida por los vecinos de mi barrio y por los que visitan, para cualquier menester, esta zona de las Ventas del Espíritu Santo, mezcla de barrios nuevos y yacijas inmundas, honradez menestral y trato vicioso; miseria, depravación y precaria opulencia.» A la tertulia del café *El Gato Negro* en Madrid asistía Larrea *(Demasiado tarde para Filoctetes).*

[11] Este ambiente exterior recuerda el del Prólogo de *El cubo de la basura,* cuya acotación inicial indica: «Un solar, vertedero de basura. Unas tapias y, al fondo, fachadas de casas y panorama de suburbio...»

[12] Estas frases de Luis son buen ejemplo de la lengua coloquial con vulgarismos que el tabernero utiliza. Recuérdese lo señalado en el apartado «El lenguaje marginal» de nuestra Introducción.

AUTOR.—No será para tanto, hombre.
LUIS.—¿Que no? Un compromiso, lo que yo le diga.
AUTOR.—Claro. Cualquier cosa que ocurra... ¿no?
LUIS.—Exacto. Así que en cuanto veo un clarito echo el cierre y a sobar[13], que además acaba uno muerto, de todo el día de pie. ¿Que me pierdo una peseta? Bueno, pero me la gano en tranquilidad; es decir, que la disfruta mi cuerpo.
AUTOR.—Con la buena gente que viene por aquí... Al menos, los que yo conozco así de alternar... parece mentira.
LUIS.—No, si buena gente sí, pero algunos unos cabrones cuando llega el momento.
AUTOR.—*(Ríe.)* Qué cosas tiene.
LUIS.—Si no es que tenga queja; y ni de los quinquilleros en ese sentido, a ver si me entiende... Pero es la cosa del vino, más que nada; y la mala sangre de algunos, que también; porque, a ver, dígame usted a mí si hay derecho que por abusar de aquí *(Con el pulgar, ademán de beber)* te falten al respeto y que, por menos de nada, te la líen[14].
AUTOR.—*(Benévolo.)* El vino, ya se sabe.
LUIS.—Sí; pero si no sabe uno beber, o sea que tiene mal vino, como se dice, es lo que yo digo, pues que no beba. A ver si no llevo yo razón. Claro que a usted, si se arma, a lo mejor le interesa para sus sainetes, pero a mí me joden[15], con perdón.
AUTOR.—*(Comprensivo, risueño.)* Es natural, Luis. Es natural. *(Se queda mirando fijamente hacia el público. Pausa.)* ¿Quién se ha muerto?
LUIS.—No sé.
AUTOR.—Es que ha pasado una carroza. Parece que baja hacia las chabolas del Tejar.

---

[13] *sobar:* dormir.

[14] *liarla:* provocar un conflicto.

[15] *joder:* molestar, perjudicar (DRAE).
En el cuadro segundo de *Guillermo Tell tiene los ojos tristes* se queja también el Tabernero de los «jaleos» que puede ocasionarle la presencia en su establecimiento de Guillermo, a pesar de que éste «no se ha escapado de la cárcel» y, por tanto, no viene «perseguido».

LUIS.—¡Ah sí! Ha sido esa, la señora Cosmospólita[16].

AUTOR.—¿Quién?

LUIS.—Sí, hombre, la Cosmospólita, la quinquillera, ¿no sabe?, la mujer del Ciriaco, el de las hojalatas, sí hombre, que es el hermano del Machuna, o sea: que ella era cuñada del Machuna, el compadre de Ramón el de las Poesías[17], ¿no cae? ¡La Cosmospólita! Pero si la ha visto usted mil veces: la madre del Rogelio, del Rojo que le llaman, que anda huido por ahí desde que mataron a ese guardia civil en Hortaleza, porque dicen que le echan las culpas[18], ¡no de la muerte, entiéndame!, pero que dicen que si es cómplice o que si no... en fin, un rollo[19].

AUTOR.—¡Ah sí, ya sé! Sólo que yo conozco más a la familia de ella; a ese que llaman el Tiritera, que trabaja haciéndose el enfermo ahí, a la puerta del Mercado de Torrijos.

LUIS.—*(Asiente y complementa.)* ... Que es su hermano.

AUTOR.—Y a ese que va de ciego, con su lazarillo.

---

16 En el capítulo XL de *Lumpen, marginación y jerigonça* apunta Sastre hablando de los quinquilleros: «Dato quizás importante es un cierto internacionalismo —no se trata de castellanos o asimilables a éstos— que induzco del hecho de que uno de mis amigos me decía que su madre era francesa y que, además, se llamaba Cosmospólita: ¡ciudadana del mundo! En mi "Taberna fantástica" sacaba a colación este nombre que me produjo, cuando lo supe, una extraña fascinación» (pág. 282).

17 Diversos clientes de la taberna, algunos de ellos personajes de esta obra, son mencionados en el poema «Subproletariado», de *El español al alcance de todos* (reproducido en *Lumpen, marginación y jerigonça,* págs. 56-57). En él se pregunta retóricamente: «¿Y cuándo volverá Ramón el de los Versos del Puerto de Santa María?»

18 Este hecho (quinquillero perseguido por la muerte de un guardia civil que no cometió) guarda relación con un suceso real del tiempo en el que se escribió la obra, que concluyó trágicamente, como el autor evoca en el poema «Ejecución del maleante», de *El español al alcance de todos.*

19 *rollo:* el DRAE ofrece entre otras la acepción «discurso, exposición o lectura larga y fastidiosa», de la que quizá derivan los diversos significados que a esta palabra (y a las formas nominales y verbales formadas sobre ella) se han dado en las lenguas marginales recientes (*vid.* al respecto los términos *rollo, enrollado, enrollante, enrollar, enrolle* —a veces escritos con *rr*— en el útil *Diccionario de argot español y lenguaje popular* de Víctor León —Madrid, Alianza, 1980—). Francisco Umbral, en el llamado *Diccionario Cheli* (Barcelona, Grijalbo, 1983), dice que *rollo* «es la palabra/comodín del cheli», que «toma esta palabra y la potencia al máximo».

Luis.—... Que le llaman el Ciego de las Ventas. Sí, hombre, el Loren.

Autor.—Que lleva gafas negras, ése.

Luis.—Que lleva gafas cuando sale a trabajar, porque luego se las quita y diquela[20] más que usted y que yo juntos el muy cabrito[21]...

Autor.—... Que creo que fue el primer marido de esta señora que ha muerto, ¿no? (Luis *hace un gesto.)* o, vamos, que vivió con ella antes (Luis *hace un gesto: «Eso sí».)* y que tienen un hijo.

Luis.—Usted lo ha dicho: el Chuli.

Autor.—Pues pobre mujer. ¿Y qué tenía?

Luis.—Eso sí que no sé. Por aquí lo han dicho, pero no he prestado atención. Pero creo que tenía el vientre cosa mala. *(Gesto de hinchado.)*

Autor.—Estoy por acercarme al entierro; no sé qué hacer.

Luis.—Hombre, para usted, a lo mejor es curioso.

Autor.—Vendrán todos los parientes, seguro, ¿no?

Luis.—*(Asiente.)* Los quinquilleros, ya se sabe, todos son familia... Pero el Rojo, no creo que se atreva. La que vendrá, seguro, es la Guardia Civil, por si las moscas. Toque usted hierro.

Autor.—¿Por qué?

Luis.—Ojalá que no caigan por aquí.

Autor.—¿Los guardias?

Luis.—Digo los quinquis. Se la juega uno con estos hijos de su madre.

(Ahora vemos, porque se levanta, que junto al vertedero estaba durmiendo alguien. Es un tipo simiesco, de largos brazos, encorvado y chato, que anda torpemente hacia «El Gato Negro» y entra. El saludo de Luis *es áspero:)*

---

[20] *diquelar:* ver, mirar.

[21] Un verso de «Subproletariado» dice: «El vidente se pone gafas negras para buscar limosna y, ya ciego, tropieza, es conducido.»

En «Los pobres», sainete breve de Carlos Arniches *(Del Madrid castizo)*, se recogen distintos trucos empleados en la ciudad para conseguir limosnas.

LUIS.—¿Ya la has dormido?
BADILA.—Cállate la boca.
LUIS.—La castaña[22], digo.
BADILA.—Cállate.
LUIS.—La tenías como un piano.
BADILA.—Dame de beber.
LUIS.—Eso no te lo crees ni tú.
BADILA.—Qué malo eres.
LUIS.—Encima que te aguanto.
BADILA.—Dame de beber.
LUIS.—No queda.
BADILA.—Me cago en mi padre.
LUIS.—Eso allá tú.
BADILA.—¿Qué tienes tú que decir de mi padre?
LUIS.—Anda éste.
BADILA.—Te oigo y no te oigo.
LUIS.—No me extraña.
BADILA.—Mañana te lo pago.
LUIS.—No te escucho.
BADILA.—Que me des, te digo.
LUIS.—Date el zuri[23], Badila. Que me cabreo[24].
BADILA.—¿Tú me echas?
LUIS.—Estás más guapo fuera, anda.
BADILA.—Yo soy un parroquiano. ¿Sí o no?
LUIS.—Lo eras.
BADILA.—A ver si voy a cagarme en algo malo.
LUIS.—*(Lo coge del cuello, amenazador.)* ¿Por ejemplo?
BADILA.—*(Se achanta.)* En mi padre.
LUIS.—*(Lo suelta.)* ¡Cómo lo estás poniendo al hombre!
Ya van dos veces que lo empapuzas[25], asqueroso.
BADILA.—Tú a callarte, que está bajo tierra y era un santo.
LUIS.—¿Qué he dicho yo sino afearte?
BADILA.—Ni afearme ni pollas[26]. A mi familia ni mentar-

---

22 *castaña:* borrachera.
23 *darse el zuri:* irse, marcharse.
24 *cabrearse:* enfadarse (DRAE).
25 *empapuzar:* manchar, poner perdido. El DRAE no recoge este sentido y lo identifica con *empapujar:* hacer comer demasiado a uno.
26 *ni pollas:* fórmula vulgar de negación reforzada.

la, ya lo sabes, y menos a mi bato[27], que ya no se defiende. Más respeto.

LUIS.—¿He dicho yo algo de tu padre? ¡No te amuela![28].

BADILA.—¿Lo ves cómo lo mientas? Lo has mentado.

LUIS.—¿Yo a tu padre? ¿De qué?

BADILA.—¡A ver si estoy borracho! ¡Que lo diga el señor! *(Al* AUTOR.) ¿Verdad que lo ha mentado, jefe? A ver si es que estoy borracho o qué.

LUIS.—No lo he hecho, Badila, pero a ver, supongamos. ¿Y qué pasa? *(Vuelve a cogerlo por el cuello.)* ¿Qué pasa, te digo yo puestos a eso?

BADILA.—¡Eh, Luis, que te la juegas; que a mí no me mienta nadie a la familia! *(Nervioso, pálido.)* Que saco el churi[29] y te doy una mojada[30] que te avío.

LUIS.—Lástima me das. ¡Lástima y asco!

(Lo lleva hasta la puerta y lo echa afuera sin ninguna consideración. El BADILA, *allí, protesta sin atreverse a entrar de nuevo.)*

BADILA.—¡Abusas porque puedes, cara de catre! ¡Por no fiarme medio litro, cómo te pones! ¡Algún día me la pagas, chusquero, sinvergüenza! ¡Ladrón de los pobres, que vendes por Valdepeñas el canalillo[31], ladronazo! ¡Que estás secando el Manzanares, so canalla! ¡Que vendes la pañí[32] a siete[33] el litro, caradura!

(Según insultaba, ha ido retirándose prudentemente, de espal-

---

[27] *bato:* padre.

[28] *amolar:* fastidiar, molestar con pertinacia (DRAE). Obsérvese el sentido vulgar de la expresión *¡No te amuela!,* como después *¿No te jode?, No te fastidia, ¡No te mea!* o *¡No te mata!*

[29] *churi:* navaja (también se usa *la churí* y, menos, *la chorí*).

[30] *mojada:* puñalada (DRAE: herida con arma punzante).

[31] *vendes... canalillo:* vendes el agua (del canalillo) como si fuese vino (de Valdepeñas). Alude a la costumbre, tradicionalmente criticada, de los taberneros de aumentar las ganancias aguando el vino.

[32] *pañí:* agua (*dar la pañí* es avisar a alguien de un peligro).

[33] *siete:* se sobreentiende *pesetas,* entonces precio del litro de vino.

das, y nada más salir de escena, se oye que grita: ¡Ay! ¡Ay!)

AUTOR.—¿Qué le ha pasado?
LUIS.—*(Desde la puerta, ríe.)* Se ha caído en la zanja esa de lo de la obra el mamonazo[34]. *(Se retuerce de risa.)* ¡Ay, qué tío! ¡Se ha caído en la zanja y no puede salir, el tuercebotas ese!
BADILA.—*(Grita, dentro.)* ¡Socorro, hijos de puta! ¡Sacadme de aquí, cabrones!
AUTOR.—Voy a ayudarle, a ver.
LUIS.—No, hombre. Déjelo que la duerma ahí dentro. Lo más que puede haber ahí es algún zurullo, pero él ni se entera. Ya verá cómo se queda dormido tan a gusto.
AUTOR.—Con tal de que no se haya roto una pierna.
LUIS.—Qué va, hombre. Chillaría de otro modo, ¿no me comprende?
BADILA.—*(Sigue gritando.)* ¡Auxilio, cabronazos! ¡Rojos de mierda, cuando salga os fusilo! ¡A mí la Legión!

(El AUTOR *desiste de salir.)*

AUTOR.—¿Qué ha sido el Badila? ¿Legionario?
LUIS.—Por lo visto, pero cualquiera sabe. Pues anda éste. *(Por alguien que viene.)*
AUTOR.—*(Sin mirar hacia afuera.)* ¿Quién es?
LUIS.—El Caco.
AUTOR.—*(Ahora se asoma.)* Qué borrachera llevaba ayer.
LUIS.—Ahora viene directo del curro, y va sereno. A ver a la noche.
AUTOR.—¿Dónde trabaja?
LUIS.—En la trapería de ahí a la vuelta.
AUTOR.—¿No era albañil en lo de Banús?

---

[34] *mamonazo:* tiene aquí un sentido genérico de insulto, como antes *chusquero* y después *tuercebotas,* aunque, por lo que antes indicamos (nota 31), en las palabras ofensivas del Badila predominaba la idea de «robar».

LUIS.—Pero lo pusieron a jornal y se mosqueó[35] el muchacho.

(Entra el CACO. *Es delgadito, de pronunciados pómulos y ojos saltones.)*

CACO.—*(Correcto.)* Buenas.
AUTOR.—Muy buenas.
LUIS.—*(A guisa de saludo.)* ¿Lo de siempre, Caco?
CACO.—Vale. Pero dámelo en seguida, por favor, que voy a merendar. *(Se sienta y saca un tomate del bolsillo. Lo parte con una navajita.* LUIS *le sirve un litro de vino. Quita el tapón de caña de la botella y se bebe media de un trago, voluptuosamente. Se seca la barbilla con la mano. Se explica:)* Venía seco; pero seco.

(LUIS *pone la radio. El* AUTOR *se ha levantado.)*

LUIS.—¿Se va ya?
AUTOR.—Sí. Volveré a salir luego, al final de la obra. Que ustedes lo pasen bien... El prólogo ha terminado. Oscuro y música, Ramírez, por favor.

(En lugar de «Ramírez», se dirá el nombre real del regidor. La música de la radio sube y se va haciendo el oscuro. Cuando ya es total, se hace luz sobre una gran pizarra en la que se lee:

PARTE PRIMERA

EN LA QUE ROGELIO EL ESTAÑADOR VUELVE A SU BARRIO PARA ASISTIR AL ENTIERRO DE SU MADRE

Es el mismo decorado —y lo será para el resto de la obra—. El CACO *está bebiendo, ahora con la caña puesta en la botella.*

---

[35] *mosquearse:* molestarse, ofenderse.

LUIS *lee «Ya». Suena, en la radio, una marcha militar alemana. Llega, dando bandazos por la explanada,* ROGELIO EL ESTAÑADOR. *Es rubiajo, delgado, fuerte. Apunta hacia la puerta de la taberna y, después de varios intentos, consigue entrar.)*

ROGELIO.—(*Se agarra a una jamba y trata de enfocar a* LUIS *entornando los ojos.*) ¿Dónde vas, eh? Quieta, quieta, taberna. Tú, Luis, ¿qué es esto? ¿Una taberna o una fortaleza volante?

LUIS.—Cómo vienes, muchacho. Qué tajada[36].

ROGELIO.—Silencio, que estamos volando a gran altura.

LUIS.—(*Se lamenta amargamente.*) Qué suerte la mía.

(*Apaga la radio.*)

ROGELIO.—Ya aterrizamos.

LUIS.—(*Fastidiado.*) ¿No te digo?

ROGELIO.—¡Coge la pista bien, Luis! Sin desviarte.

LUIS.—¿No te jode, lo que hay que aguantar? Ay, madre.

ROGELIO.—Así... Bárbaro, Luis... Frena, frena, que nos la pegamos si no contra la tapia. Frenando, que nos damos la hostia[37]. Así... Ya vale... Eres un piloto de miedo. Espera, que ahora voy.

(*Se suelta de la jamba y da un brandazo sobre la mesa del* CACO, *que se asusta.*)

CACO.—Eh tú, que casi me tiras el vino, ¿no te jode?

ROGELIO.—Usted perdone la molestia. (*De un embite consigue acodarse en el mostrador.*) Luisito, chato, ¿qué me cuentas? Yo ya ves. Por aquí.

LUIS.—Si estás loco, a mí qué.

ROGELIO.—Hombre, que vengo un poco mareado.

---

36 *tajada:* borrachera (DRAE).

37 *hostia:* golpe, porrazo (puede verse Amando de Miguel, *La perversión del lenguaje,* Madrid, Espasa-Calpe, 1985, págs. 137 y ss.).

LUIS.—Estás de aquí, muchacho. *(Por la cabeza.)*
ROGELIO.—¿Majara[38] yo? ¿Por qué lo dices?
LUIS.—No estás para entenderme ahora. Déjalo.
ROGELIO.—Ahí va, tu mea[39]... Dame una copa de suave, anda.
LUIS.—Te la pongo si quieres, pero no me hago responsable.
ROGELIO.—Achanta la muy[40] y trabaja. *(Ríe.)* No te enfades. (LUIS *le sirve anís.)* Vengo de coñac, pero me pega de miedo la bebida. A ver ese suave...
LUIS.—Ten cabeza, Rogelio, ten cabeza.
ROGELIO.—Tú déjame a mí, que yo me sé muy bien mi rollo[41]. Métete en tus cositas.
LUIS.—Qué burro eres. La culpa la tengo yo por darte conversación. *(Muy serio.)*
ROGELIO.—¡Anda mi madre! ¿Ya te has enfadado?
LUIS.—¿Yo? *(Se encoge de hombros.)*
ROGELIO.—A ver si no quién. Será tu tía.
LUIS.—Yo desde luego no.
ROGELIO.—Entonces seré yo, no te fastidia.
LUIS.—Claro que has sido tú.
ROGELIO.—Anda mi madre. Ahora resulta que he sido yo el que empieza. No, si cuando yo digo que el mundo está como una cabra.
LUIS.—¿Quién has dicho que está como una cabra?
ROGELIO.—El mundo he dicho, y a ti no te miraba.
LUIS.—Ah, por eso, por eso.
ROGELIO.—Pues no te mosqueas poco tú, muchacho.
LUIS.—Oye, Rojo ¿te quieres quedar conmigo o qué?
ROGELIO.—¿Yo? A mí que me registren.
LUIS.—¡Entonces! Tengamos la fiesta en paz[42], Rogelio.

---

[38] *majara:* majareta, que el DRAE define: «persona sumamente distraída, chiflada».

[39] *tu mea:* expresión eufemística para no nombrar a la madre.

[40] *achantar la muy:* callar *(muy, mui* o *mu:* lengua, boca).

[41] *rollo:* en la frase de Rogelio tiene el sentido, muy utilizado después en el argot de los pasotas, de «asuntos o cuestiones propias». *Vid.* la nota 19.

[42] Nótese el valor enfático de estas frases de carácter perifrástico *(A mí que me registren, tengamos la fiesta en paz...)* que, al igual que las expresiones indicadas

ROGELIO.—Andá, mi madre; la fiesta o no la fiesta. ¿Qué te pasa?

LUIS.—Ya sabes que conmigo, no. Que no, vamos que no.

ROGELIO.—¡No lo sabía! *(Provocativo.)* Sal de ahí a contármelo, anda, si es que te atreves.

LUIS.—*(Lo mira furioso pero desiste.)* ¡Bueno! El idiota soy yo, que te hago caso. Estás como una cuba; y no tienes vergüenza.

ROGELIO.—¿Malagueño[43] yo? ¿Que yo estoy malagueño? ¿Por qué lo dices?

LUIS.—A ver, si no, la muestra.

ROGELIO.—*(Pacífico otra vez, da con la copa vacía en el mostrador.)* Anda, dame otro golpe y déjate de rollos, que parece hasta mentira, hombre. ¡Hasta mentira me parece!

LUIS.—*(Apaciguado.)* ¿Qué quieres ahora, di?

ROGELIO.—De lo mismo, si me haces el favor.

LUIS.—A ver adonde acabas con el suave. *(Sirviéndole la copa.)*

ROGELIO.—Y ponle al Caco lo que quiera; que es un amigo, a fin de cuentas.

(El CACO, *al oírlo, apura rápidamente lo que le queda en la botella y se levanta para dejarla en el mostrador.)*

LUIS.—¿Qué quieres tú, que te convidan?

CACO.—Pues me pones un chato[44] de lo mío.

ROGELIO.—Ponle un cuartillo[45], anda.

CACO.—No, hombre, un chato, un chato, que me basta.

ROGELIO.—Ponle un cuartillo, Luis; no se hable más de eso.

---

en la nota 28 y las comparaciones *(Está como una cabra, estás como una cuba...)*, son propias de un lenguaje coloquial popular.

43 *Malagueño:* malo. La desfiguración de palabras por medio de sufijos es un procedimiento utilizado normalmente en las hablas marginales. No son escasos los ejemplos en esta obra (*de miranda:* de mirón; *solanas:* solo; *golferas:* golfo; *guarreras:* guarro; *bajini:* bajo; etcétera).

44 *chato:* «en las tabernas y entre sus habituales parroquianos, vaso bajo y ancho de vino o de otra bebida» (DRAE).

45 *cuartillo:* «medida de líquidos, cuarta parte de un azumbre, equivalente a 504 mililitros» (DRAE).

CACO.—Gracias, Rojo. Se te agradece. Y se te acompaña en el sentimiento, hombre.

(Un silencio. LUIS *mira a* ROGELIO, *esperando su reacción.)*

ROGELIO.—*(Al fin.)* Gracias, chaval.

(Silencio.)

LUIS.—Lo mismo digo, Rojo.
ROGELIO.—Gracias, gracias.

(Pausa.)

LUIS.—Así que vienes al entierro.
ROGELIO.—Claro. A ver si no a qué voy a venir.

(Silencio.)

LUIS.—Yo no sabía si lo sabías tú —como que estabas fuera...— y además, como has entrado así, no me atrevía ni a decirte nada.
ROGELIO.—Me llamó mi tío el Machuna por teléfono anoche, que eran las tantas.
LUIS.—¿Vives en Madrid ahora? Bueno, no es que a mí me importe; entiéndeme.
ROGELIO.—¿En Madrid yo? A ver si te crees que me falta algo de aquí. *(Por la cabeza.)* ¡En Madrid voy a estar! Qué listo eres.
LUIS.—O sea, que te siguen buscando[46].
ROGELIO.—Hombre, yo supongo.
LUIS.—¿Y no es una imprudencia?
ROGELIO.—¿El qué?
LUIS.—El venir.
ROGELIO.—Es mi madre, Luisito. A ver qué haces.

---

[46] Recuérdese lo que Luis contó al Autor, a este respecto, en el Prólogo.

LUIS.—¿La has visto ya a tu pobre madre?
ROGELIO.—Todavía no. Me he entretenido.
LUIS.—A ver si no llegas.
ROGELIO.—Es a las cinco.
LUIS.—Pues ya ha bajado el coche.
ROGELIO.—No creo.
LUIS.—*(Se reafirma.)* Además hace un rato; lo que yo te diga. A ver si es que el entierro se celebra a las cuatro y media.
ROGELIO.—Mi tío el Machuna me lo dijo bien claro, que a las cinco.
LUIS.—Pues ya ha bajado el coche, vamos, la carroza. Seguro que es a las cuatro y media, Rojo; entérate.
ROGELIO.—Que no es posible, hombre, que no es posible.
LUIS.—¿Por qué no va a ser posible?
ROGELIO.—Me lo hubiera dicho mi tío el Machuna; no sé qué interés iba a tener en decirme una cosa por otra. ¿No te parece?
LUIS.—A lo mejor se equivocó, qué quieres.
ROGELIO.—No creo, ya te digo.
LUIS.—*(Tozudo.)* Lo más fácil, eso, que se equivocara.
ROGELIO.—*(De pronto, harto.)* Bueno, ¿y a ti qué te importa? Es lo que me digo yo.
LUIS.—¿Que qué me importa? Anda y muérete, ¿no te fastidia? ¡Que qué me importa! Pues a mí nada.
ROGELIO.—¡Entonces! Me hace gracia a mí la gente metiéndose en lo que no le importa; qué manía.
LUIS.—Te debería dar vergüenza; pero vergüenza. Eso es lo que debería darte, digo yo.
ROGELIO.—Tu eres tabernero, ¿no? Pues tabernero. *(Trata de encender un cigarrillo pero le tiembla el pulso.)* Ponme otra copa, anda, y no mires tanto, que se te va a cansar la vista.
LUIS.—Te debería dar vergüenza; por lo menos a mí me daba en un caso como el que tú.
ROGELIO.—¿Vergüenza el qué?
LUIS.—¿Cómo que el qué? Emborracharte así, con tu madre de cuerpo presente. ¡Eso! *(Desafiante.)* ¡Qué pasa! Sí, ¡qué pasa!

ROGELIO.—(*Como si le hubieran dado un latigazo.*) ¿Eh? ¿Qué dices? Pero, ¿qué dices? ¿Por qué te metes tú?

LUIS.—Lo que has oído. Con tu madre de cuerpo presente, a mí se me caía la cara; y vale. (ROGELIO *da un alarido, como una fiera, y se echa a llorar. Se tira al suelo, se revuelca, llorando. Chilla: ¡Ay! ¡Ay!* LUIS *trata de sujetarlo.*) Venga, Caco, ayúdame, que le está dando un ataque. Mi madre, la que está armando el gilipollas[47] éste. (*El* CACO, *al tratar de ayudar, se cae él también.*) Venga, Caco, no hagas el payaso ahora y ayúdame a sentarlo en esa silla.

ROGELIO.—¡Ay! ¡Ay!

CACO.—Payaso encima, y me ha pegado un rodillazo aquí en mis partes.

LUIS.—¿Ayudas o no ayudas?

CACO.—(*Trata de levantarse y no lo consigue.*) Es que se me va la cabeza.

(*Entra* PACO EL DE LA SANGRE.)

PACO.—¡Ahí va! Pero, ¿qué pasa aquí?

LUIS.—Al Rogelio, mira, que le ha dado un patatús[48]. (ROGELIO *está ahora como muerto.*) Ayúdame a sacarlo ahí a la calle.

PACO.—¿Pero a éste no lo andaban buscando? Si decían que estaba en Portugal.

LUIS.—(*No le contesta.*) Ayúdame a sacarlo a la calle, anda.

PACO.—¡Qué dices! Se va a abrasar ahí fuera con lo que está cayendo. Mejor aquí a la sombra.

(*El* CACO *ya se ha levantado.*)

CACO.—Me cago en la mar.

LUIS.—¿Qué pasa ahora?

---

[47] *gilipollas:* insulto formado sobre el despectivo *gili:* tonto. Puede verse la explicación de Camilo José Cela en su *Diccionario secreto,* 2, Primera parte (Madrid, Alianza-Alfaguara, 1974).

[48] *patatús:* desmayo (DRAE).

CACO.—*(Mirando a la calle.)* Queo[49], los jundunares[50].
LUIS.—¡Adiós! La hemos hecho buena.
PACO.—¿Por dónde vienen?
CACO.—Por allí.

(Señala al patio. En efecto, en la puerta del pasillo central ha aparecido la Pareja de la Guardia Civil.)

LUIS.—Si lo detienen aquí se me ha caído el pelo. Me cierran el establecimiento. ¡Maldita sea!
PACO.—Hombre, eso tampoco. Tú no tienes la culpa.
LUIS.—Por no denunciarlo. ¡Qué dices tú! Por no denunciarlo, gilipollas.
PACO.—Eso también es verdad, mecachis[51].
LUIS.—Seguro que vienen a buscarlo por si aparecía en el entierro de su madre.
PACO.—Seguro, ahora que lo dices. Además, eso salía en una película que vi el jueves.
LUIS.—Se han parado allí, ¿no?
PACO.—*(Asiente.)* Están hablando con el Conserje del Grupo Escolar y con Juanito el de las Sepulturas.
LUIS.—Paco, tú eres mi amigo.
PACO.—No lo dudes.
LUIS.—Cógelo de los pies, anda, hazme el favor, majo.

---

[49] *Queo:* expresión que indica peligro.

[50] *jundunares:* guardias civiles. En *Lumpen, marginación y jerigonça* (cap. XXVIII, pág. 174) señala Sastre: «Para los guardias civiles empleamos, que yo recuerde ahora, los siguientes nombres: jundos, jundunares, picos, iguales, repollos y cigüeños. El cabo de la guardia civil es el cuco —también se llama cuco al cabo de galería en la prisión, el cual es un recluso, generalmente un chota o humedoso (chivato), que se chotea o berrea hasta de su padre y que goza por ello de la confianza de los boquis. El lugar de residencia de los repollos es el combo (no confundir con el gobi, que es el cuartel militar propiamente dicho). También a los guardias se les llama verdes o verderones —por el color de su uniforme, y en esto coinciden con los boqueras del estaripén— y madalenos; palabra que no sé si será una derivación de madam —o los madames— que es como en muchas partes y desde hace tiempo se llama a los policías. Éstos son también la pasma y la pestañí.»

[51] *mecachis:* interjección de enfado. Es normal en este lenguaje la utilización conjunta de eufemismos y disfemismos (poco antes dice el Caco: *Me cago en la mar,* y Paco, más adelante, *jopé* y *joder*).

PACO.—*(Lo hace.)* ¿Qué más?
LUIS.—*(Lo ha cogido de las axilas.)* Vamos a meterlo en el retrete.
PACO.—Y si a un guardia le da por mear, ¿qué?
LUIS.—Que está ocupado.
PACO.—Pero no se puede cerrar por fuera.
LUIS.—Se lo digo en cuanto haga ademán.
PACO.—También podía meterse el Caco con él y cerrarse por dentro.
CACO.—¿Yo? Amos anda.
LUIS.—Con un cuartillo, y te lo bebes ahí tranquilamente. ¿Eh tú?
CACO.—A ver el cuartillo, que luego mucho hablar.
PACO.—Deprisa, que parece que se despiden.
LUIS.—Lo primero, meterlo.

(Lo hacen. La puertecilla con la indicación W.C. puede estar al fondo. Salen y LUIS *va al mostrador a servir medio litro en una botella.)*

PACO.—Venga, date prisa.
LUIS.—Ya voy. Te encierras, ¿eh, Caquito?
CACO.—Bueno, pero a base de que se vayan pronto. No me voy a estar ahí toda la tarde con los olores que salen. Lo que tarde en bebérmelo, y me salgo.
LUIS.—Se marchan en seguida. ¿No ves que van de servicio?
CACO.—*(Insiste.)* Lo que tarde en bebérmelo.
LUIS.—Ya sé lo que tú quieres. *(Le llena la botella.)* ¿Vale?
CACO.—Vale.

(En ese momento entra la Pareja.)

GUARDIA 1.—Buenas.
TODOS.—Buenas.
GUARDIA 2.—Buenas.
LUIS.—*(Que está muy nervioso.)* Buenas tardes. Qué calor, ¿eh, señores? Se asan los pájaros en las ramas, como dicen.

GUARDIA 1.—*(Parco, sudando.)* Es el tiempo.
GUARDIA 2.—Pero aquí se respira un poco.
LUIS.—En seguida les pongo unos botellines. ¿Vale?
GUARDIA 1.—Vale.

(LUIS *golpea el mostrador con la botella de vino, llamando la atención del* CACO, *que acude.)*

CACO.—*(Tiene que pasar al lado de un guardia.)* Muy buenas.
GUARDIA 1.—*(Mal encarado.)* ¿Eh?
CACO.—*(Correctísimo y nervioso.)* Nada, que buenas tardes.
GUARDIA 2.—¿Vienen esos botellines?
LUIS.—Eso ya está hecho. *(Los abre.)* Servidos los señores; creo que está fresca.
CACO.—*(A* LUIS.) ¿Puedo pasar al váter?
LUIS.—Pasa, hombre, pasa.

(El CACO, *disimulando, ha cogido la botella, y entra en el retrete.)*

GUARDIA 1.—¿Has visto?
GUARDIA 2.—Qué.
GUARDIA 1.—Que el tío se va al retrete con la bebida.
GUARDIA 2.—Le gustará jarrearse[52] mientras. *(Bebe.)* ¿Quién es?
GUARDIA 1.—El Caco le llaman. Hace ya que vive en el barrio.
GUARDIA 2.—¿Chorizo?[53].
GUARDIA 1.—Qué va. Le gusta el alpiste[54], pero sin perturbar el orden. Vive ahí donde las chabolas, en la parte de abajo, por el Abroñigal.
GUARDIA 2.—Ese nombre de Caco es de chorizo.
GUARDIA 1.—Pues no; es de una vez —según tengo escu-

---

52 *jarrearse:* beber.
53 *Chorizo:* ratero, ladrón. Figura en el DRAE, así como el verbo *chorar,* del que deriva. Sobre el nombre de Caco, puede verse *Lumpen, marginación y jerigonça,* págs. 177-178.
54 *alpiste:* vino u otra bebida alcohólica (DRAE).

chado— que lo acusaron en la obra de llevarse un paletín o no se qué de otro, y luego se vio que no; pero se quedó con el mote.

GUARDIA 2.—¿Ves como hay algo?

GUARDIA 1.—¡Hombre! Si a eso le llamas algo...

(Se oye ruido en el W.C.)

GUARDIA 2.—¿Qué pasa ahí?

GUARDIA 1.—Yo no he oído nada.

LUIS.—*(Asustado.)* ¿Te pasa algo, Caco?

CACO.—*(Dentro.)* No, nada, que...

LUIS.—*(Le interrumpe.)* Bueno, bueno. Perdona. *(Sonríe a los guardias.)* ¡Qué buen chico que es! No tiene más defecto que el vino, pero es verdad que no se mete con nadie.

(Silencio.)

PACO.—*(Por hacer conversación.)* Ustedes siempre de servicio, ¿no?

(El GUARDIA 1 *da un bufido, que quiere ser cortés. Ambos beben sus botellines.)*

GUARDIA 2.—No está muy fría.

GUARDIA 1.—No.

PACO.—Y con ese uniforme, ¿eh?, que debe de pesar lo suyo. Y luego el correaje. Claro, el servicio antes que todo; es lo que yo me digo cuando les veo; pero hay que tener vocación, ¿no es verdad, tú? *(A* LUIS.)

LUIS.—*(Adulador.)* ¡Hombre! Figúrate, si no; y con la cantidad de mangantes que hay sueltos por ahí *(A los guardias.)* ¿Verdad? Porque además es peligroso, con tanto asesino y tanto loco.

GUARDIA 1.—Pché.

LUIS.—Pero el servicio es el servicio, o sea, que lo primero es el servicio.

GUARDIA 2.—*(Impermeable a la adulación.)* ¿Más fríos no los tienes?

LUIS.—(*Compungido.*) ¿Estaban mal ésos?
GUARDIA 2.—(*Condescendiente.*) Así, así.
LUIS.—(*Con enfado justificativo.*) El tío del hielo, que me falla en cuanto vienen estos días, pero yo procuro lo más que puedo. A ver éstos si están mejor.
GUARDIA 1.—(*Desaprobador.*) ¿Del Mahou?
LUIS.—(*Ante la evidencia.*) Sí.
GUARDIA 1.—¿Aguila no tienes?
LUIS.—(*Desolado.*) No.
GUARDIA 1.—(*Ofreciendo una salida.*) O Export.
LUIS.—(*Culpable, perdido.*) Tampoco.
GUARDIA 2.—(*Solucionador, benigno.*) Bueno, venga del Mahou.

(LUIS *se los sirve. Ellos los beben con voluptuosidad.*)

PACO.—Ponme a mí una botella, Luis, que me están dando envidia aquí los señores. Además que estoy seco; entre lo que se suda y que me he sacado la sangre esta mañana, se deshidrata uno.
LUIS.—Pero, ¿no te la sacaste el jueves pasado que fuiste al Hospital General? Te vas a desangrar, Paco, si sigues con tantas extracciones.
PACO.—Qué va. ¡Pues no produzco yo poca! ¡Mucha más de la necesaria! ¿Desangrarme yo? ¡Pues no es difícil!
LUIS.—¿Qué te vienes a sacar tú al mes de sangre?
PACO.—Hombre, unos con otros, echando mano de todas las tarjetas que tengo de donante, los mil doscientos centímetros cúbicos, o así.
LUIS.—Qué bárbaro.
PACO.—Y Macaria, mi mujer, otro tanto, no creas, y que la suya es de primera o universal, que se llama: grupo cero, o sea que no tiene RH.
LUIS.—Así está de amarilla, con perdón.
PACO.—(*Un poco ofendido.*) Hombre, no sé.
LUIS.—Dicho sea sin ánimo de ofender.
PACO.—No, si yo también se lo digo, que se aguante un poco; que con lo que yo me saco y cuatrocientos centímetros de vez en cuando que se saque ella, para tapar agujeros, más lo que se saca mi hijo el ciego...

LUIS.—¿También de sangre?

PACO.—*(Ríe.)* ¡No, hombre! Con la venta de los cupones... Pues que podemos ir tirando a gusto; pero es que a ella, si no se la sacan, le da lo que ella dice angustia y se pone que no hay quien la aguante; claro, se conoce que tiene mucha producción, y es como las sangrías que se hacían antiguamente; que sale la sangre y disminuye la molestia; pero además también hay un poco de avaricia, en el buen sentido, porque es que se la pagan muy bien; que es lo que ella dice: chico —me dice a mí—, yo no sé lo que tendrán mis sangres que todos las quieren; me figuro yo que deben de ser dulces... *(Ríe.)* ¡Cosas de la Macaria! El problema mío, desde hace algún tiempo, es la coagulación, que me falla.

LUIS.—¿Cómo la coagulación?

PACO.—Que no coagula.

LUIS.—Ah.

PACO.—Vamos, que tengo hemorragia, se conoce que de la fuerza misma de la sangre y mira, por ejemplo, ahora, ya ves, desde esta mañana que me la han sacado, todavía me sale una gotita aquí, ¿lo ves?, aquí en la vena. *(Se descubre una venda manchada de sangre.)* Es que hoy me la han extraído de esta vena tan gorda que parece que va a reventar, ¿no ves?

GUARDIA 2.—*(Con muy poca voz, a su compañero.)* Oye.

GUARDIA 1.—Qué.

GUARDIA 2.—¿Nos vamos?

GUARDIA 1.—¿Qué te pasa?

GUARDIA 2.—Nada. El calor.

GUARDIA 1.—Estás blanco como la pared. ¿Te sientes mal?

GUARDIA 2.—Es el calor. ¿Nos vamos? *(Tratando de levantarse.)*

GUARDIA 1.—Me tomo el botellín.

GUARDIA 2.—¿Nos vamos? Hale, Ruperto, vámonos. *(Con prisa.)*

GUARDIA 1.—Está bien. Pero disimula, que vas de uniforme. *(Bebe y se levanta. Sin hacer ademán alguno de pagar.)* ¿Qué te debemos?

LUIS.—Nada, señores. Es invitación de la casa.

GUARDIA 1.—*(Al compañero.)* Hala, vamos. *(El* GUARDIA 2 *se levanta, por fin, marcial.)*

GUARDIA 2.—Buenas tardes, señores.

LUIS.—Ustedes lo pasen bien.

PACO.—Adiós, muy buenas. *(Los Guardias Civiles salen. Pueden hacerlo por el patio de butacas. Pausa de alivio.)* A ver el Caco, que abra. Es capaz de caerse dentro del retrete.

LUIS.—Espera un momento; no sea que vuelvan.

PACO.—Lo peor sería lo que yo me sé.

LUIS.—No me asustes.

PACO.—Imagínate si se te muere Rogelio en el establecimiento.

LUIS.—No seas cenizo[55].

PACO.—Hombre, lo digo porque cuando lo hemos metido ahí estaba inanimado.

LUIS.—¡Inanimado! ¿Quién lo ha dicho?

PACO.—Yo, que lo he visto.

LUIS.—Tenía un mareíllo de nada, hombre, de la impresión. Se conoce que se venía aguantando el hombre y le ha dado eso.

PACO.—Hombre, en estado comatoso yo tampoco digo; pero no sé. *(Empiezan a oírse fuertes golpes en la puerta.)* Ese es el Caco que se ha vuelto loco... ¿Qué ocurre, Caco? ¡Ya podéis salir, venga!

(Pero es la voz de ROGELIO *lo que se oye.)*

ROGELIO.—*(Dentro.)* ¡Abrid o mato al Caco, maricones!

CACO.—*(Dentro.)* ¡Que es por tu bien, Rogelio! ¡Cállate!

ROGELIO.—¡Te mato!

CACO.—¡Luego te explico!

ROGELIO.—¡Déjame salir! ¡Luis! ¿Qué haces que no acudes? ¡Que el tío éste se está aprovechando de mi debilidad! ¡Ay! ¡Respétame, canalla, bujarrón! ¡Qué oscuro está ésto! ¿Dónde estoy? ¿Eres el Caco en persona o el

---

55 *cenizo:* aguafiestas, persona que tiene mala sombra o que la trae a los demás (DRAE).

Demonio? ¿Estoy en el Barrio de San Pascual o en el Infierno?

LUIS.—(*Golpea.*) ¡Ábrele, Caco, que ya ha pasado todo! ¡Ábrele, Caco, que no está en condiciones! (*Grita.*) ¡Que le abras, Caco! ¡Que le abras!

PACO.—No te oye. Ya sabes que es un poco tardo del oído.

CACO.—(*Dentro.*) ¿Qué?

PACO.—Aprovecha ahora, que está a la escucha.

LUIS.—¡Que ya podéis salir! ¡Que abras!

(*Se abre la puerta y el* CACO *sale despedido a la habitación de un empellón que le da* ROGELIO, *el cual sale hecho una furia, gritando.*)

ROGELIO.—¿Qué hora es? ¿Qué hora es?

LUIS.—Escucha Rojo, ha estado la pareja y se han ido para esa parte. No bajes, que te trincan[56]. Escóndete lo antes posible y cuanto más lejos, mejor. Para empezar, aliquérate[57] de aquí ahora mismo, rápido.

ROGELIO.—¿A Guadalajara? ¿A Guadalajara, yo? (*Como si le hubieran ofendido gravemente.*) Tú estás soñando.

LUIS.—A mí allá penas cuidaos[58], Guadalajara o donde sea; el caso es que te des el lique cuanto antes.

ROGELIO.—(*Da unos pasos y derrota hacia el mostrador; se da un golpazo mortal. Se agarra al mostrador y se pregunta por su esencia.*) ¿Qué es esto?

CACO.—(*Que acaba de beberse la botella.*) Jolín, qué golpe. Por poco rompes el mostrador con la cadera.

(ROGELIO *queda acodado en él y ahora llora silenciosamente. Silencio.*)

ROGELIO.—(*Al fin.*) Estoy borracho.

(*Pausa. Los tres lo miran compungidos, respetuosos.*)

---

56 *trincar:* detener, apresar.

57 *aliquerarse:* marcharse (como después *darse el lique*).

58 *penas cuidaos:* con elipsis, «penas y cuidados».

PACO.—*(Al fin se atreve a decir algo.)* Hombre, Rogelio, no te pongas así.

ROGELIO.—*(Triste.)* Si es que lo estoy.

PACO.—A cualquiera le pasa.

ROGELIO.—Qué mierda[59] tengo, madre mía. Y en un día tan señalado. Precisamente hoy. Qué pena, en este día.

PACO.—*(Comprensivo.)* Hombre, claro, hoy es distinto, ¡claro!

ROGELIO.—Toda la noche haciendo el burro, y lo que pasa... Pues...

PACO.—*(Termina la frase, cortésmente.)*... y ya se sabe, sí.

ROGELIO.—En Guadalajara, que es cuando me dieron la noticia (que me llamó mi tío el Machuna), ya me había tomado varios botellines, en la ignorancia; y estaba a medios pelos[60].

PACO.—*(Incongruente.)* Es natural. Un viernes...

ROGELIO.—*(Incomprensivo.)* Qué viernes ni qué porras. El caso es que me había tomado unos botellines, porque me apetecía. No te fastidia con el viernes...

PACO.—*(Impávido.)* ¡Hombre, claro, perdona! Cada uno es dueño de su cuerpo, el viernes como el martes, y quien dice el martes dice cualquier día de la semana.

ROGELIO.—*(No traga.)* Pero aparte de eso.

PACO.—*(Conciliador a toda costa.)* ¡Claro! ¡Aparte de eso, dices tú lo tuyo! ¿No? ¿Es eso lo que quieres decir?

ROGELIO.—*(Vencido, pacífico a la fuerza.)* Exactamente. Dame otro golpe, Luis. ¿Qué iba diciendo?

PACO.—Que te habías tomado varios botellines. *(A* LUIS.) ¿No decía eso, tú?

LUIS.—No sé.

ROGELIO.—Qué groserías tienes, también tú.

LUIS.—¿Groserías de qué?

ROGELIO.—Hombre, ¡a ver si no! Que te estoy hablando y no me escuchas.

LUIS.—Sí que te escucho, hombre.

ROGELIO.—Pero no te recuerdas.

---

59 *mierda:* borrachera.

60 *a medios pelos:* medio embriagado (DRAE).

Luis.—Ni tú tampoco.

Rogelio.—Pero yo estoy con la trompa[61]. Es una diferencia.

Paco.—El caso es que te habías tomado unas cervezas.

Rogelio.—(*Ofendido por la incomprensión.*) ¿Cervezas de qué?

Paco.—O de vino, o de lo que fuera: botellines; y te telefonea el Machuna con la noticia de la defunción de tu santa madre[62].

Rogelio.—Mal rayo le parta al Machuna de las pelotas[63]. Ojalá que se hubiera quedado mudo.

Paco.—¿Y qué iba a hacer el hombre? Si sabía tu paradero, pues llamarte, a ver. Una mala noticia o se da o no se da.

Rogelio.—El caso es que yo, al saber la desgracia, me quedo como tonto y no reacciono.

Paco.—Es natural. Madre no hay más que una.

Rogelio.—(*Como aclarando definitivamente la cuestión.*) Todo esto en Brihuega.

Paco.—Ah, yo creía en Guadalajara capital.

Rogelio.—Pues no. En Brihuega.

Paco.—(*Como si eso cambiara mucho la cosa.*) Joder. ¿Y entonces?

Rogelio.—Entonces, cuelgo.

Paco.—Hombre, claro.

Rogelio.—No, «claro» no. ¡Cuelgo correctamente!

Paco.—Sí, hombre, cuelgas como es debido. Se supone. ¡Cómo estás! Luis, danos de beber.

Luis.—Para ti lo que quieras.

Rogelio.—¿Y yo qué? ¿Yo soy de paloluz?[64].

Luis.—Por tres razones.

---

61 *trompa:* borrachera (DRAE).

62 *defunción de tu santa madre:* eufemismo respetuoso ocasionado por el estado en el que se encuentra Rogelio.

63 *de las pelotas:* frase que ha perdido su sentido directo y tiene simplemente un significado despectivo.

64 *paloluz:* deformación de «paloduz» (regaliz) usual en el Madrid callejero.

ROGELIO.—¡Hombre! A ver por qué tres razones soy yo de paloluz.

LUIS.—De paloluz, nada. Digo que tengo tres razones para no servirte, a ver si me entiendes.

ROGELIO.—Un momento.

LUIS.—Qué.

ROGELIO.—Que te escucho con una de suave en esta mano, o no te escucho.

LUIS.—Pero la última; delante de hombres. (*Por* PACO *y el* CACO.)

ROGELIO.—La penúltima.

LUIS.—Vale. (*Le sirve.*)

ROGELIO.—Ahora dime ese rollo.

LUIS.—Porque una de dos...

ROGELIO.—¿No decías que tres? A ver si te aclaras.

LUIS.—(*Confuso.*) ¡Las que sean!

ROGELIO.—(*Paciente.*) A ver, explícate; que yo te escucho.

LUIS.—O sea, que aquí no tienes por qué estar, y no es que yo lo diga; es decir, que o te vas al entierro, y si te trincan, allá tú, pero cumples con tu deber de hijo y quedas como un hombre, o te najas[65] a Arganda o donde hayas dicho, que a mí no me importa, y te evitas mientras puedas el trago de Carabanchel. Y además que quedándote aquí me complicas a mí la vida (*Triunfal.*)... que es la tercera.

ROGELIO.—(*A* PACO, *como diciéndole «éste es tonto».*) Eso: a Arganda.

PACO.—(*A* LUIS.) Brihuega, hombre, Brihuega. (*Con dulzura.*) Claro que lo que yo quería era un botellín. ¿Te acuerdas que dije: danos de beber?

LUIS.—Perdona, Paco, hijo, pero es que este hombre me está volviendo tarumba[66]. ¿Qué has dicho? ¿Un botellín?

PACO.—No sé, creo; amos, creo que sí. Dale también al Caco.

---

65 *najarse:* huir (como *salir* —o *andar*— *de naja* o *de najas*).

66 *volverle a uno tarumba:* atolondrarlo, confundirlo (DRAE).

LUIS.—¿Una caña[67] de vino, Caco?
CACO.—*(Sentado, inmóvil.)* Bueno.
LUIS.—*(A* PACO, *sirviendo la caña.)* Acércasela tú, hombre.

(PACO, *gentil, la sirve a la mesa.)*

PACO.—Ahí tienes, Caco, a domicilio.
CACO.—No haberte molestado, hombre. Me hubiera levantado.
ROGELIO.—*(De pronto.)* Bueno, me voy. (LUIS *se agarra, rápido, a la decisión de* ROGELIO.)
LUIS.—Si te puedes coger un taxi, mejor; lo que yo te diga.
ROGELIO.—¿Taxi para mi madre? Si está aquí al lado. ¡Ay, madre mía! ¡Soy un mal hijo, pero allá voy! ¡Ay, madre mía!
PACO.—Entonces, tómate un café doble solo, ahí en el Tulipán y te refrescas un poco en la fuente, anda.
CACO.—*(Escueto, interviene.)* Y te peinas, y quedas como nuevo.
ROGELIO.—No estoy en condiciones. Se me va la cabeza.
PACO.—O entra ahí *(Por el W.C.)* y te metes los dedos, a ver si arrojas y te alivias.
CACO.—Yo que tú me metía un doble de cazalla[68] para animarme.
LUIS.—Cállate, burro.
CACO.—O se alivia o se muere.
LUIS.—Qué animal.
ROGELIO.—No me atrevo a ir, con mi padre allí y todos los parientes. Además que no llevo ni una mala tela negra en el traje, como si no fuera mi madre, y me da no sé qué.
PACO.—Es un trago; también es verdad: un trago.

---

[67] *caña:* «vaso de forma cilíndrica o ligeramente cónica, alto y estrecho, que se usa para beber vino o cerveza» y también «líquido contenido en uno de estos vasos» (DRAE).

[68] *cazalla:* «aguardiente fabricado en Cazalla de la Sierra, pueblo de la provincia de Sevilla» (DRAE). Por extensión, aguardiente.

ROGELIO.—¿Olerá a cera? Yo me supongo que olerá, y más con la calor.

PACO.—Seguro que sí huele.

(A ROGELIO *le da una náusea.)*

ROGELIO.—Me da angustia el olor a cera, y más si hay flores, y más con toda esta calor. Mira que si devuelvo sobre mi santa madre; no quiero ni pensarlo.

PACO.—Hombre, eso ya sería un sacrilegio, a más de una cabronada.

ROGELIO.—*(Con remordimiento.)* ¿Por qué me pasaría a la cazalla, me cago en la mar? ¿Por qué me pasaría?

PACO.—¿Cuándo? Porque desde luego no hay nada peor que la bebida blanca.

ROGELIO.—¿Cómo que cuándo? Anoche, después de hablar con el Machuna que es lo que yo os contaba, y que no os enteráis. Colgar y pedir una cazalla todo fue uno; y luego otra.

PACO.—En vez de venirte embalado a casa de tu madre, vamos, en plan de hijo, que es lo que debe ser... Quieres decir eso, ¿a que sí, Rogelio? ¡No es que yo lo diga!

ROGELIO.—*(Ignora a* PACO.*)* El caso es que me lié y todavía no sé ni cómo he podido llegar hasta aquí; algo de un camionero y no sé qué de un accidente, ¡eso es! Que debe ser por lo que me duele aquí. *(Por el cuello; se lo descubre.)* Que no sé lo que es, pero me duele.

PACO.—Te has pegado un buen corte. ¿No habrá sido una navaja, tú? Porque es un corte limpio. A ver...

ROGELIO.—No creo. ¡El caso es que aquí estoy, como el primero!

PACO.—¿Tú quieres que yo te lleve?

ROGELIO.—¿A dónde?

PACO.—A casa de tu madre que en paz descanse.

ROGELIO.—¡El Rogelio va solo a casa de su madre! ¿No te amuela?

PACO.—¡A ver si puedes! Por mí, mejor, figúrate. A ver si te crees tú que es un plato de gusto.

ROGELIO.—No sé por qué no voy a poder, so listo.

(Trata de ir hacia la puerta pero se desvía y se pega un golpe contra la pared. Trata de rehacerse y se tambalea, resbala, cae. PACO *va a ayudarle pero* LUIS, *autoritario, le dice desde detrás del mostrador:)*

LUIS.—Déjalo. No te metas tú.
PACO.—Es por echarle una mano.
LUIS.—A ver si así aprende. Déjalo. (ROGELIO *sigue dándose golpes, cayendo y levantándose. Es una borrachera cósmica.* LUIS *está mirando por la ventana.)* Ahí va, mira.
PACO.—¿El qué?
LUIS.—La carroza, el entierro.
PACO.—Ese es el coche de respeto. Mira al Ciriaco, que parece que va llorando. ¿Qué hacemos?
LUIS.—Díselo a éste.

(PACO, *decidido a cumplir su misión, se pone a gritar como una furia.)*

PACO.—¡Rogelio, que se la llevan! ¡Rogelio, que se llevan a tu pobre madre! ¡Rogelio, pórtate, aunque sea en el último momento! ¡Que se marcha el cortejo fúnebre! ¡Que se marcha la manifestación de duelo! ¡Rogelio, hazte contigo! ¡Salte a la calle y únete al cortejo! ¡Cógete un taxi y a lo mejor te espabilas! ¡Dios mío, que trompa tienes! ¡Qué trompa, madre mía! ¡Rogelio, haz por sacar fuerzas de flaqueza! ¡Haz de tripas corazón y anda derecho, que se va para siempre lo que más se quiere en el mundo, que es la madre! ¿Quién te limpiaba la caca, de chaval? ¿Quién te pegaba azotes en el culo? ¿A qué teta te agarrabas siendo tú un mamoncillo? ¡Ay, Rogelio, nunca se sabe lo que se pierde! ¡Dile el último adiós, aunque sea desde aquí, ya que no puedes ir más lejos por tu mala cabeza! (ROGELIO, *de pronto, se dispara como una tromba hacia la puerta.)* ¡Ay, que se mata!

(Pero no. Acierta y sale. Ya en la explanada, grita como un loco:)

ROGELIO.—¡Taxi, taxi! ¡Taxi, taxi!

(Y desaparece gritando. LUIS, *aliviado, silba.)*

PACO.—Lo va a atropellar un coche.

LUIS.—*(Ríe.)* Pobre coche. Como le dé con la cabeza, lo avía.

PACO.—*(Un poco fastidiado.)* Jopé, tú te ríes por todo.

LUIS.—¿Y qué vas a hacer, hombre, si es la vida?

PACO.—La vida o no la vida a mí me impresiona, es decir, que hay cosas que, si me apuras, casi me dan miedo. Joder, a mí que me echen vampiros o fantasmas, pero hay cosas de la vida que no lo puedo remediar: me asustan. Es como un respeto o algo así.

LUIS.—Hombre, para ti un vampiro debe ser como un chiste, con lo que a ti te gusta mover la sangre y todo ese comercio[69].

PACO.—Tú ríete.

LUIS.—Si no me río.

PACO.—Pero el otro día la Macaria casi se me muere.

LUIS.—¿De qué?

PACO.—Del susto.

LUIS.—¿Y eso?

PACO.—*(Se ríe recordándolo.)* Pues que cacé un murciélago al anochecer, cuando iba para la chabola, y voy y se lo meto en la cama sin que ella se diera cuenta, claro. Imagínate tú la que se armó; ya sabes lo que son las mujeres.

---

[69] En esta conversación de Luis y Paco se muestra de nuevo la atracción literaria que siente Sastre por los mitos de terror vistos de modo irónico y simbólico, como se advierte desde las obras teatrales recogidas en *El escenario diabólico (El cuervo, Ejercicios de terror, Las cintas magnéticas), Tragedia fantástica de la gitana Celestina* y *Jenofa Juncal, la roja gitana del monte Jaizkibel,* hasta las narraciones de *Las noches lúgubres* y *El lugar del crimen* o el poema «El Evangelio de Drácula».

Acerca del «comercio de la sangre», podemos recordar las aventuras de Zarco y Amalia, la vampira de Alhama de Murcia, en la primera parte de «Las noches del Espíritu Santo» (de *Las noches lúgubres*). Paco el de la sangre, su mujer, el hijo de ambos (ciego y pastor anabaptista), y su apellido (Zarco) se corresponden con personajes y nombres reales.

LUIS.—*(Interesado.)* ¿Y cuándo lo descubrió? ¿Al acostarse?

PACO.—Claro, al levantar la sábana.

LUIS.—Y seguro que estaría en camisón, dicho sea con tu permiso. Me imagino la escena... en el buen sentido; a ver si me entiendes.

PACO.—Ni camisón ni nada —hombre, estamos hablando entre amigos, ¿no?—, pues nada, ni camisón ni nada, con la calor que hace. Así que imagínate a la Macaria —estamos entre amigos, ¿no?— en esa forma y dando voces de «¡Es un vampiro! ¡Es un vampiro!» y tapándose con la sábana, que la fantasma parecía ella, y yo riéndome y diciéndole: quítate eso, chica, que pareces la hija de Drácula, más inhumana y cruel que su padre. *(Ríe.)*

LUIS.—*(Ríe.)* ¿Y cómo acabó la cosa?

PACO.—*(Complacido de la pregunta, hace una transición.)* Hombre, eso ya son palabras mayores.

LUIS.—*(Cómplice.)* ¡Ah! ¿Hubo dale que te pego?

PACO.—La vampiricé[70] a modo.

LUIS.—*(Púdico, pregunta por otra cosa.)* ¿Y el murciélago?

PACO.—¡Yo qué sé, macho! Se iría. Venga, dame otro botellín.

LUIS.—¿Es que yo no bebo?

PACO.—¡Anda que no tienes cara!

LUIS.—Es por hacerte gasto.

PACO.—Tengo menos dinero que Tarzán bañándose.

LUIS.—¿Ya estás llorando?

PACO.—Está subiendo todo que no veas, y la sangre, a precio fijo, ochocientas cincuenta; y aunque compenses algo sacándote una poca más, no es solución porque, quieras o no quieras, tienes un desgaste, y si te quitas un año de vida, pues un año.

LUIS.—*(Ha servido a* PACO *y se ha servido él, sin hacer caso. Ahora bebe.)* Estoy bebiendo a tu salud, ¿te enteras?

PACO.—A mí, allá penas cuidaos. Me lo apuntas en la barra

---

[70] Tanto el verbo *vampirizar* como la perífrasis *dale que te pego* designan humorísticamente la relación sexual que siguió al episodio del quiróptero.

del hielo. Dale también a ése (*por el* CACO)... de mis partes[71].

LUIS.—Puesto.

(Lo pone. Ruido de una motocicleta que entra en escena. La conduce JUANITO EL CARBURO, *que se baja y deja la moto junto a la puerta. Lleva un gran casco rojo y negro, enormes gafas, guantes muy aparatosos con manoplas y un transistor funcionando a gran volumen. Parece un cosmonauta. Entra en la taberna sin quitarse nada. En el transistor, música ye-yé.)*

CARBURO.—Buenas.

(Nadie lo ha reconocido.)

LUIS.—*(Frío.)* Buenas. ¿Qué desea el señor?

CARBURO.—¡Qué señor ni qué pollas! A ver si es que no me conoces tú, Luis.

LUIS.—Así de pronto, no me hago idea.

CARBURO.—¿Qué tal tú, Paco?

PACO.—*(Cayendo.)* Hombre, pero si es el Carburo. ¿Qué tal, majo?

CARBURO.—Ya ves. *(Se quita las gafas.)* Anda, danos de beber.

LUIS.—Claro, con esa escafandra cualquiera te conoce. Pareces un buzo.

CACO.—*(Desde su mesa se ríe.)* Si es el Carburo.

CARBURO.—¿Tú también?

CACO.—¿Qué he dicho yo?

CARBURO.—¡Me parecía! Y menos cachondeo, ¿eh Caco? Tú en tu puesto y yo en el mío. No confundamos.

LUIS.—*(Corta, jovial.)* ¿Y qué? ¿Cómo tú por aquí? ¡Cuánto tiempo que no se te ve el pelo!

CARBURO.—Es que, a ver, desde el barrio de la UVA aquí,

---

71 *de mis partes:* expresión humorística que juega con el equívoco entre «de parte mía» y de mis «partes naturales, pudendas o vergonzosas» que, como dice DRAE, son «las de la generación».

hay un trecho, no creas, y da pereza. Allí tenemos de todo, bares a todo plan, comercios, y luego además el tiempo que he estado en Alemania.

LUIS.—Te has equipado bien, por lo que veo.

CARBURO.—En plan cosmonauta, dice mi chico. *(Ríe.)* ¿Hay algo de beber?

LUIS.—Todavía queda.

CARBURO.—Ponme una de coñac.

LUIS.—¿Marca?

CARBURO.—Carlos Garrafa[72]; a mí me gusta fuerte. ¿Será por dinero? No se me acaban los billetes ni quemándolos.

LUIS.—Aquí tienes tu copa.

(Le sirve. El CARBURO *la bebe.)*

CARBURO.—Pues he venido a buscar a uno, que no sé si vendrá hoy por aquí, pero me creo que a lo mejor viene.

LUIS.—¿Te deben algo?

CARBURO.—Una explicación.

(Pausa.)

PACO.—*(Incómodo.)* No lo dirás por mí.

CARBURO.—Que va, muchacho. Tú tranquilo.

PACO.—Es que ahora me parece recordar que yo te debo algún dinero, sí, hombre, de aquel día en el bar del Guarro, que estuvimos de chusma[73] y yo perdí tres rondas a los chinos[74]. ¿No es eso?

CARBURO.—Me debes cinco barés[75], pero no corren tanta prisa.

---

[72] *Carlos Garrafa:* coñac a granel que, por medio de esta burla, se prefiere a los selectos de marcas reales y regias (Carlos I, Carlos III).

[73] *de chusma:* de juerga.

[74] *los chinos:* juego que consiste en adivinar el número total de monedas o pequeños objetos que los participantes tienen en su mano cerrada y que en cada uno ha de encontrarse entre cero y tres.

[75] *barés:* duros. Con relación a los términos marginales para referirse al dinero, nos parece oportuno transcribir unas líneas de *Lumpen, marginación y jeri-*

PACO.—*(Digno.)* Se te pagan y ya está.

CARBURO.—¿Será por dinero? Mira, Paco, te pagas una convidada y ya no se hable más. A ver si por un cangrejo, yo... Sería lo último. Hombre, siento que te hayas creído que lo que he dicho iba por ti. Yo ni acordarme. Que se mueran mis hijos[76].

PACO.—Yo sí me acuerdo, ahora que me lo dices. Perdona, chico.

CARBURO.—Vale *(A* LUIS, *confidencial.)* A quien busco es al Rogelio, ¿sabes?, a mi compadre, el Rojo.

LUIS.—Ah.

CARBURO.—Como hoy entierran a su madre, a lo mejor se acerca. (LUIS *se hace el distraído fregando el mostrador.)* ¿Dónde la entierran? ¿En el Este?

LUIS.—En el de Canillas, creo. Ya ha pasado el entierro.

CARBURO.—¿Hace mucho?

LUIS.—Un rato.

---

gonça (cap. XXVII, págs. 161-162): «Hablemos de la castiza pastora; de la guita andaluza *(hablar por la guita,* decían algunos andaluces a lo de hablar por el teléfono, pero ésta es otra clase de cuerda); de los jayeres, jandones o jurdós: de los dineros, en una palabra de curso más legal que aquéllas o que guil (yo no asino ni un guil). Dineros que pueden aparecer en forma de leona (moneda falsa), y que uno procura obtener en forma de dinero de vellón; así llamamos ahora al obtenido sin esfuerzo. (También llamamos leones a los dados lastrados y pienso que aquella leona tendrá algo que ver con estos leoncillos.) La cala, púa o legaña —evítese el vulgarísimo pela— es la unidad monetaria entre nosotros como para cualquiera, aunque ya se sabe lo que con esa unidad puede comprarse a estas alturas. Antes de pasar al dominio del chaleco —del billete— de una libra (de cien pesetas), habrá mucho que hablar, empezando por el baré, chulé o pelote, que es el duro —que los barés son los pelos ya lo recuerdo, pero también las monedas de cinco pesetas, y hasta creo que es más usual en esta acepción. Caminando hacia las alturas del poderío económico, hallamos en el siguiente escalón el cangri o cangrejo, las veinticinco pesetas; viene después la media cirila (o media libra, o media gamba: las cincuenta pesetas); en seguida está la cirila o libra o gamba (las cien pesetas). Para el gran billete, que ya no lo es tanto —pues existe el de cinco talegos desde hace un año—, al que las capas medias llaman verde (en razón sin duda de su color dominante), reservamos los nombres, aparte de talego —palabra con la que también denominamos el maco, qué ambigüedad—, de saco o trompo y también, creo recordar, papiro —pero esto último no lo recuerdo bien.»

[76] Hay una elipsis de la condicional de la maldición: «si no es cierto lo que te he dicho» o bien «si me he acordado de tu deuda».

CARBURO.—¿Y ha venido el Rogelio? (LUIS *no responde.*) ¿Eh, tú?

LUIS.—(*Evasivo.*) Aquí sí que ha estado. (*Silencio.*) ¿Qué te pasa con él?

CARBURO.—Pasarme, nada. Es a él al que le va a pasar. ¿Ha dicho algo de volver?

LUIS.—No, no ha dicho nada.

CARBURO.—A lo mejor vuelve, ¿no, tú?

LUIS.—No creo, porque anda por ahí la Guardia Civil.

CARBURO.—Sigue en busca y captura, claro.

LUIS.—Creo que sí.

CARBURO.—¡Pero si él estaba en El Espinar cuando lo del guardia! ¡Qué cosas hay que ver![77].

LUIS.—Ah, yo no sé nada de eso. Ni ganas; yo estoy en lo mío.

CARBURO.—Por mí que lo maten, imagina. ¡Si no lo matan ellos voy a ser yo! Pero una cosa es una cosa y otra cosa es otra cosa.

LUIS.—Yo ni entro ni salgo.

CARBURO.—Es que ya parece que decir quinquillero es como decir hijo de puta; ¡y eso tampoco! En ese oficio, que tú lo sabes, los hay tan honrados como el que más. Y tan trabajadores como el más currante. ¿Y además qué palabra es esa de quinquilleros? Ni que fueran gitanos[78].

LUIS.—¿Ni que fueran?

CARBURO.—¿Está mal lo que he dicho?

LUIS.—¿Qué pasa, que tú no te consideras del oficio? Como dices «ni que fueran...»

CARBURO.—¡Pues no hace poco que yo dejé la caja![79].

LUIS.—Eso ya lo sé, pero lo llevas en la sangre, ¿o no?, y a ver toda tu familia lo que es.

---

[77] El mismo Carburo, a pesar de su actual enemistad con Rogelio, reconoce que éste no pudo tener relación con «lo del guardia». *Vid.* la nota 18.

[78] Sobre los quinquilleros, puede verse el capítulo XL de *Lumpen, marginación y jerigonça,* y acerca de los gitanos, los capítulos XXXVIII, XXXIX y XLIII.

[79] La *caja* en la que se guardan las herramientas del oficio representa la condición de quinquillero.

CARBURO.—Y a mucha honra.
LUIS.—Pues por eso.
CARBURO.—¡Anda éste!
LUIS.—¿Qué pasa con éste?
CARBURO.—¡Se cree que yo me voy a avergonzar por haberme ganado la vida con la caja! Y con la quincalla. Y con el carro por esos pueblos. Y a mucha honra, ya te digo. Y a mi madre, sillera de toda la vida, y vendedora.
LUIS.—Pues ya está.
CARBURO.—¡Pero que ya está!
LUIS.—¿Y yo qué digo?
CARBURO.—Que no lo dudes; es lo que digo yo.
LUIS.—*(Lo echa a broma.)* Como te aplique el código, verás.
CARBURO.—A mí ni código ni San Código.

(LUIS *saca una enorme estaca de detrás del mostrador.*)

LUIS.—*(Sonríe.)* ¿Decías algo?
CARBURO.—*(Con buen humor.)* Joder, qué porra.
LUIS.—Es un mataquinquis.
CARBURO.—Tú siempre con tus cosas.
LUIS.—A ver qué vida.
CARBURO.—Si no fuera por éstos y por otros ratitos, ¿verdad?
LUIS.—Se moría uno.
PACO.—A mí lo que me gusta es la armonía.
CARBURO.—Y a mí, y a éste, y a cualquiera. *(Se acuerda de pronto.)* Pero cuando hay un venao[80] como Rogelio mi compadre, ¿qué vas a hacer?
PACO.—¿Te ha hecho alguna pirula[81]?
CARBURO.—Tú me perdonas, ¿verdad, Paco?
PACO.—¿El qué?
CARBURO.—Lo que te voy a decir de eso que tú me has preguntado. ¿Tú me perdonas?
PACO.—Tú di lo que sea, y ya veremos.
CARBURO.—¡Cómo dices que si mi compadre me ha hecho

80 *venao:* cornudo.
81 *pirula:* jugarreta, mala pasada.

o no me ha hecho...! (*Alza la voz.*) ¿A ti qué leche te importa? ¡Es lo que yo me digo! (*Saca una navaja.*) ¿Tú ves esta chaira[82]? (*La abre.*)

PACO.—(*Tranquilo; sabe que no va con él la cosa.*) Es de Albacete, ¿no?

CARBURO.—Legítima.

LUIS.—Oye, cierra eso.

CARBURO.—(*Sin hacer caso.*) Pues éste es el churi que se va a tragar mi compadre el día que lo vea, que a lo mejor va a ser esta tarde misma; porque es lo que yo digo, o se es hombre o no se es hombre, y lo que él ha dicho no lo dice un hombre; es decir, lo que se dice un hombre. No te asustes, Luisito, que me lo guardo. (*Se la guarda. Por el W.C.*) ¿Puedo pasar?

LUIS.—Pasa. (*El* CARBURO *pasa al W. C.* LUIS, *rápido, sale del mostrador y le dice al* CACO.) Oye, sal a ver si encuentras al Rojo en cualquier taberna, «La Única», «El Guarro», «El Tulipán» o el «Gurugú»... Tiene que andar por ahí.

(*Todo este diálogo muy rápido y en voz baja.*)

PACO.—¿Y si ha encontrado taxi?

LUIS.—¡Qué va a encontrar!

CACO.—¿Y qué le digo?

LUIS.—Que no venga por aquí, que han vuelto los picos[83]. (*El* CACO *se levanta, prueba sus fuerzas.*) ¿Estás en condiciones?

CACO.—Sí.

LUIS.—Pues hale.

CACO.—El caso es si tengo que tomar un vaso o cualquier compromiso.

LUIS.—¿No llevas nada?

CACO.—Lo justo para pagarte la semana, que son 27,50 según creo.

LUIS.—28,50 si no te importa. Míralo en la pizarra.

---

[82] *chaira:* navaja. En su origen es voz de oficio porque así se llaman las cuchillas «que usan los zapateros para cortar la suela» y los cilindros de acero que emplean los carniceros para afilar (DRAE).

[83] *picos:* guardias civiles (*vid.* la nota 50).

CACO.—¿Me guindas una cala[84], Luis? Mira que yo llevo las cuentas de lo que me tomo.
LUIS.—De eso nada. Ahí lo tienes, con detalle de los botellines que son.
CACO.—Bueno, vale. Por no discutir. Pero yo sé lo que me tomo, ya te digo.
LUIS.—¿Qué me das aquí, oye?
CACO.—18,50.
LUIS.—Faltan dos duros.
CACO.—...Que te los quedo a deber con tu permiso, y así no voy sin nada. No te enfades.
LUIS.—Te lo apunto.

(Borra y apunta diez pesetas en la pizarra.)

CACO.—¿Adónde tenía que ir, que no me acuerdo?
LUIS.—A lo del Rojo. ¿No te digo? ¡A lo del Rojo, que no aparezca!
CACO.—Ah sí. Perdona.

(En ese momento sale el CARBURO, *abrochándose el pantalón. El* CACO *hace ademán de marcharse.)*

CARBURO.—¿Ya te vas, Caco?
CACO.—Vuelvo ahora.
CARBURO.—Hazme un favor, hombre.
CACO.—*(Servil.)* Lo que tu digas.
CARBURO.—Te traes un paquete de Chester de ahí, del Tuerto.
CACO.—¿El cerillero ése? *(El* CARBURO *asiente y le da un billete.)* ¿Qué me das?
CARBURO.—Veinte chulés.
CACO.—¿Y cuánto vale?
CARBURO.—No lo sé exacto. Te traes la vuelta.
CACO.—Y me tomo una copa a tu salud.
CARBURO.—Pero pitando[85].

---

84 *guindar:* robar. Para *cala, vid.* la nota 75.
85 *pitando:* corriendo.

(*El* CACO *sale. Silencio.*)

LUIS.—(*Profesional; por hacer conversación.*) ¿Y qué, currando mucho?
CARBURO.—No falta curro, no.
LUIS.—¿Qué estás? ¿En la construcción?
CARBURO.—(*Asiente.*) Ahí con el yeso. Como siempre.
LUIS.—¿Cuánto te has tirado en Alemania?
CARBURO.—Un año y medio.
LUIS.—Traerías perras.
CARBURO.—No me puedo quejar.
LUIS.—¿Te llevaste a la Carmen?
CARBURO.—(*Mosca.*) Tú sabes que no; son ganas de decir tonterías, que no sé a qué viene.
LUIS.—Si supiera que te la llevaste o que no, no te preguntaría. ¿No comprendes?
CARBURO.—Después de todo lo que se ha dicho en el barrio, no me vengas ahora con que si sabías o no sabías.
LUIS.—(*Maligno.*) ¿Lo que se ha dicho de quién?
CARBURO.—Vete a hacer puñetas.
LUIS.—(*Resignado, se encoge de hombros.*) ¡Bueno!
PACO.—(*Por cortar la situación.*) ¿Y qué estás, con el Julio?
CARBURO.—Y con el Legumbre.
PACO.—Ah, con el Lenteja, dices.
CARBURO.—Ahora lo llamamos Legumbre.
PACO.—Siempre estáis con el cachondeo.
CARBURO.—¿Y qué vas a hacer?
PACO.—¿Y Antonio el Caballo?
CARBURO.—Pues por allí anda.
PACO.—Se gana pasta buena[86] con el yeso, ¿no?
CARBURO.—Eso depende.
PACO.—¿A cómo pagan ahora el negro?
CARBURO.—A nosotros mejor que a nadie.
PACO.—Vaya contestación.
CARBURO.—Es la verdad.
PACO.—Ya sé que se gana.
CARBURO.—Pché.

---

[86] *pasta buena:* mucho dinero.

PACO.—¿Trabajáis con tarlocha?[87].

CARBURO.—Ni tarlocha ni leche.

PACO.—*(Impertérrito.)* ¿No cunde menos la llana que la tabla?

CARBURO.—Pero oye: ¿es que tú te vas a meter al yeso ahora?

PACO.—No, hombre.

CARBURO.—¡Tanto preguntar!

PACO.—Que soy curioso.

CARBURO.—Pues pregúntale a un guardia, no te jode.

PACO.—En seguida te enfadas.

CARBURO.—¡Si no es enfadarse, hombre! Es que cuando está uno descansando, o descansa o no descansa. ¡Déjame ya de yeso y de no yeso hasta el lunes! ¿Quieres? ¿No comprendes, majo?

LUIS.—O hasta el martes.

CARBURO.—¿Y qué?

LUIS.—Pues que como siempre hacéis lunes zapatero[88], pues eso, que hasta el martes. *(Ríe, estúpidamente.)*

CARBURO.—¿Y quién nos lo paga? ¿Tú?

PACO.—*(A* LUIS.) Bueno, ponnos la mía. *(Al* CARBURO.) Y en paz, ¿no es eso?

CARBURO.—Vale. (LUIS *les sirve.)* Me voy a ir.

LUIS.—*(Que iba a servir.)* ¿Te pongo o no te pongo?

(El CARBURO *apaga el transistor.)*

CARBURO.—¡Eso se le pregunta a los muertos, no te giba!

LUIS.—¡Como dices que te vas!

CARBURO.—Pero será cuando a mí me salga de mis partecitas, ¿no?

LUIS.—*(Le hace gracia; ríe.)* ¡Qué Carburo éste!

---

87 *tarlocha:* instrumento de madera con el que se aplica el yeso. Es un tecnicismo de albañilería, como a continuación *llana,* que sí recoge el DRAE, definiéndola como «herramienta compuesta de una plancha de hierro o acero y una manija a una asa, de que usan los albañiles para extender y allanar el yeso o la argamasa».

88 *lunes zapatero:* día en el que no se trabaja. Los zapateros de Madrid solían cerrar sus establecimientos los lunes y de ahí proviene la frase hecha.

CARBURO.—Me voy a buscar a mi compadre. No sea que esté en otro establecimiento.

LUIS.—*(Loco por que se vaya.)* A lo mejor.

CARBURO.—Tú, loco por que me vaya, ¿no?

LUIS.—A mí, allá penas.

CARBURO.—Hoy corre la sangre en este barrio; y si no al tiempo.

LUIS.—*(Incrédulo.)* No me mates.

CARBURO.—Ya lo verás. ¡A que te empapuzo de arate[89] el establecimiento! *(Apostando.)* ¿Qué te va?

LUIS.—¿Tú dónde entierras?

CARBURO.—Tengo una sacramental[90] propia; anda éste.

LUIS.—Te van a llamar la gripe asiática.

CARBURO.—Cállate, bacilón, que eres un bacilón[91].

LUIS.—El que estás bacilando eres tú; vamos: ¡que quieres bacilar! Pero conmigo, es más difícil.

CARBURO.—¿Contigo? ¿Yo contigo? Amos, anda. Tienes tú muy poca categoría.

LUIS.—Primera especial.

CARBURO.—¿Quién te ha dado el carnet?

LUIS.—Tu tío el guardia.

CARBURO.—Aveitendiño[92], cariño.

LUIS.—Mira, que salgo.

CARBURO.—Avísame.

LUIS.—Yo doy sin avisar.

CARBURO.—*(Con voz aflautada.)* ¡Traidor! (PACO *ríe.* LUIS *no sabe qué responder.)* ¿Lo ves, macho? Si no hay color[93]... Hala, nos pones otras copas y me das la vuelta de una libra.

---

[89] *arate:* sangre.

[90] *sacramental:* cementerio. Puede también referirse a la octava acepción del DRAE: «En Madrid, cofradía que tiene por principal fin procurar enterramiento en terrenos de su propiedad a los cofrades.»

[91] *bacilón:* bromista. La repetición de términos *(bacilón, bacilar)* acentúa el tono burlesco de la conversación, como también lo hacen después el chiste de «Pepe el Mudo» y el inicio del cante.

[92] *aveitendiño:* «a ver si te endiño», vulgarismo humorístico resultante de varias contracciones. La utilización de *cariño* para conseguir la rima es otra muestra del carácter de burla que hemos indicado.

[93] *no hay color:* no existe comparación posible.

Luis.—¿De qué libra?

Carburo.—De los veinte duros que te voy a dar otro día que venga.

Luis.—Eso no te lo crees ni tú.

(*Afuera se oyen gritos del* Badila, *que se despierta: ¡Sacadme de aquí, cabrones! ¡Auxilio! ¡Socorro!*)

Carburo.—¿Qué es eso?

Paco.—El Badila que está en la zanja esa. (*Sin mover un dedo.*) ¿Lo sacamos?

Carburo.—Yo desde luego no.

Paco.—Pues yo tampoco. Con la calor que hace, cualquiera sale fuera. (*Pausa. El* Carburo *taconea un poco y da palmas.*) Eso, cántate una.

Carburo.—¿Cómo la quieres?

Paco.—Un cante bueno.

Carburo.—¿Por Valderrama?

Paco.—Vale. O por Fosforito.

Luis.—Oye, ¿por qué no cantas por Pepe el Mudo?[94].

Carburo.—Cállate, tío listo.

Luis.—A ver qué dice ahí. (*Por un cartel.*)

Carburo.—(*Guiña los ojos.*) Soy corto de vista y además analfabeto; así que imagina.

Luis.—«Se prohibe cantar en este establecimiento.»

Carburo.—(*Se pone una mano en la oreja a modo de trompetilla.*) ¿Qué? Estoy un poco sordo.

Paco.—Déjale, Luis; por lo bajini.

Carburo.—(*Se arranca.*) Ay, ay.

Luis.—¿Te duele algo?

Carburo.—Ay.

Paco.—(*Impaciente.*) Venga ya.

(*El* Carburo *le echa una mano por los hombros y le canta en la oreja.*)

---

94 Frente a los nombres reales de cantantes famosos de la época (Juanito Valderrama, Fosforito) Luis le sugiere que se calle con el de Pepe el Mudo.

CARBURO.—*(Continúa con la entrada.)* Ay. (PACO *cierra los ojos esperando el cante. Por fin:)*

¡Ay! Míralo por donde viene...
aquél que mató a tu padre.

PACO.—*(Decepcionado.)* No, hombre. Sin cachondeo.

CARBURO.—*(De nuevo.)* Ay.

PACO.—*(Escuchando, con aire de entendido.)* Vale.

CARBURO.—A mi puerta has de llamar
y no te he de abrir la puerta
y me has de sentir llorar.

PACO.—*(Aprobador.)* Vale, macho.

CARBURO.—La bala que a mí me hirió
también rozó al comandante.
A él lo hicieron coronel
y yo sigo como antes.
¡La bala que a mí me hirió![95].

(En ese momento llega, muy borracho, ROGELIO. *Provocador, se planta en el centro de la taberna. También ha llegado el* CACO, *que se disculpa ante* LUIS.)

CACO.—¡No he podido hacer nada! Me ha pegado una torta el muy animal, que por poco me tira al suelo.

LUIS.—Idiota. La culpa la tengo yo. *(Quiere decir: «Por mandarte a ti.»)*

ROGELIO.—*(En voz muy alta.)* ¿Quién es el hijo de catorce padres que se pone a cantar el día de la defunción de mi santa madre, que en gloria esté?

PACO.—*(Asustado.)* Que está muy borracho, Carburo. Déjalo.

CARBURO.—Tú tranquilo. *(Se levanta, en la expectación general, y se pone a manejar el transistor sobre el mostrador, mientras dice sin mirarlo.)* Ponle una copa a ése.

LUIS.—¿Aceptas, Rojo?

ROGELIO.—Yo bebo de lo mío. *(Pone un duro en el mostrador.* LUIS, *nervioso, le sirve una copa.* ROGELIO *se enjuaga con ella la*

---

[95] En el cuadro IV de *El camarada oscuro* se oye una grabación de esta copla mientras Ruperto es herido en Annual.

boca y dice en voz muy alta mirando hacia el Carburo.) ¿Quién es el malnacido que me iba a hacer un butrón[96] a mí en la tripa? A ver quién era el guapo.

(*El* Carburo *ha encontrado una música de su agrado y la pone a gran volumen. Se aparta del transistor y saca su navaja. Se dirige a la concurrencia.*)

Carburo.—Esta música se la dedico a la señora Cosmospólita que en paz descanse, la cual era una santa si bien su hijo lo es de la gran puta. (*Todos, estupefactos, guardan silencio ante tamaña provocación. El* Carburo *añade algunos detalles.*) El maricón que me toque el transistor me toca al mismo tiempo a mí los cataplines[97].

(*Pausa. El* Rogelio *se acerca al mostrador, tranquilo, como si se le hubiera pasado la borrachera, y apaga la radio. Después se abre la camisa y se acerca al* Carburo; *le ofrece el pecho desnudo.*)

Rogelio.—Si tiene lo que dice, píncheme, cabronazo.

(*El* Carburo *tiene la navaja abierta en la mano.*)

Carburo.—Esa palabra la retira usted pero que ahora mismo.
Rogelio.—¿Cuala?
Carburo.—Esa de cabronazo.
Rogelio.—¿Y si se la dijera en el buen sentido?
Carburo.—(*Duda un poco.*) Entonces vale.
Rogelio.—(*Se crece ante la debilidad del otro. Insiste.*) ¿Vale o no vale?
Carburo.—Vale.
Rogelio.—Pero es que yo se la decía en el sentido propio de cabrón, Carburo, avei se entera.

---

96 *butrón:* agujero hecho para robar y aquí, por extensión, la abertura de la herida.

97 *cataplines:* testículos.

CARBURO.—*(Pálido.)* Repita eso, que yo lo escuche.

ROGELIO.—*(Impávido.)* En el sentido propio del que lleva unos cuernos, a ver si me entiende. ¿Cómo ha podido entrar por esa puerta mi compadre?

CARBURO.—*(Débil, casi tembloroso como a punto de llorar.)* Con la cabeza muy alta, Rojo. ¡Con la cabeza muy alta!

ROGELIO.—¿Cómo es eso? ¿Es que no le pesan? A ver si son de plástico.

CARBURO.—Eso me lo va a decir en la calle, mamonazo.

ROGELIO.—Pero que ahora mismo, después de tomarnos una copa. *(A* LUIS.) Pon de beber para todos, Luis, que le voy a dar a mi compadre una lección que no la olvida.

LUIS.—De eso nada.

ROGELIO.—¿Cómo que nada? ¡He pedido de beber para todos!

LUIS.—Te voy a dar un consejo, Rojo: que te des el queo[98]; que aquí te huele la cabeza a pólvora.

ROGELIO.—Más vale a pólvora que a hueso como al compadre. ¡Je, Carburo! *(Citándolo como para un natural.)* ¡Je! *(El* CARBURO *le tira un viaje con la navaja.* ROGELIO *lo esquiva.)*

PACO.—¡Estaros quietos, coño! *(Apartándose.)* ¡Que vamos a tener un disgusto!

ROGELIO.—¡Je, Carburo!

CARBURO.—¡A usted lo mato yo! ¡A usted lo mato yo!

(ROGELIO *tropieza en la mesa que está el* CACO.)

CACO.—*(Da un grito agudo.)* ¡Socorro!

(ROGELIO *se ha situado junto a un pellejo de vino. Al esquivar otro viaje del* CARBURO, *éste pincha el pellejo y empieza a salir vino.* LUIS *pone el grito en el cielo.)*

LUIS.—¡Me jiño[99] mil veces en la leche que os han dado a

---

[98] *dar el queo:* avisar de un peligro. Aquí significa *irse* (como *darse al zuri)* porque existe un peligro *(vid.* nota 49).

[99] *jiñar:* defecar. Adviértase el acusado tono vulgar, que era menos común en Luis, precisamente cuando atentan contra sus intereses.

los dos, canallas! ¡Maldita sea la hora en que la perra de vuestra madre se ajuntó con el venado de vuestro padre, hijos de la grandísima! ¡Me arruináis el negocio! ¡Os bebéis mi sangre y mi sudor! ¡Me derramáis el vino! *(Ha tapado el agujero con un dedo.)* ¡Quinquilleros de mierda, que sois peor que los gitanos!

(Ante estas imprecaciones, dichas con voz tonante, los bronquistas se han parado y están como pasmados.)

Rogelio.—Hombre, Luis, no te pongas así.
Carburo.—*(Compungido.)* Ha sido sin querer, te lo juro. Yo lo que quería es aviarle a éste.
Luis.—*(Sin hacerles caso.)* Caco, anda, acércate a la farmacia y te traes una tirita.
Carburo.—Por cierto, Caco. Mi tabaco y las vueltas.
Caco.—Perdona, hombre. Con eso de la bronca...

(Se lo da.)

Carburo.—Quédate una peseta, por el viaje.
Caco.—Gracias.
Carburo.—Y cinco duros para la botica: los gastos corren de mi cuenta, por ser yo el autor del estropicio.
Caco.—Entonces ¿qué? ¿Me traigo una tirita?
Paco.—Hombre, Luis, con una tirita no vas a tener bastante. ¿O es cosa de poco? (Luis *quita el dedo y cae un chorro.* Paco, *servicial, pone su vaso vacío y se lo llena.*) Que no se desperdicie. *(Bebe.)*
Luis.—Que sea un esparadrapo, Caco. Una cajita.
Paco.—*(Al* Caco, *acabando las instrucciones de* Luis.) Esparadrapo de ese ancho, que es así.
Caco.—Vuelvo en seguida.

(Sale. Un silencio.)

Rogelio.—Por poco me deja usted seco, ¿eh? Me ha tirado un viaje a la tripa; me he dado cuenta.
Carburo.—*(Ceñudo.)* A ver si es que usted se cree que uno se puede cachondear de uno.

ROGELIO.—*(Con lógica aplastante.)* Ni otro de otro.
CARBURO.—*(Ante lo obvio.)* Hombre, claro.
ROGELIO.—*(Incongruente.)* ¿Entonces?
CARBURO.—*(Despistado pero terminante.)* Entonces nada.
ROGELIO.—Porque vamos yo creo que la muy la tenemos para hablar.
CARBURO.—*(No tiene nada que objetar.)* Endendeluego[100].
ROGELIO.—Pues si está para hablar se habla. Vamos, digo yo. Y más entre compadres.
CARBURO.—*(Cerril, sin seguir el hilo, pero tratando de reprochar algo y de seguir siendo terminante.)* Pues claro que se habla.
ROGELIO.—Pues a ver.
CARBURO.—¿A ver el qué?
ROGELIO.—*(Retador, poniéndose a la escucha.)* A ver su frase.
CARBURO.—¿Qué frase?
ROGELIO.—La que me tenía que decir: el porqué de su cabreo[101], aquí entre hombres. *(Por los asistentes, como nombrándolos testigos.)*
CARBURO.—¡Claro que tengo una frase!; y de las que no admiten réplica ninguna.
ROGELIO.—Pues dígala, vamos a ver.
CARBURO.—Que más vale hablar poco y actuar legal, que irse de la muy, que es lo que usted ha hecho —¡no digo yo que con mala intención!—, pero se ha ido de la muy, compadre: que se ha ido de la muy... Que sí, que se lo digo yo... *(Lo último, suave, casi comprensivo.)*
ROGELIO.—Hombre, de eso de irse de la muy, eso depende, porque a lo mejor lo que resulta es que el que se ha ido de la muy es el que le ha dicho a usted que el que se ha ido de la muy he sido yo. No sé si me explico. ¡Y para eso está la muy, chalado, que es usted un chalado, se lo digo yo! *(Esto se lo dice finolis y casi cariñosamente.)*
CARBURO.—*(Que no lo estima así.)* Sin faltar, compadre, sin faltar.

---

100 *Endendeluego:* desde luego; es una construcción vulgar (prótesis y trueque s-n) con valor enfático. Hay otros casos semejantes, como *entodavía* y *endespués*.
101 *cabreo:* enfado (DRAE).

ROGELIO.—Aquí en ese caso, el que está más que faltando, sobrando, es usted, y perdone la expresión[102]. Porque si yo he hecho algún comentario —es un decir— acerca de la Carmen mientras que usted trabajaba —es un decir— en Alemania...

CARBURO.—*(Herido.)* ¡No, que trabajaría usted por mí, qué listo!

ROGELIO.—A lo que voy es a cosa distinta; y es decir que si yo he hecho algún comentario de la Carmen, siempre habrá sido en plan familiar y desde luego menos en comparación con la realidad de la vida, porque, ¡ay!, a mí me da lacha[103] como padrino que soy del Carburito, de ver lo que se ha visto en este barrio, y luego en el de la UVA, durante su ausencia de usted; de lo que se ha visto, digo, con la Carmen y el Paco el Legionario, que además él la sacaba los cuartos para luego gastárselos con el sinvergüenza ése del Maño, que es marica, porque esa es otra.

CARBURO.—¿Y qué voy a hacer yo, vamos a ver? ¿Matarla? ¡A ver! ¿Qué la voy a hacer yo? ¡Más que la hice, a ver! Pues eso: la tunda[104] que la di no se la quita nadie; como que se la tuvieron que llevar a la Casa de Socorro y estuvo en el Hospital catorce días; que si no llega a ser porque el chaval, al ver a su madre echando sangre por la boca y que chillaba de esas maneras, se puso a llorar, el pobrecillo; y, claro, me dio no sé qué seguir con ella; que si no...

ROGELIO.—Pero podía haber matado al Paco, es decir, hacer alguna buena, lo que se dice un escarmiento.

---

102 Este afectado (incluso en el tratamiento) y sinuoso diálogo entre Rogelio y el Carburo está originado por la mezcla del distanciamiento por las ofensas y del abundante alcohol.

103 *lacha:* vergüenza. En las ediciones anteriores: «a mí se me ha caído la cara de garlochí», frase que el autor ha modificado para prescindir del término *garlochí.* En carta de 23 de mayo de 1989 nos indicó: «Ya en ensayos la obra, advertí que en los diccionarios de caló esta palabra —también escrita "garlochín"— significa corazón, pero yo la conservé en su significado de "vergüenza" porque estoy seguro de haberla escuchado en ese sentido a algún hablante gitano o quinquillero.» Posteriormente, ha decidido el cambio.

104 *tunde:* «acción y efecto de tundir a uno a golpes» (DRAE).

CARBURO.—Pero, ¿cómo lo iba a matar, puñeta, si cuando yo volví de Alemania ya se había muerto el tío? Que tiene usted cada cosa...

ROGELIO.—Pues haberse cogido al crío y pirarse por ahí, no sé, donde ninguno le conozca a uno y dejarla tirada que es lo suyo, por ser una rabiza[105], que es lo que es y de lo más tirado.

CARBURO.—Y con eso, ¿qué se consigue? Ser la risión, Rogelio... Porque a ver, ya puestos a eso, a usted quién le certifica que la criatura es suya, quiere decirse mía, tratándose de una puta como es la Carmen, que eso yo lo reconozco.

ROGELIO.—Hombre, eso de ser gumí[106] lo reconocen todos los del barrio que la han conocido cuando hacía la carrera ahí, por Manuel Becerra; pero eso es aparte.

CARBURO.—Bueno, usted no disimule ahora; y aquí a lo que vamos, ya que habla del crío y de la zorra de su madre y de varios asuntos que por cierto a estos señores no les interesan. (*Los dos estaban escuchando muy atentos y ahora disimulan.* PACO *silba.* LUIS *limpia el mostrador.*) Es decir, que a ver si usted me da la siguiente explicación de por qué el sábado pasado en el «Gurugú» de Alcalá[107] dijo a los que quisieran oírle cierta cosa.

ROGELIO.—¡Eso es mentira!

CARBURO.—¿Quién lo ha dicho?

ROGELIO.—(*Cierra un ojo.*) Este tuerto.

CARBURO.—(*Paciente.*) ¿El qué es mentira, vamos a ver? Porque yo entodavía no he dicho una palabra.

ROGELIO.—¡Lo que sea! ¡Eso es mentira! ¡Se lo digo yo!

CARBURO.—¿Que usted no dijo a la concurrencia que usted, ¡maldita sea!, ¡me cago en mi padre!, que el chico,

[105] *rabiza:* «ramera muy despreciable» (DRAE).

[106] *gumí:* prostituta experimentada (frente a *lumi,* la principiante, y *lumiastra,* la maestra).

[107] En las ediciones anteriores: «Gurugú». Ahora se precisa que no se trata de una de las tabernas de la vecindad que antes mencionó Luis.

«Gurugú» es el nombre de un monte cercano a Melilla que se popularizó en la península por los sangrientos combates que en él tuvieron lugar durante la guerra de Marruecos.

quiero decir, que la criaturita no es mía y que usted es su verdadero padre? A ver si lo ha dicho o no lo ha dicho, que es lo que yo quiero saber. (*A* LUIS.) Estoy hablando correctamente, creo yo, ¿no, Luis? Luego no digas. Anda, danos de beber.

LUIS.—¿Lo mismo?

CARBURO.—Sí. No sé mi compadre.

ROGELIO.—(*Piensa reconcentrado.*) Dejarme ahora, que quiero recordarme de una cosa, y después (*Al* CARBURO.) ...le diré mi frase.

(LUIS *sirve. Vuelve ahora el* CACO *con el esparadrapo.*)

PACO.—Trae, trae aquí.

(*Se ocupa de la reparación y empieza a ponerle al pellejo una cruz de esparadrapo.*)

CACO.—Y me sobran 16,50, que son tuyas, Carburo. (*Se las da.*) Cuenta el dinero y luego no me digas que si tal.

CARBURO.—Ya me habrás guindado algo. ¿O no?

CACO.—(*Niega.*) Que me muera. No tengo ni lata[108]. Y, además, ahí vendrá el precio.

LUIS.—(*Consulta al* CARBURO.) ¿Le pongo al Caco?

CARBURO.—Ponle, pero caray con el tío. Se gasta menos que un ruso en catecismos. (LUIS *le sirve. El* CACO, *con el vaso, se vuelve humildemente a su mesita.* CARBURO *se dirige a* ROGELIO *que sigue reflexivo.*) Qué, ¿carburas o no carburas?[109].

ROGELIO.—Estoy pensando en quién habrá sido el mala follá[110] que le ha ido con ese cuento, porque el sábado en Alcalá[111], que yo recuerde, no estaba más que el Perruna, el Caca y Pepe el de la Rosa; el Piloto y Zambombo, a más del Cano y Julio el Hojalata, el Satur, el Cani-

---

108 *ni lata:* ni una perra, ningún dinero.

109 *carburar:* razonar, pensar.

110 *mala follá:* malintencionado, malaleche.

111 En ediciones anteriores: «allí».

llas y Paco el de la Rubia, Cabila, el Madruga, Mondéjar, Huete, el Nene, el Grillo, Veneno, el Colorín, el Patabote y Chancaichepa; vamos, que yo recuerde.

(Ha ido reconstruyendo visualmente las tertulias que él recuerda.)

PACO.—¡Mecagüen, qué memoria!
LUIS.—¿Perdonáis una interrupción?
CARBURO.—Estás en tu casa, majo.
LUIS.—Era preguntarle aquí al Rogelio una cosita.
ROGELIO.—Déjame ahora. ¿No ves que estoy barrenando?[112]. ¿No se me nota?
LUIS.—*(Le reconviene severamente.)* Más valía que estuvieras pensando en lo que tenías que estar pensando, y de eso es de lo que te quería hablar precisamente.
ROGELIO.—Estas asas *(por las orejas)* son dos soplillos, Luisito. Sigue.
LUIS.—Que si encontraste taxi.
ROGELIO.—*(Estupefacto.)* Taxi, ¿de qué?
LUIS.—Ah, no sé. Creí que lo buscabas antes.
ROGELIO.—*(Como si le dijeran una mentira enorme.)* ¿Yo?
LUIS.—*(Fastidiado.)* No, tu tía.
ROGELIO.—Entonces, qué dices tú de taxis.
LUIS.—*(Paciente de pronto.)* Me refiero a cuando has salido de aquí pidiendo un taxi a voces; sí hombre, hace una media hora. (ROGELIO *hace esfuerzos pero no recuerda.* LUIS *le da más detalles.)* Que estaba el Paco aquí, sí hombre, y el Caco ahí tomándose un botellín, tranquilo. Que tú nos contaste que habías venido de Guadalajara y no sé qué de un accidente que a lo mejor te había ocurrido no sé dónde, ni tú tampoco lo sabías, pero que tenías ese corte en el cuello.
ROGELIO.—*(Grita de pronto como loco.)* ¡Guadalajara! ¡Guadalajara!
LUIS.—Tampoco es para ponerse así.

---

[112] *barrenar:* pensar (a veces se dice como atornillándose la sien con el dedo índice).

ROGELIO.—*(Grita.)* ¡Mi tío el Machuna!

LUIS.—¡Eso! Que tu tío el Machuna te había llamado, y eso.

ROGELIO.—*(Grita.)* ¡El entierro de mi madre!

PACO.—Que en paz descanse, Rojo.

ROGELIO.—*(Hace un descubrimiento y lo proclama a voces.)* ¡Soy un canalla! ¡Soy un canalla de lo peor, señores! ¡No me merezco la vida que me dieron! ¡Soy un canalla de lo peor que hay!

PACO.—*(Siempre con su buen plan.)* No, hombre, Rogelio. Eso tampoco.

ROGELIO.—¿Qué hora es?

LUIS.—*(Mira el reloj.)* Ya la habrán enterrado.

ROGELIO.—*(Arreglando un poco su conciencia en medio del alcohol.)* ¡Claro, como que no había taxi y me he entrado ahí en el bar de los Pollos...! ¡Maldita sea! ¿Qué hago yo ahora? ¡Qué rollo, madre mía!

LUIS.—¿Te encuentras bien ahora?

ROGELIO.—*(Vacilante.)* Me parece que sí. Sólo que las paredes me dan un poco de vueltas, pero creo que puedo andar.

LUIS.—Pues déjalo ya, eso del entierro, por mucho que te pese; que a tu madre no la resucitas ya tú porque te quedes en el barrio, y márchate a tu bujío[113], anda; allí donde tú te encuentres seguro, no sea que con una desgracia te venga otra, que dicen que las desgracias nunca vienen solas; pero hay que hacer los posibles por evitarlo.

ROGELIO.—Tienes razón tú, Luis.

CARBURO.—*(Comprensivo.)* Lo primero es lo primero, también es verdad. Lo nuestro ya se resolverá entre hombres cuando usted salga de lo suyo; y si hay que partirse la cara se la parte uno, y si un día le tengo que pegar una

---

[113] *bujío:* casa.

Rogelio, entregado al alcohol, no podrá asistir al entierro de su madre como Poe (en *¿Dónde estás, Ulalume, dónde estás?)*, bajo los efectos de la bebida, no llega a Filadelfia. La relación entre ambos dramas es evidente, aunque en ellos se tratan aspectos diferentes del tema del alcohol.

hostia, pues se la pego, y si le tengo que chinar el bul[114], pues se lo rajo.
ROGELIO.—Usted no pega ni las cartas; eso es aparte.
LUIS.—¡No os enrolléis de nuevo y lárgate, Rogelio!
ROGELIO.—Vale.
LUIS.—Muy bien, Rogelio. Así me gusta.

(*Pausa.* ROGELIO *se acoda en el mostrador.*)

ROGELIO.—Pero antes danos de beber.

(LUIS, *desolado, opta por servirles.* ROGELIO *—piensa* LUIS*— no se marchará ya nunca... La luz se va oscureciendo sobre el «Gato Negro» y sólo queda iluminada la mesita del* CACO *que duerme. Suena la música yé-yé de antes en el transistor y se apaga la luz sobre el* CACO *para hacerse sobre un cartel que dice:*

INTERMEDIO
QUE ES
UN SUEÑO DEL CACO

De pronto, luz muy brillante, blanca, de tubos de neón. La taberna aparece horriblemente «maquillada» de cafetería de barrio, con paneles rojos y verdes, chillones, y molduras blancas de escayola. En el mostrador, LUIS, *con una cofia de camarera, y una máscara o los labios y los ojos pintados.* ROGELIO *está durmiendo en una mesa —en la del* CACO*— y el* CARBURO *bebe en la barra sentado en una altísima banqueta (más alta que el mostrador). Hay otra, más alta todavía, a la que hay que subir por una escalerita. Entra el* CACO *con sombrero y fumando un puro enorme.*)

LUIS.—Muy buenas tardes, don Tiburcio.
CACO.—Llámame Caco, hombre, ¿estamos o no estamos entre amigos? Trátame en confianza que yo no me como crudo a nadie.

---

[114] *chinar el bul:* cortar la cara.

LUIS.—¿Dónde quiere sentarse?

CACO.—Me encalomo[115] aquí mismo. No te preocupes. *(Por la banqueta altísima, a la que se encarama. Ya en lo alto, pide displicente.)* Ponme un güisqui, anda tú.

LUIS.—¿Blanco o tinto?[116].

CACO.—Tinto mismo. (LUIS *le sirve vino tinto de una frasquilla adornada con un lazo de los colores de la bandera roja y gualda. Saluda al* CARBURO.) Hola, Carburín, que no me había dado cuenta.

CARBURO.—¿Qué dice, señor Caco?

CACO.—Pues ya ves. Anda, toma tú lo que quieras.

CARBURO.—*(Modesto.)* Me tomaré un vasito.

CACO.—De eso ni hablar, vasito... ¡Una cerveza! ¡Y nada de un botellín; una botella grande! *(A* LUIS.) ¿La tienes especial?

LUIS.—*(Desolado.)* No queda.

CACO.—*(Disgustado.)* Hombre, eso se dice.

LUIS.—No me han servido hoy los repartidores. Lo siento de verdad. Les voy a echar una bronca, que no sé.

CACO.—*(Magnánimo.)* ¡Qué se le va a hacer, muchacho! No te preocupes. *(Al* CARBURO.) Tómate entonces una de pipermín o cosa análoga.

CARBURO.—*(Que no quiere abusar; con un gesto de que eso cuesta horrores.)* No, gracias, gracias.

CACO.—Pues Calisay, que es así dulce.

CARBURO.—Que no, señor Caco, que muchas gracias, digo.

CACO.—Un sol y sombra entonces. O un carajillo[117], con perdón.

CARBURO.—*(Modoso pero terco.)* ¡Que no, que no! Se lo agradezco como si lo tomara; de verdad, señor Caco.

---

[115] *encalomarse:* subirse. A veces, sin embargo, tiene el sentido de esconderse. Sastre llama la atención en *Lumpen, marginación y jerigonça* (pág. 168) sobre la significación no sólo ambigua sino francamente contradictoria de algunos términos de la jerga.

[116] Esta pregunta, aplicada al güisqui, tiene el valor de destacar irónicamente el sueño de riqueza y poder del Caco, al igual que cuando éste pide un *celtasfiel.*

[117] *sol y sombra:* copa con la mitad de coñac y la mitad de anís. Más conocido es el *carajillo:* café con coñac.

CACO.—¿Será por dinero? (*Saca un billete de mil pesetas, lo enciende con una cerilla y con él se enciende el puro. Fuma.*) ¿Quieres fumar, eh tú?

CARBURO.—Yo fumo negro, señor Caco.

CACO.—Fúmate un rubio, anda. (*Llama a* ROGELIO, *que duerme.*) ¡Eh, tú Rogelio, ven aquí, hombre!

ROGELIO.—(*Se despierta.*) Mande usted, jefe.

CACO.—(*Le echa veinte duros.*) Te traes un celtasfiel. Quédate con la vuelta.

(ROGELIO *se arrastra por los suelos ante el billete, hasta cogerlo.*)

ROGELIO.—Gracias, señorito.

(*Sale galopando.*)

CACO.—(*Ríe.*) De nada, chaval, de nada.

(*Del W.C. sale* PACO, *que le saluda con alegría y deferencia.*)

PACO.—¿Tú por aquí, muchacho?

CACO.—¿Qué hay, golfo?

PACO.—(*Cordial.*) Más golfaray eres tú, golferas[118].

CACO.—(*Ríe.*) Pero como tú no hay nadie.

PACO.—¡Pues anda que tú!

CACO.—(*Jovial.*) ¡Pero menos que tú, no creas! ¡Ya no soy ni sombra!

PACO.—¡No me digas! (*Le pincha con un dedo en la tripa.*) ¡Que te veo, timoteo!

CACO.—¡Lo que oyes! ¡Ya no soy nadie!

PACO.—¡Pero si no pasan los años por ti! ¡Qué tío!

CACO.—Pues tú estás igual, carape.

---

[118] La repetición del mismo término con distintas formas (*golfo, golfaray, golferas*) evidencia irónicamente la vacuidad de una conversación en la que hay muy poco que decir. Sobre la sufijación, *vid.* la nota 43.

PACO.—Ya estoy hecho un purili[119], pero tú... Qué bárbaro. Y con todo tu pelo. Y de chavalas, ¿qué?

CACO.—Pché. No se da mal, pero ya sabes que yo a lo mío.

PACO.—Hombre, claro. Tú siempre a lo tuyo. *(En seguida.)* Oye, por cierto, ¿tú me podrías prestar una cantidad para un apuro?

CACO.—Hombre, si no es una gran cosa...

PACO.—Me arreglo con un verde, si no te hace extorsión.

CACO.—Que son exactamente...

PACO.—Mil púas, si te hace, que es doscientos barés[120] exacto.

CACO.—*(Tranquilo.)* Hombre, eso, claro, desde ya. ¿Lo quieres ahora mismo?

PACO.—No hace falta, pero si puede ser antes de un cuarto de hora, pues mejor, ¿sabes?

CACO.—¿Te firmo un cheque o en metálico?

PACO.—Como tú quieras. Vale. *(El* CACO *saca un talonario y firma un talón mojando el dedo pulgar en vino y estampillándolo.)* Chico, qué firma tan bonita. ¿Es el sello de la casa, a que sí?

CACO.—*(Como diciendo que sí.)* ¿Cómo lo sabes? *(Se lo da.)*

PACO.—Se te agradece. ¿Cuándo te hace que te devuelva las mil legañas, tú?

CACO.—A tu comodidad, chato.

PACO.—*(A* LUIS.) Pues danos de beber.

LUIS.—(Al CACO.) ¿Otro güisqui, señor?

CACO.—¿Cómo lo sabes?

(Ríen. Oscuro y luz sobre un cartel que dice:

---

119 *purili:* viejo.

120 *verde, púas, barés: vid.* la nota 75.

PARTE SEGUNDA

LOS SUEÑOS DURAN POCO Y EL CACO PRONTO SE DESPERTÓ A LA REALIDAD DE LA VIDA. AL ANOCHECER LA ANIMACIÓN NO ERA GRANDE EN LA TABERNA, PERO...

Escena: es ya de noche. Luz eléctrica, amarilla. Oscuro exterior, debido al deficientísimo alumbrado público. El CACO *está en su mesita de siempre, inmóvil y en silencio. Tiene una botella de vino delante y parece un ausente.* ROGELIO *está muy borracho, contando su vida a* LUIS, PACO *y el* CARBURO.)

ROGELIO.—Lo mío es una novela.

PACO.—Vale. (*Como diciendo: «Sigue».*)

ROGELIO.—Mi vida es una novela, digo yo, y se lo demuestro a quien se ponga.

PACO.—(*Poco imaginativo.*) Vale, vale.

ROGELIO.—Empezando porque no sé ni hacer la O con un canuto y que sin embargo sé más que muchos; y que, si no sé juntar las letras (porque ni Dios me ha enseñado a ello ni he pisado una escuela en toda mi puta vida), en su lugar me conozco el rollo de la vida como nadie; y acabando porque ahora ando de najas[121] por la muerte de un jundo[122], el cual por mi padre que no tengo ni idea sino que creo que se habrán confundido o si será por esta maldición nuestra de lo que dicen de que somos quinquilleros, lo cual que quiere decir quincalleros o sea de los que vendían la quincalla por esos pueblos, solo que ahora nos dedicamos más que nada a arreglo de cacharros y a paragüeros y a las sillas, que es lo que suele hacer el mujerío... ¿Donde estoy?

---

[121] Véase la nota 65.

[122] *jundo:* guardia civil (*vid.* la nota 50).

PACO.—*(Solícito y despistado.)* En «El Gato Negro», casa Luis.

ROGELIO.—¡Qué burro! Hombre, Paco, una cosa es que esté uno con la copa, que no lo niego, y otra muy distinta que estuviéramos majaras y que perdiera uno, vamos al decir, las nociones de la vida. Digo que dónde estoy del cuento: ¡que por dónde iba!

PACO.—*(Que también está bastante bebido.)* ¡Ah! Eso sí que no sé.

LUIS.—*(Harto.)* ¡Que tu vida es una novela, hombre!

ROGELIO.—*(Cogiendo bruscamente el hilo, exclama:)* ¡Pero que una novela! ¡No es decir que si tal o que si cual! ¡No! ¡Una novela! O sea, una película. Pero una película con su acto y su entreacto y su sainete, ¡y todo! ¡A ver, mis padres iban con su carro valenciano precioso de aquí para allá por Segovia y por El Escorial y yo, a ver, una criatura, pues yo, sin despreciar a nadie, yo... el rey del mundo! ¡Tiempos pasados que ya no volverán!

(Llora silenciosamente.)

PACO.—Pero, hombre, Rojo. Ten entereza.

ROGELIO.—¡Si es que me acuerdo! ¡Qué quieres! ¡Si es que me acuerdo de cosas que... que, vamos, que son cosas de la vida!

PACO.—Tranquilízate, hombre.

ROGELIO.—Hasta que de pronto vino, claro, la decadencia; que fue cuando lo de mi padre, que por cierto que le pegaron delante mía y de mi mama[123] porque si habían matado o no habían matado a una estanquera no sé si en Colmenar de Oreja; así, que se lo llevaron al estaribel[124] porque el hombre acabó diciendo que había matado, no sé, a la estanquera y a su propio padre; sólo que luego se descubrió que había sido una cuñada la que le pegó el hachazo a la muerta y fueron y soltaron a mi padre, pero

---

123 *mama:* con acentuación llana, más familiar, al igual que después *papa.* También en *méndigo* hay un desplazamiento vulgar del acento.

124 *estaribel:* cárcel (como *estaribó*).

eso cuando ya se había chupado siete años en el Puerto de Santa María. En fin, ¡cosas de la vida! En el entretanto mi mama me había prestado a una tía mía de Ávila que me dedicó, no se me caen los anillos por decírvoslo[125] ahora, a méndigo, y que me las hizo pasar canutas de hambre y de miseria; ¡que todavía la recuerdo a la tía, así, dentona como era! *(Muestra los dientes superiores.)* ¡Que tenía más dientes que una banda de conejos, la tía cabrona! *(Vengativo.)*

PACO.—*(Ríe.)* ¡Tú siempre con tus cosas!

ROGELIO.—Además era una bruja; ¡lo era y no es que yo lo diga!, porque también hacía yerbas y remedios, además de poner el cazo[126] en la cuestión de romerías y así; y lo peor, que yo recuerde, es lo que hacía con el niño de una soltera, que se lo habían encargado: una criaturita como aquél que dice recién nacida, pobre.

PACO.—¿Y qué hacía, tú?

ROGELIO.—Pues nada, que le ponía así como un ciempiés —que es un bicho— en un ojo y se lo tapaba con media cáscara de nuez y luego la tía le vendaba el ojo, ¡y el niño berreaba, claro!, y ella diciendo que la criatura tenía los sacais[127] malitos y que necesitaba pastora[128] *(gesto de dinero con los dedos)* para la medicina; y así en las ferias, ¡pues claro!, ¡venga de recaudar![129]; que luego por cierto a nosotros ni nos daba de comer —aunque claro está que nosotros comíamos del guinde[130]—, y ella se gastaba la mayoría de la pasta en sus buenas copas de cazalla y bo-

---

[125] *decírvoslo:* arcaísmo irónico que enlaza con las claras referencias de la picaresca en la historia de Rogelio.

[126] *poner el cazo:* pedir limosna (*cazo* significa mano, aunque es más común *basta*).

[127] *sacais:* ojos.

[128] *pastora:* dinero.

[129] Esta explotación trae a la memoria la del idiota en *Divinas palabras* de Valle-Inclán, como en *El camarada oscuro* (C. I) se recuerda el episodio en el que los cerdos se comen la cara de Laureano (*Divinas palabras,* J. II, E. X). Hay en *La taberna fantástica* otras referencias a Valle (así en el Momento VIII del Epílogo) y no hemos de olvidar la relación, ya considerada en la Introducción, entre el *esperpento* y la *tragedia compleja.*

[130] *guinde:* robo.

tellines. Menos mal que murió de mala forma (que la ahorcaron), pero ese es otro cuento; el caso es que yo me escapé. Total, una película.

PACO.—Pero de las buenas, no te creas.

ROGELIO.—Lo que yo te diga. (*Siguiendo en lo suyo: en su vida.*) Que es cuando entré de lazarillo con mi padrastro el Ciego de las Ventas (con mi tío, que yo le llamo al hombre), el cual volvió a juntarse con mi madre mientras mi papa estuvo fuera. (*Explicando una situación y justificando.*) ¡Hombre, él que estaba sólo porque su hijo el Chuli, que es medio plas[131] mío, por parte de madre, se había marchado al Tercio, y además sin mujer ninguna para su avío, y mi madre que estaba sola por la desgracia que ya he dicho!; ¡pues no tiene nada de particular, creo yo, que se ajuntaran otra vez hasta ver en qué paraba lo de mi bato! ¿Es cierto o no es cierto? Que yo no sé lo que harían ni lo que no harían, pero es el caso.

PACO.—(*Que no lo ve muy claro.*) Según lo dices, se comprende... Y cuando salió tu padre, ¿qué pasó?

ROGELIO.—Hombre, no digo yo que no hubiera unas palabras, pero vamos, en plan de parentesco, ¿entiendes?, y en plan, más que nada, de armonía. El caso es que nos tuvimos que ir, porque la casa era del Ciego a todo esto. Que es cuando vivimos debajo la lona, ahí junto al Abroñigal, hasta que arreglamos lo de la chabolita que es cuando mi madre cayó ya mala con lo suyo. Que yo con mi padre no y me escapé de casa.

PACO.—¿Cómo que tú con tu padre no?

ROGELIO.—Que no, vamos, que no, a ver si me entiendes. Que no me llevaba ni me llevo; y además que al muy animal, manco y todo como está de una paliza, que ya lo conocéis, le dio, al muy sanguino[132], por arrearme con un palo en cuanto yo hacía alguna —nada, cosas de chavales— y me traía mártir. Bueno, en fin, etcétera, etcétera. Y lo que pasa, yo lo sé: que abusa demasiado de

---

131 *plas:* hermano.

132 *sanguino:* se emplea aquí en sentido próximo a la acepción (DRAE, desus.): «que se goza en derramar sangre».

la bebida blanca y está de aquí. *(Por la cabeza. El* CARBURO, *que estaba silencioso y no parecía escuchar, se pone a reír de pronto.)* ¿A qué viene esa risa? (El CARBURO *ríe.)* ¡Chico, es que no lo comprendo! A veces tiene usted cosas que le dejan a uno frío. Esto no es de reírse creo yo.

CARBURO.—Sí, hombre, es que pienso otra cosa. *(Ríe.)* Que me acuerdo de un día por la parte de Cebreros, que nos encontramos casualmente[133], que yo había ido a vender un gel[134] con el Madruga y que queríamos comprar un gras[135] para carne y una choró[136] para vida o sea para el Tuerto, que le habían robado el enganche se conoce que unos gitanos que acamparon ahí por la Colonia de los Socialistas, ¡sí, hombre! ¡Si se tiene que acordar!; que nos estuvimos jarreando a gusto y yo perdí al Madruga, que el hombre se conoce que se vino para Madrid con su bestia y que tú y yo acabamos en San Martín de Valdeiglesias, chuleando a un julay[137] de Talavera que tenía una tajada de aquí te espero el hombre.

ROGELIO.—*(Cae.)* ¡Haberlo dicho! *(Como si el* CARBURO *no hubiera dicho nada.)* Que nos gastamos los últimos cuatro barés en dos garrotas y nos dimos una paliza de miedo, que si jugando que si no jugando. *(Ríen.)* ¡Sí, hombre! ¿Quién no se acuerda?

CARBURO.—Y que luego, a las afueras, esparrabamos[138] una burda[139] para sornar[140] un poco hasta que clareara, que caía pañí de miedo, ¿se recuerda?, ¡y que a media noche aparecen los picos!, y que nos piden los machi-

---

[133] Los recuerdos comunes del Carburo y de Rogelio propician un clima de amistad y distensión que se refleja también en una acentuación del lenguaje marginal, como marginales eran esas experiencias compartidas en otra época. Cuando concluye la rememoración de «aquel tiempo» y «parece como si todo volviera a ensombrecese», hablan de un modo más *normal* porque todo vuelve a estar como poco antes.

[134] *gel:* burro.

[135] *gras:* caballo.

[136] *choró:* burra.

[137] *julay:* primo, tonto, incauto.

[138] *esparrabar:* violentar, forzar.

[139] *burda:* puerta.

[140] *sornar:* dormir *(sorna,* sin embargo, es oro).

ris[141] y que no llevamos, y, claro, al no llevar, que nos meten en el combo[142] los tíos y pimpam, pimpam; y todo, ¡a ver!, porque el manús de la cobay[143] que era un chota[144], humedoso[145] como la madre que lo parió, nos había junado[146] en el bar y luego guipó[147] lo de la burda y se chivó el joputa al arajay[148] en la cangrí[149] y éste, claro, ¡a la pasma[150] que se fue con el cuento! ¿No se recuerda usted, compadre? ¡Son cosas que, a ver! ¡Pero en fin! ¡Era uno joven y podía con todo!

ROGELIO.—*(Reconstruye.)*... Que luego no sé quién, medio muertos que íbamos, nos diñeló[151] media cirila[152] prestada allí en el pueblo. Ah, sí, ya me recuerdo, uno del trile[153] que usted lo conoció en el maco[154] cuando estuvo, que era tronco[155] del Huevo Federico[156] con aquello del cuento largo[157].

CARBURO.—*(Asiente.)* El Momia, claro, el Momia que estaba haciéndose las ferias y le iba bien al hombre, que manejaba pasta de buten[158] el muchacho, ya me acuerdo. *(Sigue la ilación.)*... Que usted se marchó con una ja[159]

---

141 *machiris:* documentación personal (como *marchiri*).

142 *combo:* cuartel de la guardia civil.

143 *manús de la cobay:* individuo aludido o de marras; hombre que está próximo y del que se habla con disimulo (*manús:* hombre).

144 *chota:* chivato.

145 *humedoso:* hablador, soplón (de *humedosa:* lengua).

146 *junar:* ver.

147 *guipar:* ver (DRAE).

148 *arajay:* sacerdote.

149 *cangrí:* iglesia (también cárcel).

150 *pasma:* policía.

151 *diñelar:* dar (como *diñar*).

152 *media cirila:* cincuenta pesetas (*vid.* nota 75).

153 *trile:* juego de las tres cartas, en el que se ha de adivinar dónde se encuentra una de ellas que se ha mostrado antes.

154 *maco:* cárcel.

155 *tronco:* compañero de robos o de timos.

156 *Huevo Federico:* apodo real de una persona.

157 *cuento largo:* cualquier timo en el que «es preciso contar largas y complejas historias verosímiles y, desde luego, conmovedoras» (*Lumpen, marginación y jerigonça,* pág. 165).

158 *pasta de buten:* mucho dinero (como *pasta buena*).

159 *ja:* mujer (como *jai*).

fenómena que andaba de feriante con unos titiriteros, y que usted decía que la había conocido en Tánger; que era calé[160], me acuerdo.

ROGELIO.—*(Ríe.)* ¡Un rollo! ¡Qué voy a conocerla! Pero así, con el cuento, me pirabé[161] a la chai[162] por la jeró[163] y encima ella feliz y entodavía me dio para café, qué risa, y yo chamullando[164] romanó[165] y enrollándome a gusto con ella, bacilando de miedo, qué cosa más grande. Y ella que de pronto me mira, y que dice que se siente chungaló[166]; y yo: ¿pero por qué muchacha?; y ella que se echa de llorar y que si me las piro sin ella que soy un payo[167] traidor y que me mata. Ay, qué risa, compadre.

CARBURO.—Era chachi[168] aquel tiempo. No se ha pasado mal del todo, ¿a que no? La vida...

ROGELIO.—¡Hombre! Ha habido ratos que... en fin. Ha habido ratos.

(Silencio. Parece como si todo volviera a ensombrecerse.)

CARBURO.—Danos de beber tú, Luis.

(LUIS *sirve a los dos.)*

PACO.—*(Ofendido.)* ¿Y yo qué? ¿De miranda?

LUIS.—*(Malhumorado.)* Perdona. ¡Yo que sé! *(Le sirve. Ve algo afuera. Avisa a* ROGELIO.) Oye, Rojo, que ahí viene tu familia. A ver cómo te portas.

ROGELIO.—*(Como rechazando una amenaza.)* ¡A mí qué! Que vengan. A mí qué.

---

160 *calé:* gitano de raza (DRAE).
161 *pirabar:* poseer sexualmente.
162 *chai:* mocita (también, prostituta).
163 *jeró:* cara.
164 *chamullar:* hablar (DRAE).
165 *romanó:* caló.
166 *chungaló:* mala (deriva de *chungo,* como *chungalí).*
167 *payo:* «para el gitano, el que no pertenece a su raza» (DRAE).
168 *chachi:* estupendo, magnífico (como *chachipé).*

PACO.—Compórtate, Rogelio, que es tu padre.
LUIS.—Pues del Cementerio no vienen a estas horas.

(Pausa con expectación. Llegan, enlutados, CIRIACO *—es manco—*, el MACHUNA *y la* VICENTA, *que lleva un crío en brazos y un pañuelo negro en la cabeza. Al entrar hay un respetuoso silencio que por fin rompe* LUIS.)

Les acompaño en el sentimiento.

(Murmullo general de pésame.)

CIRIACO.—*(Fúnebre.)* Gracias, Luisito. Gracias.
LUIS.—A refrescar un poco, ¿no?
CIRIACO.—Sí, hijito, a refrescar un poquejo, a ver qué vida.
LUIS.—¿Qué toman?
CIRIACO.—Unos botellines. ¿Tú, Vicenta?
VICENTA.—Una Mus[169].
LUIS.—¿De naranja?
VICENTA.—*(Meciendo al crío.)* Bueno.
MACHUNA.—*(Es el primero que ve a* ROGELIO.) Rojo, ¿tú aquí?
ROGELIO.—Ya ves.
MACHUNA.—Te acompaño en el sentimiento, hombre. *(Le da la mano.)*
ROGELIO.—Gracias.
MACHUNA.—Saluda a tu padre, que es tu padre.
ROGELIO.—Que me salude él a mí, no te fastidia.
MACHUNA.—¡Hombre! Creo que es un día.
ROGELIO.—Él dijo que me dijeran una frase. Y me la han dicho.
MACHUNA.—¡Qué frase ni qué frase! ¡Yo creo que es un día! Ciriaco, aquí tienes al chico. ¡Daros un abrazo y fuera! Hacerlo por la pobre que ya está muerta. Que no se diga.

---

169 *Mus:* marca de refrescos que existía en los años 60.

CIRIACO.—(*Sin mirar a* ROGELIO.) No te metas, Machuna. Déjalo correr.

VICENTA.—(*Acunando al chico.*) Pero no seas burro, Ciriaco. Que es tu hijo después de todo y más en un día como hoy, que hemos enterrado a la Cosmospólita, la pobre, con tantísimo que ha sufrido.

CIRIACO.—¡Yo le mandé decir que se olvidara de su padre! Y cuando Ciriaco dice una cosa es que dice una cosa y vale para los restos de la vida. Llevárseme el rodas[170], es lo último. Pero lo último, y que no.

MACHUNA.—Pero, pedazo de animal, ¿no comprendes que esta vez si no se las da[171] el chico, con rodas o sin él, lo agarran y se chupa un marrón[172] en Carabanchel? ¿O es que te crees que se ha ido al Jarama de excursión?

CIRIACO.—Pero venir a la taberna, eso sí, ¿verdad? Venirse a la taberna, eso sí vale.

ROGELIO.—¡Como si a usted no le gustara, no te mea! Me hace gracia mi padre. (*A la concurrencia.*)

CIRIACO.—¡Hijo, hijo, ten un poco de respeto, que te cruzo la cara! ¡Mira que te la cruzo! Que no miro que soy tu padre y te la cruzo.

PACO.—¡Cálmese, por favor, señor Ciriaco! El muchacho ha venido para el entierro; sólo que no ha llegado a tiempo el hombre. Esa es la verdad. A ver si no. Tú, Luis.

LUIS.—A mí dejarme. Y tú no te metas, chalao, que es peor. Déjalos con sus cosas.

VICENTA.—(*A* ROGELIO.) ¿No preguntas por tu madre, Rojo?

ROGELIO.—Ya sé que se ha muerto.

VICENTA.—Claro que se ha muerto; pero, a ver, se puede morir de muchas formas; y en los hijos está enterarse, creo yo. Al menos en mis tiempos un hijo preguntaba; muy diferente de ahora.

ROGELIO.—El caso es que se ha muerto, ¿no? Y que por

---

170 *rodas:* coche (con anterioridad se llamaba así al carro).

171 *dárselas:* escapar, marcharse.

172 *chuparse un marrón:* sufrir una condena.

mucho que se diga, ya se puede gritar que no se resucita. ¿O digo tonterías? ¿Eh?

VICENTA.—¡Pobrecilla! ¡Allí la hemos dejado! (*Hipa.*) Todavía me parece que la estoy viendo, tan alegre que era en otros tiempos.

MACHUNA.—No empieces otra vez, Vicenta.

PACO.—Es lo que yo digo: que las mujeres debía ser como antes, que no iban al cementerio. Sólo que ahora...

CARBURO.—¡Hombre! También los tiempos cambian.

PACO.—Ya. Pero lo que debe ser de una forma, debe ser de esa forma, y no hay que darle vueltas, Carburo; que yo no trago.

CARBURO.—Si yo no digo ni que no ni que sí; pero digo que los tiempos cambian, esté bien o esté mal; pero que cambian, a ver si me entiendes.

PACO.—¡Pues que no cambien tanto! ¿Sabes lo que te digo? ¡Que no cambien tanto!

CARBURO.—¡Y a mí que me cuentas! Son cosas de la vida.

MACHUNA.—Callarse, coño. ¿No veis que el Rojo se está poniendo malo?

PACO.—¿Qué te pasa, Rogelio?

CARBURO.—Sacarlo ahí, que le dé un poco el fresco y se le pasa.

LUIS.—Llevároslo a la chabola, que será mejor, y más tranquilo.

VICENTA.—Qué va, Luisito. Las chabolas es un horno ahora y no hay quien pare.

PACO.—Aquí a la fresca. Rogelio, majo, anímate.

ROGELIO.—Ni me animo ni no me animo.

CIRIACO.—(*A* LUIS.) Qué tragos, Luisito.

LUIS.—Señor Ciriaco, usted que es un hombre, llévese a su hijo de aquí, que me está comprometiendo.

CIRIACO.—A ver si le parten el güito[173] de una vez. Es cosa mala, Luisito; lo digo yo que soy su padre, vamos o por lo menos en mi casa ha nacido; sin ofender a la difunta.

LUIS.—Lo que yo digo, señor Ciriaco, es que, si se lo parten, a ver si se lo pudieran partir en otro sitio, el güito,

---

[173] *güito:* cabeza (como *tarro* y *chima*).

me refiero. Usted tiene que comprender mi situación, señor Ciriaco, que es un poco delicada, ¡que me juego el negocio, en una palabra, señor Ciriaco!

CIRIACO.—Te comprendo, Luisito. Anda, dame un chato de cazalla, que estoy seco con tantas emociones como he tenido en todo el día. Imagínate que se me querían llevar a la Cosmospólita al Depósito de Cadáveres, allí en el General.

CARBURO.—¿Y eso?

(*El crío de la* VICENTA *se pone a berrear.*)

CIRIACO.—(*Molesto por el ruido*). No puede uno ni expresarse.

VICENTA.—¿Y qué quieres que haga?

CIRIACO.—(*Se encoge de hombros.*) Ah, yo no sé. Tu marido que diga lo que cumpla.

MACHUNA.—Nájate para el quel[174], que ya voy yo, Vicenta.

VICENTA.—Eso no te lo crees ni tú, quedarte aquí con éstos.

CIRIACO.—(*Le tiende la cazalla.*) Dale una gota, a ver si se conforma.

VICENTA.—(*Le administra con cuidado el aguardiente. El crío se calla.*) Le gusta cosa mala.

MACHUNA.—(*Orgulloso.*) Va a salir a su padre.

PACO.—¿Pero es chico?

MACHUNA.—(*Ríe.*) Míralo a ver.

PACO.—Creí que habíais tenido una rajita[175].

MACHUNA.—Qué va, muchacho.

CARBURO.—(*A* CIRIACO.) ¿Qué era eso del Depósito que decía antes, señor Ciriaco?

CIRIACO.—¡Ah! Que decían que esa no era forma de morirse; yo qué sé.

CARBURO.—¿Cómo que no era forma de morirse?

---

174 *quel:* casa.

175 *una rajita:* sinécdoque para designar una mujer.

CIRIACO.—*(Se bebe la cazalla. A* LUIS.) Dame otra, que se la ha trincado[176] toda la criatura.

(LUIS *le sirve.)*

CARBURO.—A mí una caña de tinto, pero con un poco de pañí, me haces el favor. (LUIS *le sirve una caña de vino con agua de seltz.)* Esto es un chaparrón. A ver, toda la tarde aquí, se enrolla uno.

CIRIACO.—Yo estoy a base de cazalla y cerveza, cazalla y cerveza, cazalla y cerveza... Parece que no, pero eso te da fuerzas y te sientes mejor; entona.

CARBURO.—Pero por fin no se la llevaron al Depósito, ¡a que no! *(Queriendo enterarse del asunto.)*

CIRIACO.—Antes tienen que pasar por mi cadáver. ¡De eso nada!

MACHUNA.—A mí darme una marabunta de lo mío. Como después nos vamos a dormir...

CIRIACO.—Un respeto, Machuna.

MACHUNA.—Si te refieres a la difunta, lo uno no empece para lo otro.

PACO.—¿Y qué es eso de una marabunta?

MACHUNA.—A base de coñac, anís, pipermín, cerveza, vino, ginebra y todo lo que haya en el bar, un poco de cada botellita. Mi abuelo lo llamaba beber de la lata.

PACO.—Y explotas.

MACHUNA.—Qué va.

CARBURO.—Oye, tú. Dame un boquerón frito.

(LUIS *se lo da. El* CARBURO *lo sopla.)*

LUIS.—*(Extrañado.)* Si no está caliente. ¿Qué haces tú?

CARBURO.—Es para quitarle el polvo.

(Ríen.)

---

176 *trincar:* beber vino o licor (DRAE), frente al sentido indicado en la nota 56.

CIRIACO.—*(Como si alguien se riera en un funeral.)* O hay un respeto o no hay un respeto, digo yo.

CARBURO.—Usted perdone, señor Ciriaco; pero después de todo estamos en un establecimiento público y además taberna.

MACHUNA.—Venga, marche esa marabunta.

LUIS.—Allá tú. Ya eres mayorcito.

(Le prepara la mezcla.)

CARBURO.—¿Y qué pasaba? ¿Que la señora Cosmospólita ha muerto en malas condiciones? ¿Cómo es eso?

CIRIACO.—*(Evasivo.)* Nada, papeleos de esa gente, que no sabe ya ni qué inventar.

CARBURO.—¿Cuándo murió ella?

CIRIACO.—El viernes o séase ayer por la tarde, pero en realidad es que falleció antes; sólo que no nos dimos cuenta, que es por lo que vino todo el jaleo.

CARBURO.—Joder, eso sí que es raro.

CIRIACO.—¡De raro nada! Que el jueves, cuando volví por la noche, la había dado un mareíllo y estaba espatarrada la mujer allí en el suelo, y yo fui y, claro, con toda mi buena voluntad, pues la acosté en la cama sin que volviera en sí; y un poco fría y con sudores sí que estaba.

CARBURO.—¿Y no se le ocurrió llamar al médico?

CIRIACO.—¿Para qué? Si era de lo suyo.

CARBURO.—Ah.

CIRIACO.—Así que me salí a dar una vuelta y estuvimos con aquí mi hermano el Machuna y otros, ahí en el Club 28, que por cierto nos clavaron de miedo por unas copas, hasta la una o las dos serían, cuando volví a casa y me acosté con una toña[177] de miedo; que yo lo reconozco.

CARBURO.—¿Y la señora Cosmospólita?

CIRIACO.—Seguía durmiendo.

CARBURO.—¡A ver si lo que estaba es muerta desde por la tarde! Que a veces pasan cosas.

---

[177] *toña:* borrachera.

CIRIACO.—¿También tú?
CARBURO.—Ah, yo no digo nada.
MACHUNA.—*(Bebiendo la mezcla.)* ¡Pues si no dices nada, no digas nada, no te mata!
CIRIACO.—*(Al* MACHUNA.) Tú no intervengas.
CARBURO.—*(Al* MACHUNA.) ¿Y qué digo yo? ¡Anda éste!
CIRIACO.—Así que, sobre eso de las seis, me levanté para trabajar —que ahora le echo una mano a Pepe el de la Busca en escoger el trapo[178] y en llevar a vender— y me marché creyéndome que la Cosmospólita seguía durmiendo tan tranquila, pero por lo visto, según dicen, ya estaba muerta desde hacía un rato largo, y claro yo no lo descubrí hasta la tarde, cuando volví del curro[179].
CARBURO.—¿Y cómo no la han enterrado esta mañana? Con este calor, estaría descompuesta la pobrecita.
CIRIACO.—No creas. Se ha conservado bien a base de dos barras de hielo, en plan como si fuera el Depósito. Claro que si no se la han llevado ha sido por mis buenas influencias y, sobre todo, por mi amistad con Paco el Nariz, ese que fue sargento de la División Azul. ¡Pobrecita mía! *(Lloriquea.)* Me he quedado con esta sortijita suya como recuerdo de una vida. ¿Qué voy a hacer ahora yo solanas? ¡Ay, madre mía, qué desgracias ocurren!
PACO.—¿Es de oro? Digo la sortijita, que si es de oro.
MACHUNA.—*(Ofendido bajo los efectos del cóctel.)* Sí, comprada en la joyería «El Serrín», ¿no te fastidia aquí el amigo?
CIRIACO.—Qué calor hace.
PACO.—Sí.
CIRIACO.—Y eso que estamos en agosto.

---

178 Acerca de la Busca, puede verse el capítulo XLI de *Lumpen, marginación y jerigonça,* «que trata de la Busca y sus alrededores: basura, trapos, hierros y otros residuos de la vida humana como *modus vivendi* en el mundo de la marginación». Es inevitable de nuevo el recuerdo de Pío Baroja, como en otros momentos de esta obra, desde el mismo ambiente del escenario.

El primer verso de «Subproletariado» es: «Jesuardo escoge el variado trapo de su busca a la sombra de la Casita de la Virgen».

179 Las circunstancias de esta muerte, inadvertida como la de Braulio en *El camarada oscuro* (C. I), inician el tono esperpéntico y de humor negro de las intervenciones siguientes del Carburo y de Ciriaco.

PACO.—Pues por eso.

CIRIACO.—«Agosto, frío en rostro». Claro que eso era antes de las bombas atómicas y todo el cachondeo que se traen por la atmósfera.

PACO.—Ahora todo anda revuelto, es verdad. Yo ando así medio chungo[180] desde hace cuatro días.

CIRIACO.—¡Y quién no con este tiempo! Luisito, danos la penúltima.

VICENTA.—Di que no, Luis; no les des más, que ya tienen bastante.

MACHUNA.—Tú te callas, que estás más guapa calladita. Oye, ¿qué tiene el niño?

VICENTA.—¡Qué va a tener!

MACHUNA.—¿Está dormido?

VICENTA.—¡Pues a ver! Es mano de santo, la cazalla. Se ponen borrachitos y la duermen tal que si fueran un mayor. A mí una Mus de Limón, que esté bien fría.

MACHUNA.—¿Y tú, Rogelio? ¿Qué haces ahí tan calladito? ¿No dices nada, eh?

ROGELIO.—*(Con lengua torpe, ojos turbios.)* Luego todo se sabe.

CIRIACO.—Calla, mal hijo.

ROGELIO.—*(Da un respingo.)* Padre, que le endiño[181], que usted no me conoce.

(Se tambalea.)

CIRIACO.—Te daba así.

ROGELIO.—Eso era antes. *(Se tambalea.)* Ahora su menduna[182] es un hombre, papa.

MACHUNA.—Ciriaco, deja al chico, que no está en condiciones.

CIRIACO.—Borracho, golfo.

ROGELIO.—Lo que usted me ha enseñado, verdugo, que es usted un verdugo.

---

180 *chungo:* enfermo.

181 *endiñar:* dar un golpe (DRAE).

182 *menduna:* menda, con la sufijación propia de las hablas marginales *(vid.* nota 43).

CIRIACO.—Caradura, chusquero[183].
ROGELIO.—Mal padre, soplaplitos.
CIRIACO.—Golferas, pinchaúvas.
ROGELIO.—El pinchaúvas lo será usted; no insulte.
CIRIACO.—Cabrito, robaperas.
ROGELIO.—¡Padre, que me pierdo! ¡Que le arreo una así, sin mirar que es mi padre!

(Arremete contra su padre y va a caer en brazos de alguien que entra: es LOREN, *el Ciego de las Ventas. Lleva gafas negras y bastón. Va acompañado del* TIRITERA *y el* CHULI.)

LOREN.—¿A dónde vas, Rojito?
ROGELIO.—¡Tío, voy a matar a mi padre! ¡Sujétame, que voy a hacer alguna!
LOREN.—Precisamente vengo yo en su busca. Tente derecho. *(Trata de colocarlo.)*
CIRIACO.—¿Qué es lo que me quieres? ¿Eh tú? Aquí estoy. ¿Qué pasa?
LOREN.—El objeto de mi venida aquí con éstos es pedirte que te expliques, ¿eh?, pero correctamente.
CIRIACO.—A ver de qué me explico yo y con qué derecho tú me lo pides, que yo quiero saberlo.
LOREN.—Asesino, ¿qué hablas tú de derecho si estás más torcido que mi alma? La Cosmospólita era la madre de mi hijo Chuli aquí presente, y eso da algún derecho, vamos, creo yo. Pero además traigo como testigo a su hermano el Tiritera, que está de acuerdo.
MACHUNA.—¿De acuerdo en qué, vamos a ver? A ver si os explicáis, puñeta.
TIRITERA.—Tú no te metas, Machuna, que tú no eres pariente propiamente de mi hermana que en paz descanse.
LOREN.—Venimos al caso de que la Cosmospólita no ha recibido lo que se llama asistencia médica y de que eso os nombra a todos vosotros de criminales. *(Grita.)* ¡Que

---

183 Como indicamos en la nota 34, estos insultos y los que siguen tienen un valor general que no se circunscribe al significado propio de los términos empleados.

la habéis matado, canallas! ¡Hablando en plata, asesinos! ¡Que la habéis matado entre todos, eso es!

MACHUNA.—¿A todos nosotros: quiénes? A ver, ¿nosotros quiénes?

TIRITERA.—Tú no te metas.

LOREN.—¡A todos vosotros-vosotros, y no quito a ninguno, mala ralea de cabrones! ¡Alguno tenía que defender a esa pobre mujer, y aquí está este ciego, so guarreras! ¡Que la habéis dejado morir como si fuera un perro!

MACHUNA.—¡Lo que la ha matado es su propia desgracia, y no me hagas hablar, a ver si te enteras! ¡Que la priba se la ha llevado, *(Ademán de beber.)* más que cosa ninguna!

CIRIACO.—¡Un respeto, Machuna, que te embalas! ¡Ten un respeto!

LOREN.—*(Parece también embriagado y grita el cielo.)* ¡Qué desgracia tan grande, pobre Cosmospólita mía! ¡Descansa en paz! ¡Eras la chai más presumible de Guadalajara! ¡Yo te quise legal pero luego se te llevó este zorro con sus malas artes! ¡Dime quién te recogió endespués, cuando te quedaste en la puta calle por la mala cabeza de este manco! ¿Y quién le mandaba al manco su tabaco, su poco de manduca[184] y su peculio cuando pernoctaba de criminal en el estaribó del Puerto? ¿Quién salió fiador ante el baranda?[185]. ¡El Ciego de las Ventas; el cual tiene más corazón que cara, y ya es decir, porque de cara tengo un rato, y ya sé que se sabe! Que tengo más cara que vergüenza.

CIRIACO.—¡Y que lo digas, falso ciego, que diquelas más que siete telescopios y engañas a la gente para que se compadezca!

LOREN.—¡Qué dices tú de mí, bandido! ¡Me levantas falso testimonio! ¿Qué pretendes? ¿Quitarme el pan de la boca con esa denuncia de falsario? ¡Un poco sí que veo, es verdad, pero también lo es que estoy perdiendo la poca vista que me queda y que pronto estaré para los

---

[184] *manduca:* comida, sustento (abreviación de manducatoria). Es notable el tono arcaico del lenguaje, muy de acuerdo con el *planto* de Loren.

[185] *baranda:* director de la prisión.

veinte iguales! ¡Mira cómo tengo los ojos (*Se quita las gafas.*) que parece que lloran y es que me supuran!

CIRIACO.—(*Con asco.*) ¡Quita allá, quita allá, pitañoso, que te vas a cegar tú mismo con esos ácidos que te refriegas por los clisos[186] para que se te hagan las úlceras y dar más pena al respetable!

LOREN.—¡Repórtate, macarra[187], que te mullo![188].

CIRIACO.—¡Que te muerdo la nuez y te la escupo! ¿No te amuela?

LOREN.—¡Qué vas a morder tú si se te han caído los piños[189] por falta de uso, muerto de hambre, que eres un muerto de hambre, y un chalao!

CIRIACO.—(*Como si hubiera recibido el peor insulto posible, grita furiosísimo.*) ¿Muerto de hambre yo? ¿Qué has dicho? ¿Muerto de hambre yo? Con eso firmas tu sentencia. (*Rompe una botella y ataca al ciego con el casco. El* CARBURO *se lanza y le coge el brazo.*) ¡Esa calumnia te la tragas como que me llamo Ciriaco Sánchez Galeote; ponte en guardia!

CARBURO.—¡Señor Ciriaco! ¡Cuidado, señor Ciriaco, que no vale la pena!

CIRIACO.—¡Carburo, no te metas tú! ¡Retírate!

ROGELIO.—(*No se da cuenta de la situación.*) Papa, ¿qué te hace el Carburo? ¿Qué te hace? (*Como si no viera nada.*)

MACHUNA.—Quieto tú, Rogelio, quieto tú.

ROGELIO.—(*Tratando de desasirse.*) Déjame, tío Machuna, que me lo cargo a ése.

CIRIACO.—¡Hijo, no dejes que maten a tu padre!

ROGELIO.—¿Quién está matando a mi padre por ahí? ¿Eres tú, Carburo? ¿Eres tú, malasangre?

(*Se lanza contra el* CARBURO *y le pega un botellazo en la cabeza, que le empieza a sangrar copiosamente. Loco de furia y medio cegado por la sangre el* CARBURO *abre su navaja y se lanza contra* ROGELIO.)

---

186 *clisos:* ojos.

187 *macarra:* chulo (aquí es un insulto común, *vid.* nota 183).

188 *mullar:* matar, pegar una paliza.

189 *piños:* dientes (DRAE).

CARBURO.—¡De ésta no escapas que te mate! ¡Ahora te rajo! ¡Que te rajo lo saben hasta en Almería!

ROGELIO.—*(Ríe estúpidamente y alza los brazos como si le fuera a poner banderillas)*[190]. ¡Entra! ¡Entra! *(El* CARBURO *lo apuñala en el vientre.* ROGELIO *grita con súbito espanto.)* ¡Ay, madre mía, me han matado! ¡Socorro! ¡Auxilio! ¡Ay, madre mía, que me ha matado el traicionero! ¡Me ha degollado y no me tengo de pies, qué malito me siento! ¡Llevadme a una cama, que no la quiero diñar[191] en la taberna! ¡Deprisa, que se me sale esto! *(Por la tripa.)* ¡Ponedme un vendaje!

(Todavía da unos pasos encogido, como un toro herido de muerte, y por fin se desploma. El CHULI *se lanza contra el* CARBURO *y lo sujeta.)*

CHULI.—¡Que no se escape! ¡Aquí lo tengo!

MACHUNA.—¡Déjalo que se vaya! ¡No ha sido nada! ¡Déjalo!

(El CHULI *lo suelta.)*

PACO.—Márchate, Carburo, que te la cargas. Escóndete como puedas, que nosotros cuidamos del Rogelio.

CARBURO.—¡Yo no quería! ¡Yo no quería, pero un hombre es un hombre! *(Se toca y se mira las manos ensangrentadas.)* ¿Me ha hecho mucho?

MACHUNA.—No ha sido nada. Vete. Vete.

(El CARBURO *sale corriendo y monta en la moto. No arranca.* PACO *le ayuda, le empuja. Arranca por fin.* LUIS *está llamando por teléfono.)*

LUIS.—*(Pálido, muy nervioso.)* ¿El 091? Aquí es la Taberna

---

190 El modo de presentarse Rogelio ante el Carburo conecta con la visión espectral del Momento V del Epílogo: «La verdadera muerte de Rogelio el Estañador». *Vid.* la nota 163 de *Tragedia fantástica de la gitana Celestina.*

191 *diñarla:* morir (DRAE).

del «Gato Negro» en el Barrio de San Pascual. Hay un herido... Es una bronca; yo estaba despachando. Junto al Tejar de Lucio. Es...

(Se ve que la policía ha colgado. Cuelga él. El ruido de la moto se aleja. El Tiritera atiende al ROGELIO.)

TIRITERA.—¡Ha sido aquí en la tripa! ¡Tiene todo esto lleno de sangre!

LUIS.—¡Llevarlo a la Casa de Socorro!

CIRIACO.—No será nada.

PACO.—También que estaba muy borracho y la calor.

CHULI.—Y la coñac que tiene encima. Ayudarme.

(Se echa un brazo de ROGELIO *por el cuello y lo levanta.)*

VICENTA.—*(Grita de pronto con horror.)* ¡Pero si está muerto! ¡Ay! ¡Ay! ¡Ay! ¡Está muerto y bien muerto el pobrecito! ¡No lo toquéis, que puede venirnos un disgusto! ¡Miradle cómo tuerce la boca, y es de su propia defunción!

MACHUNA.—¡Qué va a estar muerto! ¡Cállate tú; no metas más la pata! ¿No dice que está muerto aquí la lista?

LOREN.—Llevarlo a una casa y lo curáis vosotros. Es mejor evitar.

MACHUNA.—Es que éste *(por* LUIS) ha llamado al 091. Así que a ver qué hacemos.

LOREN.—¿Es verdad eso, Luis?

LUIS.—Sí, ¡qué pasa!

LOREN.—*(A* LUIS, *con odio.)* Ajustaremos cuentas, te lo sentencio. *(A los demás.)* Ahora coger al Rojo con cuidado, y maricón el último.

(Entonces, de pronto, quedan todas las figuras inmóviles en sus actividades cuando van a recoger a ROGELIO, *como si bruscamente se hubiera parado la película. Despacio, sobre este cuadro de figuras inmóviles, va haciéndose el oscuro. Un proyector ilumina la figura del* AUTOR, *que se dirige al público.)*

EPÍLOGO

Momento I.—EL AUTOR CUENTA EL DESENLACE DE LA HISTORIA

AUTOR.—Rogelio el Quinquillero murió poco después
en su chabola del Tejar.
¡Yo diría más cosas de su muerte
pero es mejor no hablar!
Al alba lo condujeron al Depósito
en un oscuro y funeral furgón,
y yo asistí al entierro al otro día
con alguna emoción.
Lo enterraron a un paso de su madre.
(Apenas hay un paso).
¡El Rogelio asistió al entierro muerto él mismo
y con cierto retraso!

Momento II.—COMENTARIO SOBRE LA HUIDA DEL CARBURO

(El AUTOR *se transforma en un hombre vulgar del barrio para decir:)*

El Carburo en la moto
salió de naja rápido.
Está en busca y captura.
Que le echen un galgo.
¡Cómo sabe escaparse
la gente del estaño![192].
Cuando no andan huidos
es que van escapando.

(Transición al:)

---

[192] *gente del estaño:* quinquilleros.

Momento III.—NOTICIA DE PRENSA

(Ahora el AUTOR *saca un recorte de periódico. Mueve la boca como si nos lo leyera mientras el texto se proyecta en el foro o en una pantalla, con un fondo sonoro de publicidad radiofónica.)*

«Arreglo de cuentas entre dos bandas de quinquilleros. En un bar del barrio de San Pascual (Ventas), se produjo anoche una reyerta entre dos bandas rivales de «quinquis», en la que resultó muerto por arma blanca Rogelio Sánchez Pérez (a) «El Estañador» o «El Rojo», el cual estaba perseguido por la policía como sospechoso de complicidad en el asesinato del Guardia Civil Felipe Pérez Grande. El asesino se dio a la fuga en una moto pero la Policía y fuerzas de la Guardia Civil siguen estrechamente su pista. Se trata de Ruperto Valiente López (a) «El Carburo» y parece ser que va armado con una metralleta.» prejuicio

(El AUTOR *se guarda el recorte al ser retirada la proyección. Ahora se pone unas gafas negras y una boina y recita o canta como un Ciego.)*

Momento IV.—CUENTO DE MIEDO

AUTOR.—Era Luis el de las Ventas
un tabernero modesto.
Se quedó muy preocupado
al suceder el suceso.
Al quedarse solo el hombre
en el lugar del siniestro
vio que su pobre taberna
se parecía al infierno.

(La taberna se ilumina en rojo.)

Por la puerta del retrete
Rogelio en forma de espectro

con un cuchillo en el vientre
y el cráneo roto y abierto
salió abrochándose el hombre
la bragueta muy correcto.

(En efecto, el Espectro de ROGELIO *sale del W.C. Tiene la cabeza rota y un cuchillo clavado en el abdomen. Viene abrochándose el pantalón como si acabara de orinar.* LUIS *alza las manos al verlo como una marioneta, mostrando terror.)*

¡Ay qué espantosa visión!
¡Ay qué terrible momento!
¡Qué cuerpo tan torturado,
todo deforme y sangriento!
¿Qué te pasa tan hinchado?
¿Te ahogaste en un pozo negro?
¿Sales de una alcantarilla?
¿O es que yo tengo un mal sueño?
¿Te vomitó una cloaca?
¿Qué quieres, di, pobre muerto?
«Dame de beber, Luisito»,
dijo tranquilo el espectro.

(El Espectro dice a LUIS, *con una sonrisa horrible, algo que no se oye.* LUIS, *con la cara blanca, le sirve una copa.)*

Momento V.—LA VERDADERA MUERTE DE ROGELIO EL ESTAÑADOR[193]

Simbólico

(El Espectro bebe, y ríe con una risa hueca, que no se oye o que resuena extrañamente. La risa, ahora, se transforma en una mueca de horror al oírse, de pronto, un golpe de clarines y timbales como en las corridas de toros. Una pausa, y, lentamente,

[193] Existe una notable relación entre este Momento y el cuadro IV de la parte tercera («El matadero») de *La sangre y la ceniza.*

con paso procesional, llega la pareja de Guardias. Llevan máscaras que figuran calaveras, capas negras hasta los pies y guadañas en lugar de su armamento. ROGELIO, *muy lentamente, va alzando los brazos, en actitud de entregarse. Entonces entran más espectros con máscaras: la amarilla del Hambre, la ciega o sin ojos de la Incultura, la crispada del Terror y el Sufrimiento, la hinchada de la Enfermedad, la morada del Frío. Todos los espectros van armados con fusiles ametralladores y forman el «Piquete de Ejecución y Cortejo de la Muerte de* ROGELIO». *El Espectro del Terror lo esposa con las manos atrás. La máscara ciega le venda los ojos. El Piquete forma. A un toque de clarín,* ROGELIO *es fusilado con una descarga cerrada. Se oye un enorme «Olé» y el cuerpo de* ROGELIO *cae rodando. Un espectro se acerca y lo apuntilla. Lo atan con unas cuerdas y lo arrastran fuera de escena mientras suena un pasodoble y una voz grita desde un palco: «Quinquillero de mierda.»*

El AUTOR, *cuando el Cortejo ha desaparecido, se quita las gafas y la boina.)*

Momento VI.—VUELVE LA NORMALIDAD.

AUTOR.—Qué cosas tan extrañas
pasan aquí,
pensó Luis al instante,
volviendo en sí.
«Voy a tomarme
un poco de aguardiente
para animarme.»

(La taberna ha vuelto a la normalidad. LUIS *la reconoce con cómicos aspavientos de cine mudo. Todos sus gestos ya, hasta su desaparición, evocarán las imágenes del viejo celuloide. Se toma una copa de aguardiente y sonríe aliviado. Coge una escoba y se pone a barrer. De pronto, al barrer bajo la mesa, tropieza con el* CACO *que duerme allí, borracho. Lo coge por los brazos y lo arrastra como un fardo a la calle y allí lo deposita medio recostado en la fachada.)*

Momento VII.—CIERRE DE LA TABERNA Y DESPEDIDA DEL AUTOR. «SE RUEGA AL PÚBLICO QUE NO ABANDONE EL LOCAL. QUEDA UNA ESCENA.»

AUTOR.—Hora de echar el cierre
y hasta mañana.

(LUIS *echa el cierre con un golpe violento y desaparece de nuestra vista.*)

Yo voy a acompañarle
de buena gana.
Quédense ustedes,
que tiene cierta gracia
lo que ahora viene.

(*Música y oscuro total a la taberna y sobre el* AUTOR.)

Momento VIII y último.—DIÁLOGO TOMADO DEL NATURAL ENTRE DOS HOMBRES DE NUESTRO TIEMPO.

(*Entonces se remueve el* CACO. *Se incorpora dificultosamente y queda decididamente sentado, apoyado en la pared. Entonces se oye algo que parece un llanto de niño.*)

CACO.—(*Asustado.*) ¿Eh? ¿Qué es eso? (*El llanto sigue.*) ¿Quién llora por ahí? ¿Hay un niño llorando o es un cabrón de gato que maúlla?

(*Vacilante, trata de localizar al que llora. En el foso se oye la voz del* BADILA)[194].

---

[194] El Badila había caído a la zanja al final del Prólogo. «Déjela que la duerma ahí dentro» dijo entonces Luis el tabernero al Autor. Durante su sueño se ha desarrollado, pues, el drama.

VOZ DE BADILA.—¡Me he perdido! ¡No sé dónde estoy! ¡Socorro!

(*Llora. El* CACO *se asoma al borde del foso.*)

CACO.—Badila, ¿eres tú?
BADILA.—Sí. ¿Tú quién eres?
CACO.—El Caco.
BADILA.—Sácame de aquí. No sé qué hago metido en este hoyo. ¿Qué hora es? ¿Dónde estoy? ¿A cuántos estamos?[195].
CACO.—Yo tampoco lo sé, Badila.
BADILA.—Sácame de aquí.
CACO.—¿Y si me caigo yo?
BADILA.—Prueba a ver.
CACO.—Tengo miedo de caerme.
BADILA.—A ver, dame la mano un poco.
CACO.—Estoy muy malo.
BADILA.—Yo tengo mucho frío.
CACO.—Yo estoy sudando y todo me da vueltas.
BADILA.—Yo no sé lo que me pasa, pero es algo con frío. Estoy tiritando.
CACO.—A ver, cógete de esta mano.
BADILA.—Gracias, chato, qué majo eres. (*Le coge la mano. El* CACO *está a punto de caer al foso. Juego sobre esta operación de salvamento, a montar por el director. Por fin, el Caco consigue extraer al* BADILA *y, agotados, se recuestan los dos en la pared. Pausa.*) Caco.
CACO.—Qué.
BADILA.—Me estoy muriendo, chaval. Me estoy muriendo[196].

---

195 Además de su sentido inmediato, estas palabras y otras posteriores del Badila apuntan hacia una desorientación existencial que hace pensar en personajes como Vladimir y Estragón, de *Esperando a Godot*.

La escena del Badila y del Carburo guarda relación con otras de *¿Dónde estás, Ulalume, dónde estás?* en las que aparecen Eddy y Jimmy.

196 «Esto se acaba, chato. ¡Me estoy muriendo a chorros!...» dice Lute a Ruperto en el cuadro XVI de *El camarada oscuro.* Y éste le responde: «¡No, Eleuterio! ¡No te me mueras tú!»

CACO.—No te mueras ahora[197], ten un detalle. Aguántate un poco hasta mañana que amanezca.

BADILA.—Es que no puedo. Me muero superiormente a mí.

CACO.—Si te mueres es un compromiso para mi persona, Badila. Aguántate, hombre, no te emperres.

BADILA.—Las cosas vuelan, vuelan.

CACO.—Estás muy mal, Badila. Aquí no vuela nada o yo estoy ciego.

BADILA.—Vuelan, vuelan, hijito, como pájaros. Suben y bajan, vuelan, las muy cabronas.

CACO.—Pobre Badila.

BADILA.—Tengo mucho frío.

CACO.—Te busco unos papeles en el vertedero y te tapas. Espérate un momento.

BADILA.—¡No te me escapes ahora, Caco mío! ¡No dejes que me muera solo, Caquito, arrejúntate a mí! Préstame el calorcete de tu cuerpo.

CACO.—Te lo juro, que vuelvo. Te lo juro de verdad, Badila. Que me muera aquí mismo.

(Tambaleándose llega al vertedero. Busca. Encuentra una gran pizarra medio rota que tiene algo escrito con tiza. Vuelve con ella junto al BADILA. *Se la muestra.)*

BADILA.—¿Qué es eso?

CACO.—Una pizarra, que será, seguro, de la basura del colegio. Debe valer un rato, casi nueva que está. En la trapería nos darán para copas. Mañana la vendemos, o pasado, o cualquier otro día, que tú estarás vivito y coleando.

(Pone la pizarra a la luz. Se ven las letras. Con letra inglesa, escolar, dice:

MAÑANA SERÁ OTRO DÍA.)

---

[197] Estas palabras traen a la memoria las de Sancho a Don Quijote: «No se muera vuestra merced...» (II, 74) y la escena tiene palpables resonancias de la duodécima de *Luces de bohemia,* de Valle-Inclán.

BADILA.—¿Qué dice ahí?

CACO.—*(Se encoge de hombros.)* Yo no sé leer, majo. Cualquiera sabe lo que dice. Cosas de chavales, seguramente.

BADILA.—*(Con súbita tristeza, exclama suspirando.)* ¡Qué pena! ¡Ay, Dios mío, qué pena!

CACO.—¿Por qué qué pena?

BADILA.—¡Qué pena, qué pena, madre mía! Se me saltan las lágrimas.

CACO.—No llores, Badila, que me vas a hacer llorar a mí. Pórtate como un hombre.

BADILA.—¡Es que me da pena, y no me aguanto!

CACO.—Pero ¿a qué te refieres, coña?

BADILA.—*(Enfadado.)* ¿A qué va a ser, muchacho?

CACO.—*(Fino.)* Explícate, carape.

BADILA.—A lo que está a la vista: los defectos de uno.

CACO.—Lo cual que no sé a cuáles te refieres.

BADILA.—A no saber ni la A ni la O ni nada.

CACO.—¡Ahí va qué risa! Tú no sufras por eso.

BADILA.—¿Quién va a sufrir si no? ¿Mi tía?

CACO.—Mírame a mí, que no las pío[198] ni por eso ni por cualquier otra cosa.

BADILA.—Que no sufra, me dices. No me mates.

CACO.—Si se sufre por todo, vaya plan.

BADILA.—Estamos ciegos y tú sin enterarte.

CACO.—Eso es faltar y no me gusta. Me cago en algo malo.

BADILA.—¡No saber descrifrar, a ver si no es defecto! ¿Y si es un recado importante que te mandan? Pues te jodes. ¿Y si lo que se lee es diferente de lo que se oye, que todo es una mierda? Pues nosotros, in albis. ¿Qué haces con una carta, si te estorba lo negro?[199]. Pincharla en el retrete. Y así todo; que cualquiera te tanga[200] y ni te enteras. No te creas que no es triste la vida *(Hipa.)*, que no es triste aquí solos y con este *(Hipa.)*, con este frío del cara-

---

198 *piarlas:* protestar, quejarse.

199 *lo negro:* lo escrito. Se refiere de nuevo a que no saben leer.

200 *tangar:* engañar.

jo, y muriéndote de mala manera, sin pena ni gloria. ¿Y qué es aquello, tú? ¿Son las estrellas o yo veo deficiente?

CACO.—Anda éste. ¿No dice las estrellas? Son las ventanitas encendidas del rascacielos. ¡Qué bonito! ¿Verdad? *(Soñador, con el puño en la barbilla, los ojos en blanco, la voz golosa.)* Seguro que a estas horas, allí dentro, los tíos y las tías, el que más y el que menos, vamos, digo yo, están poniéndose las botas...

(Música[201]*. Luz sobre el gato negro de escayola y sobre el letrero de la pizarra, el cual, no se sabe por qué, ahora está escrito con admiraciones:*

¡¡MAÑANA SERÁ OTRO DÍA!!

Va cayendo lentamente el telón y cesando la música.)

---

201 En una «nota de dirección» de Gerardo Malla (*vid.* nota 2 a este texto) se indica: «Comienzan a oírse los primeros compases, lentos, de una versión electrónica y distorsionada del schotis "Madrid", que continuará por debajo del diálogo, hasta que sube su volumen cuando éste termina y fundiendo con las risas de los dos personajes. Al final unos nuevos compases lentos acompañan el oscuro...»

Tragedia fantástica de la gitana Celestina

O historia de amooor y de magia
con algunas citas de la famosa
tragicomedia de Calisto y Melibea

Representación en Barcelona (abril de 1985) de la *Tragedia fantástica de la gitana Celestina*

«Mi mal es de corazón, la izquierda teta es su aposentamiento, tiende sus rayos a todas partes.»

(Palabras de Melibea en el décimo acto de *La Celestina* de Fernando de Rojas.)

PREFACIO

Cuando mi querida amiga M.ª Luisa Aguirre d'Amico me sugirió la idea de hacer «una Celestina» para una puesta en escena de Luigi Squarzina, a quien había gustado esta idea, no lo pensé mucho para decir que sí. ¿Por qué? Porque soy un viejo enamorado de este texto; también porque estimo mucho la labor teatral de Squarzina; y, sobre todo, porque la idea de M.ª Luisa Aguirre d'Amico me pareció potencialmente muy fecunda.

Pero el problema principal residía precisamente, como en seguida vi, en lo *demasiado* que me gusta el texto de la famosísima tragicomedia; hasta el punto de que ante ella no se me ocurría, en principio, mucho más que «limpiarlo» de las vacuas y enfadosas añadiduras retóricas de Alonso de Proaza; de modo que mi pretendida *versión* amenazaba con ser casi, casi una mera copia. (Tomándome *muchas libertades* llegaría a ser, en fin, lo que suele ser, en definitiva, ese tipo de versiones: una abreviatura más o menos «actualizada» y estilizada del texto clásico.)

Hasta que por fortuna *llegó,* como *llegan* estas cosas (que pueden perfectamente *no llegar),* la ocurrencia de hacer con *La Celestina* otra cosa *—otra obra—* que *La Celestina* de Rojas. (No *absolutamente* otra cosa... *Relativamente* otra cosa, desde luego.) Y entonces lo que en otra parte he llamado «sistema ocurrencial» empezó a funcionar a toda mecha.

Guardé, pues, el texto clásico y me puse a escribir una «tragedia compleja»; la cual ha acabado titulándose *«Celestina, cuento de amooor o tragedia fantástica de la gitana Celestina»* y es una obra *nueva* y *mía* en más de un aspecto y hasta en muchos aspectos.

De este modo veo, al avanzar en el trabajo, que mi respeto a la obra de Fernando de Rojas se expresa de la mejor manera posible: no haciendo lo que se suele llamar una «versión respetuosa» de la obra sino *no tocándola* a no ser para *citarla* inequívocamente en algún pasaje y para usar o, mejor, abusar un poco de los nombres de sus personajes.

No se inflige con ello daño alguno a nuestra querida obra maestra: la hemos dejado tranquila en nuestra biblioteca: la leemos, cuando nos apetece, con gran placer (lo que, por cierto, les recomiendo efusivamente: es un gran texto; es un *texto descomunal*).

Aquí va, pues, con materiales no *nobles* sino irrisorios, como corresponde a mi estilo experimental «trágico-complejo», una *tragedia de amor,* granguiñolesca quizás, que probablemente no se parece mucho ni nada al *Romeo y Julieta* de Shakespeare, ¡por ejemplo!, de la misma manera que mis *Crónicas Romanas* no se parecen mucho ni nada a la *Numancia* de Cervantes; y no sólo, creo yo, por la segura y clamorosa inferioridad de mi talento.

Fuenterrabía,
abril 1977-enero 1978
Alfonso Sastre

Nota posterior

Después de conversar en Roma, a propósito del primitivo texto de esta *Celestina,* con Luigi Squarzina y M.ª Luisa y Sandro d'Amico, procedí, aceptando sus observaciones críticas, a «remodelar» la obra. El texto actual ha sido terminado el 16 de mayo de este año 1978.

A. S.

Versión definitiva

Ayer acabé los últimos arreglos de «Celestina» atendiendo valiosas sugerencias dramatúrgicas de Luigi Squarzina y las opiniones de María Luisa Aguirre d'Amico, muy matizadas y sensibles.

Queda como divergencia entre mi texto y la versión italiana, aparte algunos detalles de menor importancia, el hecho de que, en ésta, Celestina aparezca con su aspecto tradicional y que sólo por arte de sus magias sea «vista» como joven y bella por los demás personajes. También es diferente la escena del sepulcro: en la versión italiana el cuerpo colgado de Sempronio interviene mediante más réplicas —citas de Rojas— en la escena póstuma de los dos amantes.

Por lo demás —y aun en este desacuerdo— estamos de acuerdo y somos felices de haber trabajado y estar trabajando juntos.

A. S.

Fuenterrabía, 26 de septiembre de 1978

Tabla de cuadros

Cuadro I.—«De cómo un tal Calixto se encontró con una tal Melibea y de lo que sucedió en un principio.»
Cuadro II.—«De la triste y cómica aventura de Calixto con Elicia, una monjita ciega.»
Cuadro III.—«En el que muy miserables personajes hablan de Amor y ocurre un suceso que se verá.»
Cuadro IV.—«Que trata de Celestina.»
Cuadro V.—«Trabajos de Celestina.»
Cuadro VI.—«De la visitación de Celestina a Melibea y de la plática que tuvieron.»
Cuadro VII.—«Del amor y de la muerte.»
Cuadro VIII.—«En el que muere hasta el apuntador pero algo sobrevive un poco.»

La acción es en Salamanca durante la segunda mitad del siglo xvi y un poco en 1978 (o después).

Esta obra se estrenó en España el 30 de abril de 1985 en la Sala Villarroel de Barcelona por el Grupo de Acción Teatral (G.A.T.) con el reparto:

PERSONAS DEL DRAMA:

CELESTINA	Maria Josep Arenós
MELIBEA	Minerva Álvarez
SOR ELICIA / SOR LUCRECIA	Teresa Vilardell
AREUSA	Inma Alcántara
CALIXTO	Ramón Teixidor
SEMPRONIO	Pepe Miravete
PARMENO / CRITO	Pere Vidal
CENTURIO	Tomàs Vila
VISITADOR DEL SANTO OFICIO	Alfons Flores

FIGURAN TAMBIÉN EN EL TEXTO:

OTRA MONJA
UN CICERONE
DOS GITANOS
CERDOS, BURROS Y TURISTAS

Escenografía y vestuario	Alfons Flores
Dramaturgia	Quim Vilar

Música .... Teresa Flo
Iluminación .... Martí Cabra

Dirección .... Enric Flores

(Coproducción del G.A.T. con el Centro Dramático de la Generalitat de Cataluña.)

Cuadro I

De cómo un tal Calixto se encontró con una tal Melibea y de lo que sucedió en un principio[1].

(Estamos —es un decir— en la Salamanca del siglo XVI[2]*. El escenario de este cuadro es un convento en el que* Melibea, *una todavía bella mujer de ojos tristes y quizás treinta o treinta y cinco años, es Abadesa. La casa tiene el aspecto de un sombrío castillo propio para un relato de los llamados* góticos[3]. *Vemos puertas que se abren misteriosamente a enigmáticas señales de* Parmeno[4], *un hombre de aspecto delicado que acompaña y guía a* Calixto, *el cual es un hombretón de más de cuarenta años, de rostro barbudo, torturado y melancólico.*

---

[1] Juan Villegas (*«La Celestina* de Alfonso Sastre: Niveles de intertextualidad y lector potencial», *Estreno,* XII, 1, primavera 1986, pág. 41) señala entre los textos «utilizados con diferentes funciones» en esta obra «el *Quijote,* el cual es utilizado en todos los encabezamientos de los diferentes cuadros. El estilo arcaizante de los títulos, la sintaxis de los mismos [...] rememoran frases de función semejante en la obra de Cervantes».

[2] Sastre traslada de siglo la acción y la sitúa en Salamanca, uno de los lugares que se han creído escenario real de *La Celestina* junto a Talavera de la Reina y Toledo. (También Martín Recuerda localiza *Las Conversiones* en «la tierra salmantina»). La expresión «es un decir» hace ya explícita la convención teatral.

[3] Nombre dado a un género narrativo prerromántico, basado en el misterio y el terror, cuya acción transcurre generalmente ambientada en castillos medievales. Por extensión, cualquier relato de misterio y terror.

[4] Emplea Sastre los nombres de *Parmeno, Calixto* y *Areusa* frente a Pármeno, Calisto y Areúsa utilizados en *La Celestina* (y también en la versión italiana).

Una MONJA les hace ahora un gesto de que esperen en una especie de lúgubre capilla, y se va. CALIXTO mira aprensivamente a su alrededor.)

CALIXTO.—Me temo, Parmeno, que sea peor el remedio que la enfermedad. Esta casa es de lo más siniestro[5] y melancólico.

PARMENO.—Pero es que andando por esas calles te la juegas. Aquí, de momento, estarías, si la dama te acoge, al abrigo de la Santa Inquisición.

CALIXTO.—¿Tú crees, Parmeno?

PARMENO.—Claro, hombre. Éste es el último lugar en el que sus agentes y alguaciles van a buscarte, no lo dudes; y es buena solución en tanto que buscamos mejor avío a tu problema.

CALIXTO.—*(Mira la arquitectura como atemorizado.)* Conozco conventos, y aun de los más sombríos, de la época no lejana, ay de mí, en que yo mismo era un frailazo penitente; pero ninguno como éste, el cual, oh Parmeno, es de tan infernal apariencia que me parece que por aquí me estoy metiendo en la boca del lobo[6].

PARMENO.—Muy alegre no es esta arquitectura y además hace un frío de miedo, pero como refugio vale.

CALIXTO.—Extraños son, Parmeno, los caminos de la libertad[7]. *(Se estremece.)* Tú aquí me consideras libre mien-

---

[5] Acerca del significado de lo *siniestro* para Alfonso Sastre, recuérdese lo indicado en nuestra Introducción. Puede verse «Una nota (siniestra) del autor de este libro» en Alfonso Sastre, *El lugar del crimen,* Barcelona, Argos Vergara, 1982, págs. 9-10.

[6] La utilización de distintos registros lingüísticos es característica de *Tragedia fantástica de la gitana Celestina* y de otras tragedias complejas, como en la Introducción señalamos. Esta alternancia responde a la buscada presencia de un doble plano (pasado-presente) que a veces intuyen los mismos personajes. Así dice Frellon a Servet en el cuadro inicial de *La sangre y la ceniza:* «Qué escena tan extraña, amigo, y qué diálogo el nuestro, que no parece de un autor moderno.»

[7] Recuérdese el título de la trilogía de Jean-Paul Sartre *Los caminos de la libertad.* Alfonso Sastre ha traducido buena parte del teatro del escritor francés *(vid.* Jean-Paul Sartre, *Obras Completas, I. Teatro,* Madrid, Aguilar, 1970).

tras que yo empiezo a sentirme, entre estas bóvedas, tal que si fuera un personaje de tragedia.

PARMENO.—Date con un canto en los dientes si la Abadesa de esta Comunidad de exputas arrepentidas, mi amiga Melibea... (CALIXTO *hace un gesto raro.*) ¿Qué te sucede?

CALIXTO.—¿Has dicho *Melibea*?

PARMENO.—Efectivamente.

CALIXTO.—(*Confuso, como reflexionando.*) Que tú te llames Parmeno no me importaba nada: casualidades de la vida.

PARMENO.—¡Hombre! ¿Y por qué te iba a importar? Ésta sí que es buena. Cada uno se llama como le han puesto sus papás. A ver por qué te llamas tú Calixto, por ejemplo.

CALIXTO.—(*Como desvariando.*) ¿Y de Sempronio qué?

PARMENO.—¿Te ha hecho algo malo el muy canalla?

CALIXTO.—No. Pero no tenía por qué llamarse así. No sé, no sé. Ahora ya es demasiado. Vamos, que me extraña.

PARMENO.—¿Demasiado? ¿El qué? Ay, Calixto mío, quien te entienda que te compre; y no me gustaría nada que te volvieras loco tú.

CALIXTO.—Has dicho *Melibea*. ¿Sí o no?

PARMENO.—Sí.

CALIXTO.—¡Esto, ay Parmeno, no me gusta nada! ¿Somos seres humanos o meros personajes de una tragicomedia? Es lo que me pregunto[8].

PARMENO.—Ah, eso yo no sé. Yo, querido amigo, no sé nada de literatura: eso tú, que eres un poeta. Pues, como te decía, ojalá que la Abadesa decida alojarte mientras pasa la tempestad que ha caído sobre ti por tu mala cabeza. ¿A quién se le ocurre ser un hereje en estos tiem-

---

[8] De nuevo alude Calixto a su posible naturaleza de personaje teatral, mencionando *una tragicomedia*. Como en la Introducción dijimos, crea Sastre en varias tragedias complejas, especialmente en ésta, una distancia expresa que proviene de indicar que nos hallamos ante una *representación*. En *Tragedia fantástica de la gitana Celestina* los personajes tienen, unamunianamente, conciencia de su realidad, si bien dudan de su auténtica condición. Al teatral se añade el conflicto literario por la coincidencia con los nombres de *La Celestina*.

pos? No te has contentado con colgar los hábitos sino que además te da por la peregrina idea de publicar clandestinamente toda la basura que se produce en el interior de tu cabecita loca. ¿Por qué no te olvidas de tu amiguito Miguel Servet?[9]. Ya has visto en lo que ha parado ese pobre baturro de la sangre: convertido, ay, en mísera ceniza[10]. Quemado en una hoguera.

CALIXTO.—¿Cómo callar, Parmeno? Tengo que proclamar como barbaridad insigne la idea trinitaria[11]. No puedo remediarlo.

PARMENO.—Estás tan loco como los que opinan de otro modo o manera: Padre, Hijo y Espíritu Santo: tres personas y un solo Dios, esa insigne memez.

CALIXTO.—¿Qué es entonces para ti la Divinidad, Parmeno?

PARMENO.—Nada: no puede ser menos como ves. O, a lo más, sería para mí un objeto de múltiples defecaciones, como sabes. Recuerda el grosero lenguaje que empleo algunas veces.

CALIXTO.—Blasfemado has, y no es que a estas alturas yo

---

[9] Miguel Servet (Villanueva de Sigena, 1511-Ginebra, 1553) fue un médico e investigador (descubrió la circulación pulmonar) que pretendió también la reforma de la religión católica. Criticó con dureza el misterio de la Trinidad, defendió cierto panteísmo y se opuso a principios fundamentales de la Reforma protestante (como el de la justificación por la fe). Próximo a la doctrina anabaptista, fue perseguido por la Inquisición y por Calvino, que consiguió al fin su muerte en la hoguera.

Alfonso Sastre ha dedicado especial atención a este extraordinario personaje, uno de los cuatro «Migueles ilustres y representativos» en España de los que hablaba Juan de Mairena. *La sangre y la ceniza* es una tragedia compleja, la primera, a él dedicada y *Flores rojas para Miguel Servet,* una biografía literaria suya. Con Hermógenes Sáinz y José María Forqué realizó Sastre en 1987 los guiones para la serie de Televisión Española *Miguel Servet. La sangre y la ceniza,* emitida en 1988.

[10] Hay una clara referencia al título *La sangre y la ceniza,* a su vez glosado en unas palabras que en ese drama dice Sebastián de Castellión: «Y proteja en todo lo que pueda a su paisano Servet, y haga todo lo más que le sea posible por que ese hombre, que es hoy de sangre y hueso, no tenga terminación de fuego y ceniza» (P. I, C. V).

[11] Calixto se muestra discípulo de Servet rechanzado «la idea trinitaria», contra la que éste se manifestó reiteradamente. *Vid.* el citado cuadro V de la primera parte de *La sangre y la ceniza.*

crea en muchas cosas, pero todavía me estremezco de horror ante una blasfemia; y creo en Jesucristo. Y no soy un fanático, pero soy, eso sí, un hereje triste y militante[12].

PARMENO.—*(Vulgar.)* ¡Tienes razón! Blasfemado he. Pero tú disimula; y ahora chitón, que, como se dice en las obras de teatro, *alguien viene.* O mejor: ahí está. *(Entra* MELIBEA, *acompañada de la* MONJA *de antes a quien hace un gesto de que se retire.)* Melibea... En fin, ejem... ¿Me permites que te siga llamando así? ¿O debo nombrarte de madre Abadesa y hacerte los respetos de ordenanza?

MELIBEA.—*(Ríe francamente.)* Eres un perfecto cretino, Parmeno, viejo golfo. Sabes que te guardo un cierto afecto y que estos hábitos sólo me separan de tus manos pecadoras y de cualquier tentación de regresar al mundo. ¿Quién es éste? ¿Tu tronco?[13].

PARMENO.—Sí. Calixto, aproxímate, que te presente aquí, a la madre Abadesa. (CALIXTO *está profundamente impresionado por la belleza de* MELIBEA. *Parece que le hubiera alcanzado un rayo y ahora su gesto se asemeja al de un cretino.)* ¿Pero qué te sucede, hombre? ¿Qué te pasa?

CALIXTO.—*(Mirando a* MELIBEA.) Nada, que yo sepa. Pero también muchas cosas que yo no sé. *(Como para sí, confuso.)* «En esto veo, Melibea, la grandeza de Dios...»[14]. En esto veo... *(Parece haber enloquecido. Hace gestos extraños.)*

MELIBEA.—*(No se da cuenta.)* Bien, señor Calixto; habiendo considerado en su debida forma su caso tal como me lo ha relatado su amigo Parmeno, y atendiendo a los requisitos de mi conciencia, he decidido darle asilo en este convento durante el tiempo que dure su persecu-

---

12 Expresa Calixto con estas palabras su marginalidad y niega un apasionamiento fanático. Pueden recordarse al respecto las palabras de Servet: «Yo no pienso contra nadie ni nada sino a favor de la verdad» *(La sangre y la ceniza,* P. I, C. V).

13 *tronco:* amigo, compañero (también de fechorías).

14 Como es sabido, *La Celestina* comienza con estas palabras. También aquí son las primeras que Calixto dirige a Melibea.

En *Demasiado tarde para Filoctetes* (y en otras de sus piezas) introduce Sastre igualmente textos de la obra de referencia, en este caso *Filoctetes* de Sófocles.

ción por esos sicilianos. (CALIXTO *mira con extrañeza a* PARMENO, *como diciéndole: ¿qué sicilianos son esos?* PARMENO *se explica.)*

PARMENO.—*(Con naturalidad, a* CALIXTO.) Ya ves, me he permitido contarle a la Abadesa la verdad, ¿entiendes?, *la verdad:* que te persigue esa familia siciliana por aquello que, al parecer, hizo tu padre *in hilo tempore*[15] en aquella isla, una *vendetta*[16] que te trae a maltraer siendo tú inocente del todo en esa cuestión. Pues, aun exclaustrado, sigues siendo, ¿verdad?, hijo fidelísimo de la iglesia romana.

CALIXTO.—*(Está asombradísimo.)* Ah, ya, ah ya; claro que sí. *(Y mira a* MELIBEA *como enloquecido.)*

MELIBEA.—Las Hermanas están de acuerdo, lo que no es extraño pues se trata de mujeres que conocen el mundo y sus persecuciones, y son sensibles a estos casos.

CALIXTO.—¡Oh, Melibea, Melibea! *(Como ofuscado. Mira extrañamente.)*

MELIBEA.—Sepa, mi buen amigo, que éste es un refugio de pecadoras, entre las que me encuentro como la más abominable de todas ellas. Sepa, en fin, que nuestras Hermanas, la que más, la que menos, han ejercido en el mundo terribles oficios como la prostitución[17]; y que también tenemos ladronas y homicidas y hasta alguna infanticida en nuestra nómina.

PARMENO.—Como te dije, el señor Calixto es perseguido sin haber cometido crimen alguno en su ya larga vida.

---

[15] La frase latina (en aquel tiempo, hace ya mucho) está deformada con intención humorística y como elemento caracterizador de uno de los registros lingüísticos, el vulgar. No falta tampoco el recuerdo cervantino.

[16] Con esta palabra insiste Parmeno en la ambientación mafiosa de la historia con la que ha engañado a Melibea para que dé refugio a Calixto. Los pocos datos que se ofrecen de ella traen a la memoria el motivo argumental que desencadena los sucesos de la obra de Sastre *Asalto nocturno.*

[17] Rosa, la posadera de *La sangre y la ceniza* (P. II, C. II), está en una situación semejante: «Con un médico se puede hablar, y no lo oculto; que una servidora figuraba ya antes en la plantilla de la casa y que ejerció de meretriz durante casi cinco años, hasta que, como un rayo, me vino la conversión, que coincidió curiosamente con el momento de la prohibición del oficio, en lo que yo veo, no sé, algo muy milagroso...»

Pero su padre fue otra cosa y nada menos que en Sicilia.

MELIBEA.—Bienaventurados aquellos que sufren persecución, Parmeno, sea cual sea la causa de su desgracia.

PARMENO.—(*Medio cínico, medio galante.*) Precisamente porque yo conozco tu condición generosa y, ejem, acordándome de tu grandísima belleza, es por lo que yo...

MELIBEA.—(*Muy seria.*) Corta, Parmeno, corta; ya está bien.

PARMENO.—Me refería a tu belleza moral pero tú en seguida te mosqueas[18].

MELIBEA.—Vale, vale. Y por cierto que no quisiera retenerte más entre nosotros.

PARMENO.—Me pones en la puerta.

MELIBEA.—(*Sencillamente.*) Pues sí. Aquí no pintas nada y las escenas cuanto más cortitas mejor, Parmeno. Márchate ya, te lo ruego.

PARMENO.—¡Quién te ha visto y quién te ve!

MELIBEA.—(*Hace ahora un imprevisible gesto de gran dolor, como si la hubieran apuñalado.*) ¡Adiós! ¡Adiós!

PARMENO.—(*Se encoge de hombros. Se vuelve hacia* CALIXTO.) Adiós, Calixto. Ya ves cómo me trata. (*Confidencial, en una especie de aparte del viejo teatro.*) Es una vieja puta, ya te dije. Adiós. (*Sale.* CALIXTO *no ha oído a* PARMENO. *Mira a* MELIBEA *como fascinado. Dice como un médium, como un autómata.*)

CALIXTO.—«En esto veo, Melibea, la grandeza de Dios.»

MELIBEA.—(*Sonríe; recita.*) «¿En qué, Calixto?»

CALIXTO.—«En dar poder a natura que de tan perfecta hermosura te dotase y hacerme tanta merced que alcanzase a verte y en tan conveniente lugar que mi secreto dolor manifestarte pudiese. ¿Qué hombre vio en su vida su cuerpo tan glorificado como ahora lo es el mío? Ni los gloriosos Santos que se deleitan en la visión divina gozan más que yo agora en el acatamiento tuyo. Mas ¡oh triste!; que en esto diferimos: que ellos puramente se glorifican sin temor de caer de tal bienaventuranza y yo

---

18 *mosquearse:* «resentirse uno por el dicho de otro, creyendo que lo profirió para ofenderle» (DRAE).

me alegro con recelo del tormento que tu ausencia me ha de causar.»

MELIBEA.—*(Ríe como jugando.)* «¿Por tan grande premio tienes esto, Calixto?»

CALIXTO.—*(Él no juega. Con ciego apasionamiento:)* «¡Téngolo por tanto en verdad que si Dios me diese en el cielo una silla sobre sus santos no lo tendría por tanta felicidad!»

MELIBEA.—*(Sonríe como haciendo ahora una travesura.)* «Pues más grande galardón aún te daré yo si perseveras.»

CALIXTO.—«¡Oh, oh, bienaventurados mis oídos que indignamente tan grande palabra habéis escuchado!»

MELIBEA.—*(Ahora ya no juega... Dice con una especie de sombrío rencor:)* «Más desventurados que otra cosa. Porque la paga será tan fiera cual merece tu loco atrevimiento. ¡Vete! ¡Vete de ahí, torpe! Que no puede mi paciencia tolerar...» (CALIXTO *la mira sombrío. Entonces* MELIBEA *ríe.)* ¿Qué le pasa, Calixto? ¿Me he equivocado? «¡Vete de ahí, torpe! Que no puede mi paciencia tolerar...»

CALIXTO.—*(Reconcentrado.)* «Iré como aquel contra quien solamente la adversa fortuna pone su estudio con odio cruel»[19]. *(Un silencio.* MELIBEA *sonríe ahora ante la turbación de* CALIXTO.)

MELIBEA.—No deja de ser un caso un poco misterioso éste en el que nos hallamos, mi señor don Calixto.

CALIXTO.—¿Se refiere a nuestro raro encuentro en este lugar?

MELIBEA.—También, pero sobre todo...

CALIXTO.—¿A este azar de la vida?

MELIBEA.—*(Asiente.)* Calixto y Melibea... ¿Por qué? ¿Qué casualidad es ésta de nuestros nombres? Ninguno de ellos es vulgar, y además, y sobre todo, el encuentro de ambos, aunque usted *(Sonríe.)* no haya entrado en mi huerto persiguiendo un halcón, como sucede en la famosísima tragicomedia.

---

[19] La conversación de Calixto y Melibea reproduce, con escasas modificaciones, la del primer encuentro de estos personajes en *La Celestina.* A continuación Melibea alude al carácter «un poco misterioro» del «caso» en el que se hallan.

CALIXTO.—¡Escrita por el Bachiller Fernando de Rojas, según dicen! Bello libro en mi opinión.

MELIBEA.—Por cierto que hay una edición en esta ciudad de Salamanca a principios de siglo[20]. (*Ahora la escena parece una tertulia literaria.*)

CALIXTO.—(*Asiente.*) Yo la he leído y releído durante años en mi celda como quien comete un grave pecado de lectura prohibida. Qué cosas, ¿verdad?

MELIBEA.—(*Como si cambiara de conversación.*) ¿Sabe lo que fue este convento antes de convertirse en un lugar penitencial?

CALIXTO.—No, Melibea, no lo sé. (*Como en un* aparte.) La llamo *Melibea* y algo me hace temblar.

MELIBEA.—Pues era la morada de un viejo libertino. Entre sus viejos libros, en los sótanos, encontré esa tragicomedia que a mi me ha hecho soñar —empezando, claro está, porque la heroína, bueno, en fin, la protagonista, se llama como yo. Pero además... (*Guarda silencio, soñadora.*) Aunque, a decir verdad, la protagonista de esa admirable obra es... *el Infierno,* quiero decir la vieja puta Celestina. (*Un lejano relámpago. Un trueno. Se estremecen. Como con súbito miedo.*) La cual también existe con tal nombre, y eso es lo demasiado raro, en la realidad de mi vida. También hay Parmeno y otros tristes personajes, como si todo estuviera preparado para no sé qué.

CALIXTO.—¡Qué extraña religiosa es usted, Melibea! Extraña y terrible. La miro, oh Melibea, no sé si con placer o con terror. (*Un silencio.*) En cuanto a mí, siendo fraile, leí *La Celestina* a hurtadillas y con sentimiento de pecado como le digo, con escándalo y secreto regocijo, hasta aprenderme de memoria pasajes como éste del encuentro. Por mi nombre de Calixto, me sentía como embrujado en el personaje y soñaba secretamente con un amor así, con aquellas angustias y ansiedades, con ese supre-

---

[20] Melibea se refiere quizá a la supuesta edición salmantina de 1502 en la que se confundieron lugar de impresión y editor (Antonio de Salamanca). La «tertulia literaria» es aviso de la convención teatral y, al tiempo, llamada a la participación del espectador en la intertextualidad.

mo galardón, y, en fin, con la muerte; y me soñaba pecaminosamente melibeo, ya no cristiano, ¡melibeo, melibeo![21], hasta morir de amor... Mi misticismo religioso —a ver si me explico— por esa época ya había entrado en crisis o bien empezaba a aplicarse a otros objetos o a recuperar los olvidados por la sublimación de una espiritualidad ficticia. Ejem, no sé si me comprende.

MELIBEA.—*(Sencillamente.)* No. Pero dejémoslo así, señor Calixto. Ya hemos hecho suficiente literatura, y no de la mejor, sobre este encuentro. *(Pausa.)* Es seguro que yo no soy la dulce virgen Melibea sino que fui una mujer alegre, ay de mí, y soy arrepentida. Tengo asco del mundo al que pertenecí y horror de los hombres en general y de los varones en particular[22] y, desde luego, de mi misma. *(Su gesto se ha endurecido terriblemente.)* ¿Qué queda de la dulce Melibea? *(Relámpago. Trueno.)* Nadie podría reconocerla en este corazón podrido, bajo estas tocas de penitencia. Si habláramos en serio de todo esto, habría para reír o, no sé, para llorar.

CALIXTO.—¿Y yo, Melibea? A los cuarenta y no sé cuantos años de mi vida, feo y patizambo, con la barriga repleta de aguardiente, exclaustrado después de haber quemado mi juventud en el convento, nada hay en mí del joven Calixto de la tragicomedia. A cien leguas de toda belleza; aquí estoy y, por cierto, con una colitis que me hace sufrir mucho; sí... es... es una infección intestinal; y también tengo otras muchas molestias corporales como el dolor de muelas[23].

MELIBEA.—*(Ríe con dureza.)* ¡Caricaturas de bellos perso-

---

[21] Evidente alusión a la respuesta que Calisto da a Sempronio en *La Celestina* cuando ésta le pregunta si no es cristiano: «¿Yo? Melibeo soy y a Melibea adoro y en Melibea creo y a Melibea amo» (A. I.).

[22] Este horror «de los varones en particular» hace pensar en Jenofa (y, por supuesto, en su modelo, Gila) que, ya en el monte, puso su «negocio contra el género masculino» (*Jenofa Juncal, la roja gitana del monte Jaizkibel,* C. III).

[23] Calixto, al igual que otros *héroes irrisorios* de tragedias complejas, padece una notable degradación física. Pensemos en Miguel Servet *(La sangre y la ceniza),* en Kant *(Los últimos días de Emmanuel Kant),* en Moisés *(Revelaciones inesperadas sobre Moisés),* en Pepe Larrea *(Demasiado tarde para Filoctetes)* y en Edgard Allan Poe *(¿Dónde estás, Ulalume, dónde estás?).*

najes! Yo podría hablar a su merced, si ello no le fastidia mucho, de la enfermedad gálica[24] que hizo de mis partes pudendas, con perdón, un foco de podredumbre entre mis amigos, amén de poner en riesgo mi propia vida. ¿Dónde está la estampita de la dulce y pura Melibea? Rota en mil pedazos y manchada de mil porquerías; usada y vieja.

CALIXTO.—*(Como muy herido por lo que ha oído.)* ¡Por favor!, ¡Por favor, Melibea, no se exprese así! Me hace mucho daño oír esas palabras tan duras, tan desgarradoras. Yo sí que soy como una burla de Calixto, un ridículo simulacro... Lo he sido ahora, cuando, hace un momento, recitaba sus inmortales palabras de amor, y lo hacía no sólo desde mi memoria sino también desde mi corazón, ¡oh Melibea!; pero usted... *¡Usted sí es Melibea!* (MELIBEA *se ríe ásperamente.)* Usted es... una de esas criaturas que, a veces, uno ve en sus sueños o con los ojos tristes de la imaginación; una de esas criaturas que... *(Está como llorando. Estornuda de pronto. Saca un pañuelo. Se suena ruidosamente.)* Perdóneme; estoy... estoy un poco resfriado. Qué calamidad. *(Se suena aún más ante la mirada burlona de* MELIBEA.) Le decía... ¡No sé, no sé! Que por su presencia se borra todo lo demás *y hasta Dios deja de existir.* Eso es, eso es; pero además... *(Se seca una furtiva lágrima)*[25].

MELIBEA.—*(Tiene un arranque espantoso.)* ¿Pero qué es esto? ¿Qué ridículo teatro es éste? No hay por donde cogerlo. ¡Tragedia de risa! ¿O es que tú estás tratando de seducir *a la pobre monjita,* tú, tío listo? ¿A esa ralea[26] perteneces, mamón?[27]. ¡Pero si yo no soy *una pobre monjita,* so cazurro![28] ¿Es que no te das cuenta? Yo vengo del infierno.

---

[24] *enfermedad gálica:* sífilis.

[25] Sastre reproduce aquí el primer verso («Una furtiva lágrima») de la conocida aria de Nemorino (acto segundo, escena octava) en la ópera de Gaetano Donizetti *L'elisir d'amore.* En ella el protagonista manifiesta su amor por Adina y expresa el convencimiento de que también ella lo quiere.

[26] *ralea:* término despectivo que, aplicado a personas, significa raza o linaje... (DRAE).

[27] *mamón:* tiene aquí el sentido de persona despreciable que intenta aprovecharse de otro.

[28] *cazurro:* malicioso, zafio. Es también aplicable aquí la acepción anticua-

(Le muestra unos dientes como de perro. Parece como si fuera capaz de morder. Su respiración es ahora espasmódica, perruna[29]. *Entonces suena un trueno lejano.)*[30]. Satanás, este gran cerdo, no me olvida, ¿lo oyes?, siempre con su teatro, también del peor... ¡Dejadme de una puta vez *en paz!* ¡Dejadme que me pudra de una puta vez *en paz...!* ¿Es mucho pediros? ¿No me habéis jodido[31] ya bastante? *(Suena otro trueno, éste más lejano.* CALIXTO *trata de hablar. No puede, tartamudea. También le da un acceso de tos, tose... Ahora, de pronto, se pone pálido, desencajado.)*

CALIXTO.—Siento, aj, náuseas. Me estoy mareando, ay. *(Intenta sentarse en una silla y no acierta. Se cae de culo en el suelo —puede parecer un tropiezo del actor—. Trata de incorporarse y, como está mareado, vacila, se cae de lado... Al fin queda en cuatro patas. Entonces vuelven a acometerle las náuseas y vomita sobre el suelo.)* Perdone, yo... me encuentro enfermo. Algo me ha sentado mal. Perdone, perdone... *(Va haciéndose el oscuro.)* ¿Qué ha podido sentarme mal? *(Medita mientras le*

---

da: «decíase de las palabras, expresiones o actos bajos y groseros, y también del que las profería o los practicaba» (DRAE).

[29] La metamorfosis de Melibea, característica de las brujas, hace pensar en la de Celestina en el último cuadro; en la de Jenofa: «¡Sus cabellos se agitan como una corona de serpientes! ¡Se levanta las faldas y vemos que tiene dos patas de ganso!» (*Jenofa Juncal, la roja gitana del monte Jaizkibel,* C. III); y en la de Seforá (*Revelaciones inesperadas sobre Moisés,* C. II).

[30] Truenos (con relámpago) se oyeron también cuando Melibea nombró a Celestina y se escucharán después cuando lo haga Sempromio por vez primera (C. III) y en los momentos en los que Celestina (C. IV y VI) quiere *subrayar* sus palabras. Melibea participa ahora de los trucos de la «gran bruja».

En *Revelaciones inesperadas sobre Moisés* (C. IX) se oyen truenos cuando se nombra a Moisés y, en la aoctación, indica Sastre: «El autor ya sabe que ha puesto truenos en otras obras, en circunstancias semejantes, pero le parece un buen recurso que remite, en ciertos niveles arcaicos de nuestra personalidad, a ecos incontestables de terror ante lo desconocido, y por eso insiste en este modo de evocar esos terrores primigenios.»

Y después, en *Demasiado tarde para Filoctetes,* cuando éste «se arroja desde el escabel y queda colgado» nos encontramos con «un relámpago y un trueno muy lejano que va desvaneciéndose poco a poco» (C. VIII).

[31] *joder:* molestar, perjudicar (DRAE). Melibea transforma, con su aspecto, su lenguaje, en un brusco cambio de su apariencia anterior. Calixto es incapaz de soportar esa obscena imagen de su amada y su desconcierto presagia la imposibilidad de una solución.

acometen las náuseas.) Si-no-he-comido-nada-desde-antes-de-ayer... *(Oscuro total.)*

CUADRO II

De la triste y cómica aventura de Calixto con Elicia, una monjita ciega.

(Cuando vuelve lentamente la luz, CALIXTO *está en su celda, tendido boca arriba en un petate. Entonces vemos que, furtivamente, penetra en la celda una monja joven. Tantea las paredes para andar... Es que está ciega. Y, por cierto, es encantadora.)*

ELICIA.—¿Dónde estoy? ¿Es ésta la celda de la Hermana Misteriosa? (CALIXTO *no se atreve a hablar. Pero se incorpora. Vemos que está vestido de monja. Pero todavía lleva sus barbas. La cieguecita tantea el espacio como si jugara a la gallina ciega.)* ¿Dónde está, hermana? ¿Dónde está?

CALIXTO.—*(Con una voz muy ronca.)* Aquí, aquí.

ELICIA.—*(Se lleva un susto al oírlo.)* ¡Qué voz tan ronca, hermana!

CALIXTO.—*(Se da cuenta de que ha metido la pata. Trata de atiplar su voz y le sale como un pitido.)* ¡Ah! ¡Ah! Es que... estoy muy acatarrada, hermanita. Aca-ta-rra-daaa...

ELICIA.—*(Presurosa.)* Voy allá, voy allá. *(Como guiada por un certero instinto llega hasta el lecho de* CALIXTO.) Pobrecita con su catarrito. *(Le acaricia la cara y topa con las barbas. Se estremece.)* ¡...Y con sus barbitas! *Mon Dieu!*

CALIXTO.—*(Apurado.)* Es que... *¡es que soy un señor,* hermana! Usted perdone. Me encuentro aquí en una situación excepcional.

ELICIA.—Ya veo, ya. *(Le acaricia.)* Excepcional...

CALIXTO.—*(Muy apurado por las caricias.)* Precisamente estaba aguardando a una hermana barbera que me iba a rapar las barbas para ponerme a punto y... y... y... ¿Pero qué hace usted? (SOR ELICIA *se ha puesto de pie. Se quita la toca y luego empieza a desvestirse cuidadosamente.* CALIXTO *está asombrado. Balbucea:)* Me dijeron que iba a venir el Visitador del Santo Oficio y por eso me dieron estos hábitos, pero faltaba lo del rapado de las barbas para, en fin, estar más aparente ante el señor Visitador si por un casual se le ocurriera penetrar en esta celda, ¿sabe usted? (SOR ELICIA *ha acabado de desnudarse.)* ¡Eh, oiga! Pero, ¿qué hace? *(Y se mete en la cama con él, no sin antes apagar la luz del velón que ilumina la celda. Ajetreo en la oscuridad. La voz de* CALIXTO:) Pero oiga, pero oiga usted... ¡Ay! Pero, mujer, pero, hermanita, pero oiga... ¡Oh! ¡Oh! Tenga en cuenta que... que es la primera vez que yo... que usted... ¡Uf! Que no, que no; que eso no es sino un braguero que llevo por causa de mi hernia, ejem, de mi hernia inguinal, y ello además no me permite... hacer demasiados esfuerzos[32]... ¡Uf! ¡Uf! Que me ahoga, que no puedo respirar... ¡Dios mío! ¡Que yo soy casto, que yo soy virgen, que yo soy viejo, que yo he sido fraile, que yo...! *(Silencio prolongado.)*

ELICIA.—*(Su voz suena muy decepcionada.)* ¿Pero qué te pasa, maricón?[33].

CALIXTO.—No sé, no sé. Estoy muy emocionado y no... ¡no sé! Esto no marcha, ya veo, ya... que no...

ELICIA.—Tranquilízate... Tranquilízate... Escucha, *mon amour.* Estás hecho un lío, no te aclaras, pero ésta es una ocasión que yo no puedo perder en mi calidad de ninfómana perdida, según me nombran mis odiados padres, a los que debo el haber sido encerrada en este convento de la mierda. Así pues, tranquilo, tranquilo; que voy a proceder, con tu venia, a algún estímulo oral...

CALIXTO.—¡Ah! ¡Ah! No creo que sea cuestión de palabras, hermanita. No creo que...

---

[32] «Cojeo, como ha visto, de una hernia que me impide mayores esfuerzos, entre otros, ay, los referentes a amores y mujerío en general», dice Miguel Servet en *La sangre y la ceniza* (P. I, C. I).

[33] La inversión de la situación que se creería normal conduce en un primer momento al insulto correspondiente de la chasqueada Elicia, cuyas palabras posteriores siguen haciendo visible la ingenuidad de Calixto frente a los imperiosos deseos de la monjita.

ELICIA.—(*Voz paciente.*) Claro que no, imbécil mío, claro que no... Cuando yo digo oral...

(*Silencio. De pronto suenan golpes en la puerta. Voces: «¡Paso al* VISITADOR *del Santo Oficio!» Escena de revuelo a montar por los actores y el director. En ella,* CALIXTO *consigue huir del convento como alma que lleva el diablo mientras la voz del* VISITADOR *exclama: «¿Cuya*[34] *es esa monja barbuda? ¡Deténganla!» Oscuro y luz a la celda de* MELIBEA *que dialoga con el* VISITADOR.)

VISITADOR.—En esta visita rutinaria ha ocurrido, señora Madre Abadesa, algo extraño e impensable.

MELIBEA.—¿A qué se refiere el señor Visitador?

VISITADOR.—A la presencia en este Convento de una monja barbuda, la cual, por cierto, ha huido como alma que lleva el diablo.

MELIBEA.—¿Una monja barbuda? Eso es imposible. Todas mis monjas son barbilampiñas[35]; alguna más anciana es un tanto bigotuda pero jamás se ha visto una barba o cosa parecida entre nosotras.

VISITADOR.—¿Podría pensarse en la furtiva visita de alguna persona extraña a la comunidad?

MELIBEA.—(*Vacila.*) No, no creo. La regla es muy estricta.

VISITADOR.—Verá, madre Abadesa. En esta ciudad de Salamanca están ocurriendo cosas que no nos gustan, últimamente.

MELIBEA.—(*Muy digna.*) Ignoro, señor Visitador, lo que sucede en Salamanca. Este convento no está en Salamanca ni en ninguna otra parte del mundo: *es un espacio místico.* Ahora puede seguir.

VISITADOR.—(*Un poco ofendido, se lleva la mano al corazón.*)

---

34 No tiene este *cuya* sentido posesivo y se utiliza quizá con intención humorística junto a *monja barbuda.*

35 El DRAE aplica este adjetivo a adultos que no tienen barba o tienen muy poca.

Touché[36]. Me refería a la presencia en esta ciudad de ciertos agentes diabólicos, los cuales...

MELIBEA.—Salamanca es una ciudad del diablo desde hace mucho tiempo, señor Visitador. ¿Hay alguna novedad a ese respecto?

VISITADOR.—Anda por Salamanca un propagandista *atroz* de las doctrinas *infames* del *pestilente hereje* Miguel Servet, no ha mucho incendiado en Ginebra por el también *canallesco* Calvino[37], al cual eso único hemos de agradecer. Es un exfraile nacido en Valladolid y de nombre Calixto Contreras, el cual trata de encender la chispa de la herejía en Salamanca.

MELIBEA.—¿Calixto Contreras?

VISITADOR.—¿Le suena el nombre?

MELIBEA.—*(Como para sí pero en voz muy alta.)* Ese cabrón[38] de Parmeno me la ha jugado.

VISITADOR.—*(Extrañado.)* ¿Cómo dice?

MELIBEA.—*(Al* VISITADOR, *como si le dijera una cosa muy natural.)* ¿Qué vas a esperar de un hijoputa?

VISITADOR.—¿Cómo?

MELIBEA.—*(Sin oír su pregunta, sigue en lo suyo.)* Tonta del culo que una es. No tengo remedio.

VISITADOR.—Dios mío, Dios mío. Ese lenguaje de burdel en esta casa y en labios de una religiosa me produce una profunda turbación. ¿Dónde estoy?

MELIBEA.—Pensaba en voz alta, señor Visitador. Discúlpeme.

VISITADOR.—Ello quiere decir que su vocabulario interior no es de lo más conveniente, señora.

---

[36] El ingenio de Melibea vence al Visitador en esa especie de duelo en el que él ha de reconocerse «tocado».

[37] Juan Calvino (Noyon, 1509-Ginebra, 1564) fue un famoso reformador, enfrentado al catolicismo y al luteranismo, cuya obra fundamental es *Institución de la religión cristiana* (1536). Irreconciliable enemigo de Miguel Servet, consiguió que «el monstruo español» fuese quemado en la hoguera (1553). Puede verse al respecto *La sangre y la ceniza,* donde Servet lo califica de «pájaro siniestro» (C. V.).

[38] Éste y otros insultos posteriores de Melibea poseen un sentido general de ofensa.

MELIBEA.—El lenguaje, ay señor mío, es cosa difícil para mí que he pasado la mayor parte de mi vida en muy malas compañías. Otra vez ruego a vuestra merced que me disculpe y a Dios que me perdone por las groseras expresiones de mi cólera. Sepa, señor, que he sido burlada en estos días por uno que fue rufián mío en aquellos malditos tiempos, no tan lejanos, de mi vida viciosa y corrompida. ¿Vale así? ¿Es este el lenguaje que corresponde a mi actual condición y categoría?

VISITADOR.—Sí señora, sí. ¿Y a qué se refiere con lo de haber sido burlada recientemente?

MELIBEA.—A que ese cabrón de Sempronio... ¡Perdóneme, perdóneme! A que una indigna criatura[39] me convenció de alojar aquí con mentiras de que lo perseguían no sé qué sicilianos, a un hombre que, por lo que parece, es el hereje que usted dice, el cual, vestido de monja y no rapado de sus barbas, ha podido dar lugar a ese equívoco de una monja barbuda; pues el tal se llama Calixto y es fraile exclaustrado y ello es demasiada coincidencia.

VISITADOR.—¡Maldición! Quiero decir, y perdóneme también a mí este lenguaje de la cólera, que ha sido gran lástima no haberle echado el guante[40], pues el Santo Tribunal lo espera con impaciencia a fin de librar a Salamanca y a España entera de la pestífica contaminación de sus ideas abominables.

MELIBEA.—¿Las cuales cómo son? Porque una, aquí, no lee más que su devocionario.

VISITADOR.—Para empezar, mantiene, igual que su repugnante maestro Miguel Servet, que la Santísima Trinidad es un perro de tres cabezas[41].

---

39 Como advertimos, la de Melibea es una personalidad dual, también en el lenguaje. Las expresiones *ese cabrón de Sempronio* y *una indigna criatura* para referirse al mismo tiempo a idéntica persona lo ilustran claramente.

40 En el Visitador se produce una cierta contaminación del lenguaje vulgar de Melibea.

41 *Vid.* la nota 11. La expresión *perro de tres cabezas* es, según Servet, «sólo un modo de imaginar un concepto arbitrario que sólo encierra en su seno la mentira...» (*La sangre y la ceniza*, P. I, C. V).

MELIBEA.—*(Espantada, se santigua.)* ¡Dios mío, eso no! ¡Hasta aquí podríamos llegar!

VISITADOR.—Le ruego, Madre, que en el caso de que conozca el paradero de Calixto o alguna pista que pueda conducirnos a él, haga llegar su información al Santo Oficio.

MELIBEA.—Así lo haré; y mientras, aquí, en mi soledad, pediré perdón al dulcísimo Jesús, por haber acogido, aunque haya sido sin saberlo, a tan insigne monstruo en esta Casa suya. *(Sale el* VISITADOR. *Ella se arrodilla y pone las manos en cruz.)* Dulcísimo Jesús, llévame lo antes posible de este terrible mundo donde todo es engaño, tristeza y perdición. Dulcísimo Jesús... *(Llora. Se hace el oscuro.)*

CUADRO III

En el que muy miserables personajes hablan del Amor y ocurre un suceso que se verá.

(PARMENO *—tan pálido, tan fino—está en su casa comiéndose brutalmente una pierna de cordero*[42], *cuando llaman a la puerta. Se sobresalta. Vuelven a llamar. Se levanta y va de puntillas hasta la puerta. Abre con cuidado una mirilla. Suspira aliviado.)*

PARMENO.—¡Sempronio! Eres tú. *(Abre. Entra* SEMPRONIO. *Es un hombre ceñudo, enlutado y sombrío.)*

SEMPRONIO.—¿Y Calixto? Me ha mandado un recado de que viniera a tu casa.

PARMENO.—Ya lo sé, ya lo sé. *(En voz baja.)* Lo tengo aquí mientras buscamos un mejor refugio. Pero siéntate.

---

[42] El comportamiento de Parmeno, que fue presentado como «un hombre de aspecto delicado», contrasta con este modo de actuar, que trae a la memoria la oposición entre la finura de expresión y la ferocidad con la que se alimentan los Mensajeros de *Crónicas romanas* (C. VI).

(SEMPRONIO *se sienta.*) Lo del Convento ha acabado como el rosario de la Aurora. Por poco lo agarran allí mismo y además a punto de ser violado por una monjita. (*Ríe, pero a* SEMPRONIO *no le hace gracia esto, ni ninguna otra cosa, como veremos.*) Pero no es eso lo peor ni la persecución que se acrecienta por causa de haber sido identificado en el Convento.

SEMPRONIO.—(*Aprovecha para hacer una síntesis de su filosofía.*) Siempre hay algo peor. ¿Qué ha sido?

PARMENO.—Que el muy burro, ya ves, se ha enamorado como un loco de la Melibea, y ahora dice que él ya no es cristiano sino que es melibeo y otros mil disparates. Pero además es que la ve como un milagro de pureza, tipo Virgen María o algo así. (*Ríe.*)

SEMPRONIO.—(*Sentencia.*) Melibea, amigo Parmeno, no es más ni menos puta que las demás mujeres, y además ella es del género de las arrepentidas, que no es el peor.

PARMENO.—Pero de esto a estimarla cual virgen incorrupta...

SEMPRONIO.—Eso por supuesto. Pobre Calixto. Perseguido por la Inquisición y enamorado de esa tía, cosa lamentable. Una situación trágicamente cómica, ¿no te parece?

PARMENO.—(*Ríe de buen humor.*) O cómicamente trágica, también podría decirse.

SEMPRONIO.—(*Suspira y repite:*) Pobre Calixto. ¿Y dónde está el cuitado?

PARMENO.—Ahí al lado llorando como una mona. Ya ha tratado de suicidarse y todo.

SEMPRONIO.—¡Qué raro en Calixto! Ha tenido un momento lúcido.

PARMENO.—Yo le he salvado la vida.

SEMPRONIO.—Imbécil. (*Bebe un vaso de vino.*) ¿Y cómo ha sido?

PARMENO.—¿Lo de su amor?

SEMPRONIO.—No, lo del frustrado suicidio. Por lo menos eso puede tener alguna gracia.

PARMENO.—(*Se le escapa la risa.*) Se ha colgado de una

viga del techo con una cuerda de tender la ropa, imagínate.

SEMPRONIO.—¿Y?

PARMENO.—*(Aguanta la risa.)* El nudo estaba mal hecho y se ha caído al suelo. Se ha torcido un tobillo el pobre. A perro flaco todo son pulgas; pobre Calixto[43]. *(Dentro se oye un gemido: ay.)*

SEMPRONIO.—¿Qué es eso?

PARMENO.—O que le duele el tobillo o que sigue enamorado, no lo sé. Voy a ver un momento. Pero tú sírvete sin cesar de ese viejo vino de la Rioja. Me ha costado un huevo[44] pero vale la pena.

SEMPRONIO.—Que me place. *(Al quedarse solo, se bebe aproximadamente un litro de vino como si tal cosa. Reflexiona:)* Hay que beber con medida *y esto es «un litro». (Medita:)* Pobre Calixto, a decir verdad. Nunca fue una lumbrera, pero llegar a esto... Me refiero a lo de enamorarse, naturalmente. Lo de la cuerda ha sido un bello proyecto, extrañamente lúcido en este zoquete a quien, por otra parte, amo[45]. *(Vuelve* PARMENO, *ahora con* CALIXTO, *que viene cojeando, pálido y tristísimo.)* A lo que veo estás hecho una pena, mi buen Calixto.

CALIXTO.—Así es, así es, mis buenos, mis queridos amigos. Oh amigos míos, lo único que yo tengo en el mundo, flor de la solidaridad y de la compañía en mis peores momentos, ninguno de los cuales ha superado a éste en el que ahora me hallo y no me hallo, por hablar propiamente.

PARMENO.—*(Explica a* SEMPRONIO.*)* Te diré el detalle de

---

[43] Calixto («perro flaco») vuelve a verse como *héroe irrisorio* en su fracasado intento de suicidio, que tiene características muy semejantes al de Sancho en el cuadro I de *El viaje infinito de Sancho Panza. Vid.* la nota 164.

[44] *costar un huevo:* costar muy caro, valer mucho. Parmeno se expresa con abundantes vulgarismos, mientras que Sempronio es aquí más cuidado en su lenguaje.

[45] No hay tampoco correspondencia fiel entre la configuración de los criados en *La Celestina* y Parmeno y Sempronio en la *Tragedia fantástica de la gitana Celestina.*

que lleva tres días sin comerse ni una avellana, por decir algo.

SEMPRONIO.—¿Y cómo es eso?

PARMENO.—Entre otras cosas porque no tengo avellanas; pero aunque las tuviera... Está de lo peor nuestro Calixto el Gordo, como le llamábamos, ¿te acuerdas? *(A* SEMPRONIO.), en los lejanos tiempos de nuestra alegre infancia, antes de que a Calixto le metieran sus padres en aquella fábrica de frailes de San Pancracio. (CALIXTO *suspira.)*

CALIXTO.—Estoy muy mal, amigos... Ved que durante los años de mi adolescencia y los de mi juventud, no hice otra cosa que estudiar, estudiar, y, metido entre libros, en mi horrorosa celda, atisbar las señas de la eternidad entre la fría y matemática prosa de la teología neoaristotélica, sin un respiro para el goce de mis sentidos que fuera más allá de admirar como un retrasado mental el azul de los cielos o el verde de los campos, y diciéndome como mío lo que a mí me decían: ¡Cuánta grandeza en la Creación, cuánta grandeza! Todo tenía que ser puro, abstracto, o, en fin, como único goce de la sensibilidad, según os decía, el rumor del arroyuelo, los azules celestes o marinos, las nubecitas blancas o los colorines ridículos de toda florecilla por horrible o indiferente que me fuera, cuando el solo hecho de imaginar, *verbi gratia,* el cuerpo desnudo de una mujer me hacía reo de los infiernos, y el extraño órgano que yo me notaba entre las piernas era tan sólo una vergüenza más: *mis vergüenzas*[46] como se decía, cuando uno se atrevía a mentarlo, en nuestro lenguaje conventual; aunque muy poco se nombraba, pues se prefería ignorar la existencia de tan vergonzoso huésped, salvo, claro está, para ejercer, pensando en otra cosa, la función meramente urinaria... ¿Me explico bien? Ahora que he perdido la antigua fe, oh Sempronio, oh Parmeno, ya puedo hablar, aunque quizás sea, ay de mí, *un poquito demasiado tarde*[47]. *(Bebe lar-*

---

[46] *vergüenzas:* «partes externas de los órganos humanos de la generación» (DRAE).

[47] La idea que indica esta expresión es la base de una de las últimas obras

gamente vino.) También es cierto que el logos etílico me ha liberado un tanto, en la última década, del logos espermático[48]. Quiero decir que el aguardiente que fabricábamos los frailes me sirvió, durante algún tiempo, de refugio.

SEMPRONIO.—*(Ríe.)* ¡Estás delicioso esta noche, mi querido Calixto! Y, como supongo que me has hecho llamar para algo, cuéntamelo si en ello encuentras algún gusto, viejo zoquete. Hasta me has hecho sonreír a mí que soy más conocido por mi gesto adusto y, en fin, por mi mala leche[49], que por otras cosas, como sabes.

CALIXTO.—También el hablar con vosotros, amigos del corazón, me alivia un tanto en esta noche en que me siento morir de amor, lo digo honestamente. *(Pausa.)* Melibea es el nombre de mi actual locura, que yo sé que lo es este descubrimiento tan tardío de lo que me fue velado, ¡y también vedado, prohibido!, por quienes han destruido enteramente mi vida y a quienes odio con toda mi alma: los malditos apóstoles de la pálida y siniestra Doctrina Romana, esos repugnantes maestros de la mística, de la teología moral y de la biblia en pasta a quienes Dios confunda. Heme aquí viejo ya, cuarentón ya, y sin haberlo catado pues no puede llamarse catar el amor cuando no se ha pasado, y ello desde hace poco, de solitarios y manuales ejercicios, y eso además muy a escondidas incluso de mí mismo que tenía miedo de mirarme en tan triste y miserable gimnasia[50].

SEMPRONIO.—Muy lejos de mi ánimo, oh Calixto, hacer

---

de Sastre, *Demasiado tarde para Filoctetes* (cuyo protagonista, por cierto, es conocido en Nhule como «Filo el Gordo», con el mismo sobrenombre que Calixto). Es curiosa la repetición de la frase en las citas que anteceden al texto de ese drama.

48 Las expresiones *logos etílico* y *logos espermático* acentúan el tono retórico del parlamento de Calixto y su carácter irónico.

49 La alternancia que indicamos en la nota 39 a propósito de Melibea se advierte aquí en las frases de Sempronio: *gesto adusto* — *mala leche*.

50 El Forastero explica a Jenofa: «Yo no había tenido ninguna relación con una mujer, yo... en el colegio de los jesuitas... el temor del infierno... ejercicios espirituales... masturbación... pecado» *(Jenofa Juncal, la roja gitana del monte Jaizkibel,* C. III).

un canto a la pera solitaria[51] o una apología de tales prácticas de la imaginación y de las manos. Es grotesca, sí, la figura de quien yace tan solo con los fantasmas de su fantasía aunque algunas ventajas comportan las operaciones de esa índole y algo de elevado encuentro en ellas en comparación con el festival zoológico que se organiza cuando la cosa va de veras y son dos o más los oficiantes. No quisiera herir tus castos oídos, Calixto de mi alma, y opto por callarme la boca.

PARMENO.—El hombre ya es mayor, Sempronio, y es seguro que puede escucharte sin rubor y hasta que le haría beneficio tu relato, aunque no te haga caso como yo tampoco te lo hago, pues tu visión de la humanidad es, a mi modo de ver, demasiado sombría, y en verdad que la alegría y el placer no parecen existir para ti después de haberlo probado, según parece, todo: las muchas formas de lo corriente y el efebo y la cabra, allá en tus tiempos pastoriles.

CALIXTO.—*(Con voz muy ronca.)* Mirad que soy cual niño. Tratadme, ay, con suma delicadeza, que estoy en carne viva y podría, al menor descuido, fallecer. *(Suspira sin procurar efecto cómico alguno; en ningún momento el actor ha de procurar «hacer gracia» con sus cuitas ni con sus percances por ridículos que puedan parecer, como lo son, las situaciones de los cuadros anteriores: estornudar, caerse, verse asaltado por la monjita ninfómana, etc.)*

PARMENO.—Como niño te han tratado efectivamente esos barbudos monjes de San Pancracio mientras el Prior y sus amiguetes[52], los muy sinvergüenzas, celebraban sus orgías con el personal del prostíbulo de la gitana Celestina por lo menos una vez al mes: lo sé de buena tinta, que les hacían entrar por el callejón de la Mala Sombra.

---

51 *pera solitaria:* expresión redundante puesto que *pera* significa masturbación (masculina). Se ha formado sobre *vicio solitario.*

52 Cuando, en el auto primero de *La Celestina,* llega Sempronio a casa de la alcahueta y oye arriba los pasos de Crito, que estaba con Elicia, aquélla le dice que son de una moza que le encomendó un fraile, «el ministro, el gordo».

CALIXTO.—Pues a mí mi confesor, el padre Malvino, me echaba horribles penitencias por lo más mínimo, que no pasaba, como podéis suponeros, de algún pensamiento involuntario generalmente en sueños. «Padre, que esta noche he soñado que...» Y el padre se ensañaba. Por lo que ya me daba miedo hasta dormirme.

PARMENO.—Conozco a ese padre Malvino y es de lo más golfo. En la casa de la gitana Celestina tiene fama.

CALIXTO.—Me acuerdo que por soñar que era todavía un niño y que estaba en las faldas de mi madre y que le chupaba, con perdón, una teta, me echó no sé si setenta y cinco padrenuestros o algo así y ciento ocho avemarías en desagravio de la Virgen; que qué tendría que ver, me digo yo, lo uno con lo otro.

SEMPRONIO.—No es, amigo Calixto, que yo esté a favor, ni mucho menos, de las patrañas místicas que te han tenido suspenso, durante años, de ciertas actividades culturales, pero también he de avisarte, y a eso iba, de que los hombres y las mujeres constituimos más bien un lamentable reino zoológico, el de los mamíferos más lúgubres que darse puedan: el mamífero triste[53] es un invento bien lamentable, voto a tal.

CALIXTO.—¿Cómo es eso, ahora que yo entreveo la verdadera belleza del cielo en el corazón de la Tierra y de la carne humana?

SEMPRONIO.—¿Pero tú has visto cosa más ridícula que esto que somos los humanos, pobre Calixto? Para empezar nos vemos defecados al mundo por un extraño ser portador de dos mamas —el mamífero lóbrego que decía el poeta— y en ocasiones salimos, por cierto, acompañados de un cortejo de ventosidades que nos acompañan en nuestra salida traumática a este mundo de mierda.

PARMENO.—*(Ríe.)* No le hagas caso, Calixto. Que aquí Sempronio, se pasa de fúnebre y pesimista. Es de lo más

---

53 En el cuadro VI, Celestina define a Calixto como «un mamífero triste». Puede verse al respecto Francisco Caudet, *Crónica de una marginación*, Madrid, Ediciones de la Torre, 1984, pág. 143.

ciego que he visto para la belleza de las cosas. *(Se ríe groseramente, por lo cual podemos imaginar lo que para él será la belleza de las cosas.)*

SEMPRONIO.—*(Su rostro parece ahora deformado por una mueca horrible, que expresa más que nada rencor.)* Es la puta verdad lo que yo digo, Parmeno; y es la verdad también que el cuerpo humano es una formación, por así decirlo, bastante ridícula; una barbaridad de la que se dice con éxtasis «¡qué perfección! ¡imagen y semejanza de la Divinidad!» Por el mero hecho *de que funciona...* más o menos y según los casos, pues ahí tienes el mundo de la colitis y de la lepra, del eructo y del pus, de la pestilencia y los sudores fríos de la muerte.

PARMENO.—*(Ríe a carcajadas.)* ¡Que te has pasado, Sempronio! ¡Que te pasas!

SEMPRONIO.—*(A* PARMENO, *ceñudo, sin pizca de humor.)* En tu condición de viejo cerdo de aspecto juvenil, angelical, tú te revuelcas con gusto en esa porquería y tu palabra no me vale; déjame. *(A* CALIXTO.) ¡Oh, sí, Calixto! ¡Qué fábrica tan ridícula, por emplear la expresión de don Andrés Vesalio[54], la fábrica del cuerpo humano! ¿No te das cuenta, por ejemplo, ahora que lo descubres, de que tu falo —y el mío por supuesto— es un grotesco apéndice impresentable en sociedad? (PARMENO *se ríe ahora por lo bajo.)* En cuanto a los huevos, es el acabóse de la risa. *(Ninguno ríe.)* Pero si hablamos del coitus, que tu ahora sueñas como algo divino desde tu insólita ignorancia, considera que es una atroz y muy penosa zarabanda, y siempre una mera violación de la intimidad de la jodida hembra —esa pobre y estúpida criatura— y siempre también una trampa biológica de la que Dios, si existiera, nunca, nunca podría ser perdonado por nosotros, los pobres pecadores.

---

[54] Andrés Vesalio (Bruselas, 1514-1564) fue un célebre anatomista y médico que ejerció su profesión en distintos lugares de Europa. Carlos V y Felipe II lo nombraron médico de corte. Su obra *De corporis humani fabrica* marcó un hito en la historia de la anatomía. En su presentación en *La sangre y la ceniza* afirma Servet: «He tenido como camarada de estudios a gentes muy notables como el Andrés Vesalio.»

CALIXTO.—(*Hace un leve, tímido ademán. Pide atención.*) Para mí no es así, Sempronio... Para mí... *En esto veo yo la grandeza de Dios,* en el amor humano que aún desconozco pues mi cuerpo, aunque feo, es todavía virginal... Soy como un viejo niño y estoy como naciendo... recogedme... y no me acompañan esas ventosidades que tú dices... sino por el contrario... escucho como un cántico glorificador de toda esta materia que ahora empiezo a descubrir, hermanos. Porque esta materia no es el lado oscuro del Ser... no es lo malo y corruptible, lo vicioso y mortal... el horrendo albergue del pecado como nos enseñaban... sino nuestra mayor belleza, una... una materia glorificada, ¿entiendes? Y ello me justifica ahora de aquel herético y solitario caminar de un lado para otro, sin saber adónde, como oscuro discípulo de mi Miguel... cuya doctrina conocí cuando él ya no era sino unas pavesitas de ceniza en el viento... Yo... estaba buscando esto, estaba... buscando a Melibea y yo no lo sabía. ¡Y ella es el Cristo que buscaba! ¡Oh, oh Dios mío! ¡He encontrado a Jesús!

PARMENO.—El viejo frailazo sigue hablando en ti, Calixto, a pesar de haber colgado tú los hábitos.

CALIXTO.—¡Cómo deciros! Estoy descubriendo las maravillas, y también los horrores, no me duelen prendas, Sempronio... las maravillas y los horrores de los cuerpos... Yo no vivía, amigos, en este mundo de los cuerpos... era como un fantasma entre las cosas, planeaba entre ellas, vivía en ninguna parte... en un espacio místico[55]; pero ahora... en fin, he conocido a la divina Melibea y yo...

PARMENO.—A buen lugar has ido a pegarte tú la hostia[56]. Y así, de pronto: el clásico flechazo. Como en los chistes de taberna.

---

[55] Recuérdese lo que dice Melibea al Visitador en el cuadro II. A Calixto lo ha librado el amor de ese *espacio místico,* en el que se encontraba *fuera del mundo,* y lo libera igualmente del pesimismo radical de Sempronio: el amor glorifica la sucia materia.

[56] *hostia:* golpe, porrazo, aquí de modo figurado. Puede verse la nota 37 de *La taberna fantástica.*

CALIXTO.—¿Te ríes tú de eso? ¿De mí?

PARMENO.—No, no, perdona, hombre. Ya sabes cómo soy: que no tengo malicia. (*Interviene* SEMPRONIO.)

SEMPRONIO.—¿Quieres decir que hasta ahora tú no has sentido que eras un cuerpo material? ¿Que no te dabas cuenta?

CALIXTO.—Bueno, sí... en forma de hambre, sed, cansancio, algún dolor de cabeza, y, bueno, algunas eventuales erecciones de pilila[57] que yo he tratado siempre de ignorar. Todo lo demás era... de color celeste con cantos dorados: un vuelo asexual entre los fantasmas de los objetos... pero ahora... ahora amo a Melibea y no puedo vivir sin ella. Y me siento morir.

SEMPRONIO.—Qué vulgaridad.

CALIXTO.—Sufro como un condenado y me muero de celos; no puedo resistir estos horrores.

PARMENO.—¿Celos de qué? Melibea ha abandonado lo que tú llamas —¿cómo dices?— el mundo de los cuerpos, y es seguro que ahora castiga el suyo pecador con terribles cilicios[58]. Por lo demás, su cuerpo, otrora deseable, debe dejar mucho que desear hoy en día, a decir verdad.

CALIXTO.—Veo su bello cuerpo —eternamente deseable— horriblemente mancillado en el tiempo... en otro tiempo.

PARMENO.—¡Que ya pasó, Calixto! ¿A dónde habrán ido a parar aquellas escenas lúbricas? ¡Como todo!

CALIXTO.—Nunca pasa el tiempo, Parmeno. Quedan restos como sabandijas... en la imaginación.

PARMENO.—¡Ah no! ¡El tiempo pasa, eso sí que es verdad! ¡Demasiado deprisa pasa! *¿Dónde están las nieves de antaño?* Acuérdate de lo que decía aquel poeta golfo que llamaban Villon[59].

---

57 El nombre que da Calixto al miembro viril denota su mentalidad infantil en lo concerniente al sexo.

58 *cilicio:* «faja de cerdas o de cadenillas de hierro con puntas, ceñida al cuerpo junto a la carne, que para mortificación usan algunas personas» (DRAE).

59 Se refiere Parmeno al estribillo de la «Balada de las damas de antaño»,

CALIXTO.—*(Niega, niega.)* Nunca pasa el tiempo de lo que sucede en el alma. ¡Nunca! ¡Nunca! ¡Eso sí que no! ¡Nunca! ¡Eso sí que no!

PARMENO.—*(Se encoge de hombros.)* No sé tú. Yo no tengo memoria. Para mí...

CALIXTO.—Pasará *como si nada,* no lo dudo, el tiempo del placer, de la alegría —si es que eso existe, que yo no lo conozco... Pero los doloridos espectros de la imaginación... *(Queda en un silencio angustiado.)*

PARMENO.—*(Le golpea en un hombro.)* Vamos, vamos, Calixto. Que no se diga.

CALIXTO.—*(Levanta hacia ellos sus ojos, ahora suplicantes.)* Necesito verla, Parmeno, Sempronio. ¡Os pido auxilio! *(Grita:)* ¡Auxilio!

PARMENO.—¿Ahora? ¿Verla?

CALIXTO.—Ahora. *¡Ya!* Necesito verla *ahora. ¡Ahora, ahora, ahora!*

PARMENO.—¿A Melibea? Eso es imposible.

CALIXTO.—¿Por qué?

PARMENO.—*(Paciente.) Primo,* ella está como una furia después de que la engañamos con aquel cuento de la venganza siciliana. *Secundo,* te ha denunciado a la Santa Inquisición según he podido saber por un escribiente del Santo Oficio y saben que estás en Salamanca. Hay rondas y el Convento está particularmente vigilado. (CALIXTO *niega con vehemencia.)*

CALIXTO.—A pesar de todo, tengo que verla.

SEMPRONIO.—*(Con ternura sui géneris.)* Escucha, Calixto, pobre imbécil mío... Lo más seguro, digo yo, es que Melibea y tú *no hayáis nacido el uno para el otro,* ilusión que es bastante grosera —esa, digo, de haber nacido el uno para el otro, como se dice con bastante frecuencia, es muy verdad, entre cretinos de ambos sexos— pero en algunas circunstancias podría estar relativamente justi-

---

del poeta francés del siglo XV François Villon. «Poeta golfo» lo llama porque gran parte de su vida transcurrió en una situación marginal y, tras numerosas estancias en prisión, fue condenado a morir en la horca, aunque la sentencia fue cambiada por la de destierro, en el que desapareció todo rastro suyo.

ficada por la juventud y la ignorancia de los amantes; no así en la tuya, pues no se trata tan sólo de que Calixto y Melibea seáis hombre y mujer, cosa ya de por sí bastante grave, sino de que vosotros dos habitáis en dos planetas muy distintos, y que tú, Calixto, te has puesto en marcha, ¡a buenas horas!, hacia un lugar del que Melibea ha vuelto y en el que no puede pensar sin náuseas, según lo que Parmeno, que la conoce mejor que yo, me ha contado: ese lugar de que te hablo es el del encuentro carnal, la *cama jodiendae*[60], con perdón. (*La palabra hiere a* CALIXTO. *Se lleva una mano al corazón.*)

PARMENO.—Cierto que Melibea está, digamos, de lo más antipático a ese respecto. ¡Quién la ha visto y quién la ve! ¿Te acuerdas, Calixto, de que se lo dije? Se le han subido las tocas a la cabeza. Ya viste, Calixto, cómo me despidió de su convento, ella que conmigo era, vamos, cómo decirlo; que éramos uña y carne, y sobre todo, en fin, cuando nos encontrábamos en ese mueble que Sempronio, ejem, acaba de citar. Eran los buenos tiempos y he de decir que ella me recibía siempre con mucho agrado.

CALIXTO.—(*Ha palidecido intensamente.*) ¿Quieres decir que tú con ella...? (*Se cubre la cara con las manos.* SEMPRONIO *y* PARMENO *se miran y el primero aprueba la terapia.*)

SEMPRONIO.—Parmeno es un amigo, Calixto, y te habla de hombre a hombre. (*Silencio.*)

PARMENO.—Así es, Calixto. Y has de saber que yo, en mi calidad de rufián y funcionando de cafisio[61] en el barrio alegre de Salamanca, recaudaba buenos dineros de mis niñas, una de las cuales y de las más recaudadoras era precisamente la Melibea. (*Mira a* SEMPRONIO *como preguntándole si sigue.* SEMPRONIO *hace un gesto de que sí, volviendo hacia abajo el pulgar de la mano derecha.*) Es mejor conocer la vida, ahora que tú, mi pobre Calixto, quieres incorpo-

---

60 Esta frase latina imaginaria posee un fuerte sentido irónico, como lo tenía antes la utilización de los términos *primo, secundo,* con su recuerdo escolástico.

61 *cafisio:* matón.

rarte a ella. Y has de saber que yo, a mi modo, también camelo[62] a Melibea, y que nunca le propiné más de dos o tres bofetadas a modo, y ello siempre por causa grave, como cuando la muy boba —ves que la califico muy afectuosamente— me transmitió una dolencia gálica. También es verdad que en el pecado llevó la penitencia, pues mientras que yo pude reponerme aunque no con pocas molestias la pobre mujer estuvo a la muerte con motivo de sus infecciones hasta que un cirujano, que por cierto yo le busqué y pagué de su peculio, naturalmente, la intervino y la vació del todo por dentro, de su contenido de mujer, quiero decir, para cortar el mal en sus raíces, o sea por lo sano; que ya no era mucho en verdad, dada la cruel progresión de su apestosa enfermedad, la cual a su vez... (CALIXTO *parece estar sollozando sordamente.* SEMPRONIO *hace un gesto con la mano para que se detenga. Miran a* CALIXTO, *que sigue con el rostro oculto entre las manos. En el silencio, sus convulsiones parece que disminuyen. Entonces* SEMPRONIO *indica a* PARMENO *que ya puede seguir, y él continúa:)* Sobre aquella cruel enfermedad, yo creo que el contagio lo tuvo Melibea con motivo de la estancia en Salamanca de unos soldados flamencos, de pasta abundante, que andaban en la guardia del Emperador Carlos V, y por cierto que, en mi opinión, Melibea anduvo medio loca por uno de aquellos flemáticos gigantes; uno que era de lo más borrachín y repulsivo en mi modesta opinión; el cual, que por cierto era pelirrojo... *(De pronto* CALIXTO *da un gran grito animal —quizás ha querido decir «¡calla, cállate!»— y se abalanza contra* PARMENO *esgrimiendo una daga con la cual lo apuñala llorando y berreando como una fiera. Sempronio no mueve ni un músculo. Asiste a la escena como si se tratara de un curioso espectáculo. El cuerpo de* PARMENO *deja de agitarse después de un último estertor.* CALIXTO *mira con horror a* SEMPRONIO *y le muestra sus manos ensangrentadas.)*

SEMPRONIO.—*(Sin denotar ni la menor emoción, comenta en forma de diagnóstico, no de reconvención por lo que acaba de ver:)* Es

[62] *camelar:* querer, amar (DRAE).

evidente que estás loco porque de otra manera no se entiende.

CALIXTO.—¿Qué hacer?

SEMPRONIO.—No sé: cierra la puerta. ¡Qué cosas tienes! En fin, lo enterraremos en el patio. No veo una mejor solución y además, ahora que me acuerdo, hay en él un rincón muy a propósito.

CALIXTO.—¡Pobre Parmeno! ¡Pobre Parmeno! *(Llora.)* Cierto que era un terrible canalla, pero esto no justifica que yo...

SEMPRONIO.—Cálmate, ya que lo has hecho.

CALIXTO.—¿Qué me ha pasado a mí para tener este pronto? Era tan sucio todo lo que decía, ¿verdad?, que yo...

SEMPRONIO.—Tú sabrás, hijo. Yo no soy un sicólogo. *(Bebe un trago de vino.)* En cuanto a Parmeno, ya sabes que era un cerdo, como todo el mundo. No te preocupes más, que luego le damos sepultura. Por lo que a mí respecta, dada la gravedad de tu caso y dado así mismo que yo te amo tiernamente... *(Ha cerrado él mismo la puerta.)* Te dije que cerraras. Puede venir alguien y acuérdate de que ya no eres tan sólo un hereje sino además un asesino; lo cual a mí no me parece mal, que conste.

CALIXTO.—No... no puedo ni moverme.

SEMPRONIO.—Idiota... En fin, te decía que voy a echarte una mano, si tanto insistes, en el asunto Melibea, para lo cual necesitaría algún dinero.

CALIXTO.—Todo lo que yo tenga... La chabola que me dejaron mis padres en la ribera del Tormes[63] es para ti desde ahora mismo. También tengo una sortija de oro y una pulsera de mi abuela. Pero no sé qué me da hablar de este negocio junto a los restos mortales de este hijoputa, que cada vez que me acuerdo... *(Vuelve a agitarse.)*

---

63 *chabola:* «vivienda de escasas proporciones y pobre construcción, que suele edificarse en zonas suburbanas» (DRAE).

Cuando Pármeno explica en *La Celestina* a Calisto quién es la vieja, le dice: «Tiene esta buena dueña al cabo de la ciudad, allá cerca de las tenerías, en la cuesta del río, una casa apartada, medio caída, poco compuesta y menos abastada» (A. I).

SEMPRONIO.—Deja el fiambre[64] en paz o no haberlo ultimado[65], carape[66]; y vamos, si te parece, a trabajar.

CALIXTO.—Me decías...

SEMPRONIO.—Hablaba de sucia pasta mineral[67] muy necesaria para sobornos y otras leches, amén de para mi insaciable bolsillo que no es manco.

CALIXTO.—Por lo que veo, ay Sempronio, tú también te has convertido en sinvergüenza durante mi larga estancia en el convento; y te lo digo porque efectivamente estoy enamorado pero lejos aún de chuparme el pulgar.

SEMPRONIO.—Claro que sí, Calixto mío; estás hablando con una basurita, la cual a veces gemía y chillaba sin que nadie escuchara su pobre grito y mucho menos Dios cuya posible existencia, por cierto, me horripila. ¿Sabes que el otro día me demostraron, así como suena, la existencia de Dios. Y yo grité: ¡Socorro! ¡Socorro! ¡Porque imagínate si Dios existiera! ¡Qué horror! ¡Esta historia, ya de por sí asquerosísima, sería más terrorífica aún de lo que hasta ahora podía razonablemente suponerse! ¡Un monstruo omnipotente: una sinfonía del horror, Calixto! Mira: a mí, que ya no me asusto de nada, *eso me escalofría,* francamente.

CALIXTO.—*(Alucinado.)* Pero, Sempronio, parece mentira que no te des cuenta de que Dios existe. ¡Dios existe, Sempronio! ¡Se llama Melibea! ¡Un Dios dolorido, maltratado!

SEMPRONIO.—*(Paciente.)* Ah, claro. Eso sí... bueno. Pues entonces vamos al asunto. Empezando por el problema financiero que te decía...

CALIXTO.—Pero antes deberíamos enterrar *esto.* ¿O no? Ha torcido la boca y se ha quedado como bizco. Me da miedo, Sempronio.

SEMPRONIO.—Espérate un momento, que anochezca más.

---

64 *fiambre:* cadáver (DRAE).

65 *ultimar:* matar (el DRAE lo da como término propio de América).

66 *carape:* eufemismo que cuadra con el tono que ahora emplea Sempronio. Ese mismo sentido tiene después la irónica variación de la frase hecha: *chuparme el pulgar. Vid.* nota 51 de *La taberna fantástica.*

67 *pasta mineral:* dinero.

El patinillo[68] se ve desde la calle. *(Como queriendo conversar.)* ¿Te gusta Salamanca?

CALIXTO.—No... Odio esta ciudad... En ella ha sido herida y torturada mi pobre Melibea. *(Con horror.)* En sus tabernas su cuerpo ha sido mancillado. En esas zahúrdas[69] miles de borrachos han gozado como bestias de su divino cuerpo.

SEMPRONIO.—¡Hombre! Tanto como miles, no sé. Y en cuanto a lo de divino cuerpo, tampoco hay que exagerar.

CALIXTO.—*(Recelosísimo, lo coge por el cuello.)* ¿Y tú qué sabes?

SEMPRONIO.—No, yo nada. Te lo aseguro, hombre.

CALIXTO.—¿No? *(Suplicante.)* ¿De verdad que no?

SEMPRONIO.—Que no, Calixto, que no. Mira que eres pesado.

CALIXTO.—*(Lo mira, arrobado.)* ¡Cómo te quiero! Me haces muy feliz. *(Se seca una lágrima.)* Con sólo eso, ya me ayudas una barbaridad.

SEMPRONIO.—Pues eso no es nada para lo que pienso hacer si dispongo de los parneses[70] adecuados a la situación.

CALIXTO.—Eso está hecho, como te digo.

SEMPRONIO.—Entonces... *(Pausa de efecto.)* Entonces hablaré con la gitana Celestina. *(Un trueno.)*

CALIXTO.—¿Qué es eso? ¿Un trueno? El cielo se ha cubierto de pronto. Estaba raso.

SEMPRONIO.—*(Se ríe.)* ¡Cosas de Celestina, seguro! Esa gran bruja se habrá dado cuenta de que hablo de ella y se quiere dar importancia. *(Con simpatía:)* ¡Qué canalla es! Le gusta el mal teatro a la muy zorra. *(Pausa.* CALIXTO *está sombrío.)* ¿Qué te sucede ahora?

CALIXTO.—Has dicho *Celestina.*

SEMPRONIO.—¿Y qué? *(Pausa.)*

---

[68] *patinillo:* diminutivo de patio (DRAE).

[69] *zahúrda:* pocilga (DRAE).

[70] *parneses:* plural de *parné,* dinero (DRAE, moneda).

Hay en la frase de Sempronio un recuerdo degradado de la de Melibea en el cuadro I: «Pues más grande galardón aún te daré yo si perseveras», tomada del auto primero de *La Celestina.*

CALIXTO.—Entonces le ha llegado su turno a Celestina[71]. *(Pausa.)* ¿Qué querrá decir este recurso del Autor?[72].

SEMPRONIO.—*(Ríe.)* Ya sé por dónde vas. Es una tontería. ¿Y sabes por qué? Porque mi Celestina es una calé[73] indoegipciaca, no te digo más. ¡Una gitana de lo más salado y desenvuelto!

CALIXTO.—*(Ensimismado.)* ¿Y yo? ¿Qué va a ser de mí? ¿He de llegar a las supremas delicias de aquel huerto? Pero también, ¿he de morir de tan terrible manera? ¿Estrellado en el suelo? ¿Hay alguna torre en el convento para la muerte de mi amor? ¿Habrá, pues, una vez más, suicidio de Melibea? ¿Y quién será Pleberio en esta historia para llorar? ¿Qué trato es el vuestro con esa Celestina? ¿Y qué? ¿Le pediréis vuestra parte? ¿Y qué? ¿Acabaréis por degollarla?[74].

SEMPRONIO.—Por ahora Parmeno ha fallecido de otra forma. *(Ríe.)* ¿Lo ves?

CALIXTO.—Cuidado con lo que haces. Puedes terminar de muy mala manera en una plaza pública. Cuídate, cuídate.

SEMPRONIO.—Estás loco, Calixto.

CALIXTO.—¡Cuídate del pueblo en sus momentos de cólera! Pueden cortarte tus atributos masculinos, sacarte los ojos y terminar cortándote la cabeza.

SEMPRONIO.—*(Ríe lúgubremente.)* Eso sería demasiado para mí. Mejor colgarme yo mismo de una cuerda. ¿No te parece una idea excelente? Acabo de pensarla después de un gran esfuerzo intelectual. ¿No te parece una ocurrencia lúgubre y particularmente divertida? *(Suena otro true-*

---

[71] Sin embargo, de Celestina y de sus actividades ya había hablado Parmeno en este mismo cuadro.

[72] *Vid.* la nota 1 de *La taberna fantástica.*

En el último cuadro es Sempronio quien grita: «¡Eh tú Autor! ¿Qué pinto yo todavía aquí?», sin escuchar respuesta alguna.

[73] *calé:* gitano de raza (DRAE).

[74] Calixto, ante la mención de Celestina, se pregunta por el paralelismo entre su historia teatral y la obra literaria que conoce. La fatalidad de las repeticiones que teme es negada por Sempronio, puesto que la muerte de Parmeno ha ocurrido de otro modo.

no, ahora de lo más teatral. SEMPRONIO *protesta elevando la voz hacia la ventana.)* ¡Ya está bien, Celestina! *(A* CALIXTO.) ¿No es un efecto demasiado recargado?

CALIXTO.—*(Como volviendo en sí de su alucinación.)* Te burlas de mi pobre persona. ¿Cómo va a tener tu Celestina esos poderes?

SEMPRONIO.—Es cierto lo que te digo. Celestina, a quien vamos a exponer tu lamentable caso, dado que por medios humanos es imposible de resolver, practica las artes de la brujería que heredó de su madre[75], la cual fue quemada con otras de Ledesma aquí en la plaza mayor hace unos cincuenta años aproximadamente.

CALIXTO.—¿Pues cuántos tiene esa gitana?

SEMPRONIO.—Ya ha debido cumplir los cien según mis cálculos.

CALIXTO.—*(Evidentemente le parece bastante vieja.)* ¿Y a esa edad conserva facultades? Estará ciega y sorda como una tapia.

SEMPRONIO.—Ten en cuenta que son facultades diabólicas. Está de muy buen ver, ya la verás[76].

CALIXTO.—*(Con angustia.)* No veo lo que esa Celestina pueda hacer por mí.

SEMPRONIO.—Ten en cuenta que, aparte de la cosa diabólica, Celestina, que es una reina del placer, tuvo a Melibea —con perdón— como pupila suya en una casa de lenocinio que poseía allá, por detrás de la Colegiata,

---

[75] Martín Recuerda ha insistido en *Las Conversiones* en la importancia de la brujería. La Claudina, maestra de Celestina, tiene visiones y poderes y se relaciona con Lucifer y con otras brujas, es experta en yerbas mágicas y deja a Celestina entre sus bienes un frasco de beleño del que ésta toma finalmente, al tiempo que se inicia el conjuro y se ve obligada a aceptar su destino (*vid.* José Martín Recuerda, *Las Conversiones. Las ilusiones de las hermanas viajeras,* Murcia, Godoy, 1981. Estudio preliminar de Antonio Morales).

[76] Celestina dice tener dos siglos y ochenta y cuatro años en *Los polvos de la Madre Celestina,* de Hartzenbusch, pero no disfruta de juventud: «El destino, al darme tan absoluto dominio sobre la naturaleza, me concedió también el don de la inmortalidad; pero lo contrabalanceó con la pensión terrible de que viviese en vejez perpetua. [...] Yo puedo, sin embargo, rejuvenecerme; puede reducirse mi vida a la duración común, y lo deseo con ansia» (A. I, E. XIX).

hace ya muchos años, y que además ella tiene acceso al convento por los remedios que procura a las hermanitas enfermas: hierbas, elixires, y otras leches rejuvenecedoras.

CALIXTO.—¿Dejan entrar a una bruja en un convento? Y además gitana.

SEMPRONIO.—*(Ríe.)* Hay otras brujas dentro de él, más o menos arrepentidas. El señor Obispo no se entera de estas pequeñas corrupciones. Pero, además, esta gitana Celestina es muy fuerte en nuestros bajos fondos y en ellos ha conocido a muy altos personajes: bajos fondos, altos personajes. Ello le abre puertas aún más difíciles que las de ese conventuelo... Así, pues, querido Calixto, veremos a Celestina y ella ha de facilitarte, a no dudarlo, por mucho que Melibea no quiera verte ni por el forro[77], una entrevista con ella; y en cuanto a burlar a tus perseguidores de la Inquisición, los cuales merodean por todas las calles de Salamanca, como sabes, a la búsqueda del hereje, Celestina verá la forma de protegerte. Bueno, y ahora que ha oscurecido, ayúdame a enterrar cristianamente a este pobre amigo de nuestra alegre juventud.

CALIXTO.—*(Se sobresalta.)* ¡Ay, sí! ¡Se me olvidaba! ¿Por dónde agarro yo? *(Mientras lo agarran por las axilas y por los pies y lo trasladan hacia la puerta, va haciéndose el oscuro.)*

[77] *ni por el forro:* ni por asomo (DRAE).

CUADRO IV

Que trata de Celestina

(Una cripta gótica. Un historiado ataúd. Entra AREUSA *y golpea con los nudillos en la tapa.)*

AREUSA.—Celestina, Celestina. ¿Estás ahí? *(Se oye un poderoso bostezo.)* Que son las doce de la noche, mujer. Que hace horas que ha anochecido, y tú, venga de dormir... *(Abre la tapa.)* Venga, desperézate, que tienes visita. *(Bostezando, se incorpora en el ataúd, y queda sentada dentro,* CELESTINA[78]. *Es una mujer bellísima*[79]. *Lleva un precioso sudario-camisón medio transparente, bordado de florecitas.)*

CELESTINA.—*(Bostezando, perezosa.)* ¿Tan pronto es ya? ¡Ay! Se me han pegado las tierras... He tenido unas pesadillas de lo más agradable. *(Coge puñados de tierra de dentro del ataúd y los deja escurrirse entre sus dedos)*[80]. Por cierto que va a haber que cambiar la tierra un día de estos.

---

[78] Celestina, como el conde Drácula, pasa el día en un ataúd y tiene actividad durante la noche. Conocida es la afición de Alfonso Sastre por los mitos de terror *(vid.* la nota 49 de la Introducción y la nota 69 de *La taberna fantástica)*. Tan sólo queremos recordar aquí que en *Crónicas romanas* (C. VII) se dice que Viriato, que ataca casi siempre por la noche, es entonces «como un murciélago a la luz de la luna»; que Jenofa está caracterizada como «gitana antropófaga, arpía adorable, vieja y preciosa vampira» *(Jenofa Juncal, la roja gitana del monte Jaizkibel,* C. II); y que Seforá, esposa de Moisés, es una «bruja madianita» *(Revelaciones inesperadas sobre Moisés)*.

En *Lumpen, marginación y jerigonça* (cap. XXXVIII) dice Sastre que en esta obra aceptó «la anticuada hipótesis egipcia como origen de los gitanos» y apunta «la muy estrecha relación que a veces se da entre las historias gitanas y los mitos vampirescos».

[79] Esta última frase falta en la versión italiana porque en ella Celestina aparece vieja y fea y su magia hace que los personajes la vean joven y bella, puesto que posee «la capacità di recuperare, a cent' anni la propria *bellezza,* non si sa se realmente o illusionisticamente», según dice Luigi Squarzina («"Solo tu, Melibea" (II, 7)», Alfonso Sastre, *La Celestina. Storia di amore e di magia con qualche citazione dalla famosa tragicomedia di Calisto e Melibea,* Roma Officina Edizioni, 1979, pág. 11).

[80] Areúsa interrumpe aquí a Celestina, en la versión italiana, para decirle

AREUSA.—Ya la cambiamos la semana pasada; y ten en cuenta que Egipto está muy lejos y que los mercaderes te la cobran a precio de oro.

CELESTINA.—*(Bosteza.)* Desde que me quemaron en la hoguera, hace ahora cincuenta años[81], ando un poco pachucha; y tengo que cuidarme, Areusa. No voy a escatimar gastos en lo que se refiere a mi salud... Estos sueños en la tierra de mis antepasados son vida para mí.

AREUSA.—Siempre estás con esta historia de que te quemaron en una hoguera, pero todo el mundo dice que a quien quemaron fue a tu madre. (CELESTINA *sale del ataúd. Ríe.)* Y todo el mundo dice también que, una vez que se muere, no se puede resucitar.

CELESTINA.—Tú eres aún una chavala[82], Areusa, y, como tal, capaz de creerte cualquier tontería de las que se oyen por ahí. *(Haciendo su toilette.)* Cada vez está más extendida esa vieja superstición de que las brujas son un cuento y de que la muerte existe y otras barbaridades por el estilo. ¡No sé a dónde vamos a parar! ¡Ay, Satanás! ¿A dónde van las costumbres? Anda, ayúdame a peinarme. (AREUSA *la peina.)* Eso de que los espejos no reflejen mi imagen —así, como si yo no existiera—, es una verdadera lata. Seguro que esto de los espejos es un invento —¿cómo llamáis a *eso?* Ah, sí— de Dios. *(Pronuncia la palabra Dios con repugnancia.)* Se creerá el Tío que de esa manera no existe la vida: *no se refleja, luego no existe... (Ríe encantadoramente: diabólicamente.)* Pero aquí estamos, vivi-

---

«Come sei bella, Celestina. Sei bellisima». Frases semejantes repiten ella y otros personajes por la razón que indicamos en la nota anterior.

[81] Recuérdense las palabras de Sempronio sobre Celestina y su madre al final del cuadro III.

En las obras posteriores a la de Rojas en las que aparece Celestina, se ha de evitar su muerte anterior, como es lógico. Así en *Segunda Celestina,* de Feliciano de Silva, la tercera dice a Zenara en la Cena VII que Pármeno y Sempronio no lograron quitarle la vida. En *Los polvos de la Madre Celestina* afirma igualmente que los criados de Calixto no llegaron a matarla y que «un cadáver desfigurado fue a la sepultura con mi nombre» (A. I, E. XIX). La naturaleza del personaje de Alfonso Sastre exige, por el contrario, esa muerte previa.

[82] *chavala:* niña, joven (DRAE).

tos y coleando, gitanos, vizcaínos, egipcios y de todo, aunque no nos reflejemos en *sus* espejos. ¿Has roto los de hoy? No olvides, Areusa, esa blasfemia cotidiana contra el narcisismo de Dios[83].

AREUSA.—Ay no. Se me había olvidado; perdona. (*Rompe cuidadosamente varios espejos.* CELESTINA *ya está peinada. Se despoja del camisón y, una vez desnuda, se viste como en una danza antistreptease: su vestirse es una encantadora ceremonia. Cuando termina, pregunta a* AREUSA.)

CELESTINA.—¿Qué dijiste de una visita? (*Como muy despistada:*) Cuando entraste, ¿hace años?, me hablaste de algo así.

AREUSA.—Ah, es verdad. Ha venido Sempronio con un amigo suyo. Dice que necesita verte con urgencia y te presenta sus respetos.

CELESTINA.—Dile que pase, mujer; y prepara unas copas. (*Con exaltada alegría:*) ¡Es de noche, Areusa, y hay que celebrarlo! (AREUSA *sale.* CELESTINA *se maquilla con una gran maestría. Se pinta de negro los labios y se hace una máscara de lo más extraño y sugestivo. Después hace una danza ritual como alrededor de una hoguera fantástica. Por fin, entran* SEMPRONIO *y* CALIXTO, *que anda como perdido: no comprende nada. Ve a* CELESTINA *y seguramente no entiende que tenga tantos años, pero, como tampoco entiende otras cosas, o quizás no entiende nada, lo acepta todo:* el mundo debe ser así de extraño. *La escena de la presentación y explicación del problema de* CALIXTO *es mímica y el diálogo es sólo: bla bla bla.*)

SEMPRONIO.—Bla.

CELESTINA.—Bla bla.

SEMPRONIO.—Bla bla bla.

CELESTINA.—¿Bla?

CALIXTO.—Bla.

---

83 En la versión italiana no figuran los *vizcaínos* entre esos seres cuya marginalidad se simboliza en que no se reflejan en los espejos, como se afirma de los vampiros.

Celestina llama por extensión blasfemia al *hecho* de romper los espejos, lo que supone una acción injuriosa ante Dios, que dispuso que no se viesen en ellos sus imágenes. Con relación a las blasfemias, muestra de satanismo, *vid.* el cuadro V de *Jenofa Juncal, la roja gitana del monte Jaizkibel.*

CELESTINA.—Bla bla. (*Se dispone a escuchar a* CALIXTO.) Bla...

CALIXTO.—Bla bla bla. Bla bla bla. Bla bla bla. (*Etcétera. Al fin,* SEMPRONIO *y* AREUSA *se retiran, aceptando un bla bla bla de* CELESTINA, *que los despide, y quedan ésta y* CALIXTO *solos. Pausa. Como resumiendo todo el bla bla bla:*) Lo cual, que no puedo vivir sin ella. (*Está tristísimo.*) No tengo ganas de comer ni de vivir, oh Celestina, y mis noches las paso en terribles batallas contra mis muchas angustias: «y es triste campo de batalla el lecho», como decía el poeta Garcilaso[84]. No pego ojo, y yo... ¡yo quisiera morirme, señora Celestina! ¡Me estoy volviendo loco! (*Se golpea la cabeza con los puños.* CELESTINA *se sienta junto a él. Lo abraza amorosamente y le besa en los labios con dulzura.*)

CELESTINA.—De eso nada, Calixto, hijo... Palmarla[85] es lo último, pero lo último que le puede ocurrir a uno. ¿Qué rollo[86] es ese de morir?

CALIXTO.—¡Ay, ay, señora Celestina! No sé qué hacer para vivir en esta vida. Me estoy muriendo a chorros.

CELESTINA.—Para empezar, no me llames señora, majo. Anda, sigue.

CALIXTO.—¡Ay, Celestina! Son muchos y muy gravísimos[87] mis males, y pienso que vivir sí que es lo último y lo peor que puede sucederle a uno.

CELESTINA.—¡No me seas un payo[88] malo, tontico, bobito, perlica; tranquilízate, putico[89], y habla a la madre Celestina, reina de los gitanos en todas las Españas! ¿Tú

---

[84] El verso octavo del soneto XVII de Garcilaso de la Vega (traducido, señala Herrera, del soneto 10 de Petrarca) dice: «y duro campo de batalla el lecho». En el cuadro III de *El viaje infinito de Sancho Panza* hace Alonso Quijano una paráfrasis de ese verso: «el lecho es duro campo de batalla para mis huesos».

[85] *palmarla:* morirse.

[86] *rollo: vid.* la nota 19 de *La taberna fantástica.*

[87] *muy gravísimos:* expresión ponderativa con valor irónico.

[88] *payo:* «para el gitano, el que no pertenece a su raza» (DRAE).

[89] Estos diminutivos son característicos del habla de Celestina en la pieza clásica. En el auto primero le dice a Pármeno: «¡Neciuelo; loquito, angelico, perlica, simplecico! ¿Lobitos en tal gestico? Llégate acá, putico.»

enamorado, tú perseguido? ¿Qué sabes tú de esas dolencias? ¿Qué podrían decir mis gitanitos? ¿Los ves por esos pueblos? Sus ojillos son tristes porque nadie les ama y tienen hambre, y ya los ves cantar y bailar, con qué alegría. ¿Qué dices de sufrir? ¿Perteneces tú a una raza maldita como la nuestra para saber del verdadero sufrimiento? ¿Estás comido de piojos? ¿Te duermes bajo un puente? ¿Te atan a los árboles en los caminos? ¿Te cortan las orejas? ¿Te atraviesa el corazón la Santa Hermandad tan sólo porque existes? ¿Escupen a tu paso? ¿Se tapan las narices, se agarran el bolsillo? ¿Hacen gestos de asco al verte, señorito?[90]. Vamos, vamos a ver tu problema de señorito payo... Vamos a ver, hombre, vamos a ver.

CALIXTO.—*(Avergonzado.)* ¡Perdón, perdón! Yo no elegí ser payo. Yo... *(Pausa.)* Es... un problema el mío que... No es nada, ya... El problema de un fraile, tonterías... Pero... No sé... *(Una pausa. Más tranquilo:)* Allá en el convento, ahora me doy cuenta, era muy, muy feliz... en un mundo de... ideas platónicas —¿sabes lo que es eso?— y de pasmos ante... ante una luz interior, imaginaria si quieres, pero real, de la que me decían: *eso es Dios;* y yo lloraba de alegría y de agradecimiento... y sentía que entonces me elevaba del suelo... y me elevaba en verdad... ¿Sabes que un día me pegué un coscorrón —bueno, una hostia...— contra el techo de mi celda? (CELESTINA *ríe alegremente.)* Esto es verdad; te lo juro.

CELESTINA.—Claro que eso es verdad, bobo, tontuelo; y más alto se sube; y el motor de esas elevaciones no es otro que tu desasosiego... Cuando anda desasosegada la punta de la barriguita[91], suceden esas cosas y otras muchas más que no son sino milagros del amor.

---

[90] En *Lumpen, marginación y jerigonça* inicia Sastre el capítulo XXXVIII con la cita de las anteriores palabras de Celestina. Y añade esta explicación: «De esa manera trataba de expresar mi personaje cómo es una tragedia cotidiana la vida del gitano —una tragedia jocunda, por otra parte— que es posible confrontar con las más ilustres desdichas de la literatura, y que aún las supera en su sórdida y desconocida grandeza: es ni más ni menos que la tragedia de la marginación en una forma, sin duda, muy particular.»

[91] Tras las palabras de Celestina a Pármeno citadas en la nota 89, añadía:

CALIXTO.—(*Intrigado.*) ¿Qué dices tú de la punta de la barriga? No te entiendo.

CELESTINA.—(*Le pone una mano ahí.*) Hablo de esto, barriguita inquieta; eso es lo que te pasa.

CALIXTO.—(*Apurado.*) Ay, Estate quieta, que... (*Con vergüenza.*) También quería hablarte de esto, Celestina, tú que sabes tanto.

CELESTINA.—(*Acariciándolo con simpatía.*) Cuenta, cuenta.

CALIXTO.—Que, ¡ay, madre mía!, que tengo miedo de no valer, y ahora, con lo de Melibea, esto me inquieta mucho.

CELESTINA.—El aparato, así al tacto, no parece defectuoso.

CALIXTO.—Soy un poco viejo y además creo que, en los últimos tiempos, he bebido mucho aguardiente. Pero además el otro día tuve un fracaso con una monja.

CELESTINA.—(*Se monda de risa*)[92]. ¿Con una monja dices? ¿Por ahí empiezas, golfo? ¿Profanando unos hábitos?

CALIXTO.—(*Rojo como la grana.*) Yo no quería.

CELESTINA.—(*Risueña.*) ¿Y qué pasó?

CALIXTO.—(*Ceñudo.*) Que no hubo forma, en fin, que yo...

CELESTINA.—Si tú no querías, como dices, es lógico que no hubiera forma; tranquilízate.

CALIXTO.—¿Pero y si quiero y tampoco puedo?

CELESTINA.—Empezaremos, dentro de un rato, por resolver este asuntillo y, una vez resuelto, estudiaremos el otro problema y sus dificultades y te he de poner, así como suena, al ladito de Melibea. ¿Qué más quieres?

CALIXTO.—¿Qué más puedo querer?

CELESTINA.—Pero antes de empezar hay que ir destruyendo poquito a poco todas esas ideas que aún viven en esa cabezota de burro que tú tienes... a la que sólo le faltan unas grandes orejotas para serlo del todo... Acabas de descubrir la vida y te parece algo deseable pero también *horrible*. ¿No es verdad?

«Que la voz tienes ronca, las barbas te apuntan. Mal sosegadilla debes tener la punta de la barriga.» Pero mientras Calixto no entiende aquí a la alcahueta, Pármeno respondía: «¡Como cola de alacrán!»

[92] *mondarse de risa:* desternillarse de risa.

CALIXTO.—¿Cómo lo sabes?

CELESTINA.—Porque has dicho que *vivir es lo último.*

CALIXTO.—¡Descubro la belleza de Melibea, su divina belleza y...! (CELESTINA *se estremece y hace un mal gesto.*) ¿Me he expresado mal?

CELESTINA.—Hace tiempo que no veo a Melibea, desde que abandonó mi alegre morada para meterse en esa triste casa de putas que es el convento; pero jamás se pudo decir de ella que fuera una belleza *divina*... ¡Qué atrocidad! Era una criatura *perfectamente diabólica;* y en ello residía, claro está, su enorme y turbador encanto... Lo divino es precisamente lo feo, lo horrible, lo asqueroso. Pobre amigo mío: no confundamos, por favor, que, en verdad, me duele escuchar tamaños despropósitos como los tuyos.

CALIXTO.—*(Confuso.)* Yo decía belleza *divina* porque, dada mi formación teológica y carcunda[93], yo...

CELESTINA.—No te preocupes, hombre. Sigue.

CALIXTO.—¡Descubro, en fin, la belleza *infernal* de la mujer! ¡Es Melibea!

CELESTINA.—Eso ya está mejor.

CALIXTO.—Pero a la par descubro con horror las abyecciones de la vida... el pestilente fango en el que la vida nace y se hace, y yo... siento terror a meterme en todo ese fango de la vida. Porque yo... *yo soy puro y extraño,* Celestina. ¡No te rías de mí! Tú eres mi única alegría ahora que, no sé por qué caminos confusos, te he conocido... y me agarro a ti como... como a un clavo ardiendo... ¡No me dejes hundirme en este abismo, Celestina mía! Quiéreme un poco, explícame...

CELESTINA.—Pero, Calixto... ¿cómo puedes decir...? Pero si la vida nunca es abyecta, *nunca*... Pero si lo único abyecto que hay en este mundo es la muerte... Ah, Calixto... ¿Quieres que te hable de Melibea? Melibea *era la vida* cuando yo la conocí; era... la alegría del barrio... y mi mejor ayudante, todo hay que decirlo, cuando de remendar un virgo o de hacer una cocción mágica de

---

[93] *carcunda:* persona retrógada (DRAE). De ella deriva *carca.*

hierbas se trataba. ¡Era... una preciosa bruja! *¡Imagínatela alegre!* ¿Ello te da dolor? ¿Saber que ella *vivía antes* de que tú la conocieras? Esos celos tuyos son una infamia y una mezquindad. Sé grande, Calixto. Sé *diabólico,* por favor.

CALIXTO.—Es... que tengo pena de su cuerpo mancillado a cambio de dineros en esa porquería del prostíbulo que, según me han dicho, tú regentabas. ¿Es verdad que tienes cien años? ¡La vieja puta Celestina! ¿Es verdad que tú eres un Demonio? ¿Es verdad que tu madre fue quemada en una hoguera por la Inquisición? ¿Es verdad que tienes tratos con el Infierno? ¿Es verdad que surges por la noche entre las sombras? ¿Que vuelas sobre una escoba?

CELESTINA.—*(Ríe de buena gana.)* Menos lo de mi madre, todo lo demás es cierto. ¿Te parece muy mal?

CALIXTO.—No, no, perdóname.

CELESTINA.—A mí sí me parece mal, o sea, *perfectamente.*

CALIXTO.—Ah, ya. *(Hecho un lío.)*

CELESTINA.—Mientras que tú, por lo que veo, eres un digno cerdo, si así puede decirse... Lo que te fastidia de *haber llegado tarde* a Melibea es que te la encuentras *usada,* ¿no es así?

CALIXTO.—*(Con dolor.)* ¿Cómo, cómo dices? Yo... yo no pretendo *usarla,* Celestina... Yo siento *amor...* amooor... Es ella la que se siente *usada* y por ello odia a *los hombres,* a ver si te enteras, Celestina; y ahí está una de las principales causas de que yo no pueda llegar a ella, porque ella me ve *como si yo fuera un hombre,* ¿comprendes?, como si yo... y yo no. *(No sabe exactamente lo que «él no».)* Quiero decir...

CELESTINA.—Está bien, está bien. El problema es más grave de lo que tu supones, sin embargo, dejando a un lado, de momento, que tú seas un hereje y ella se haya metido, la pobre, en religión.

CALIXTO.—*(Asombrado.)* ¿Más grave aún?

CELESTINA.—Sí... *Porque tú, oh Calixto, no has nacido todavía y Melibea ha muerto. (Suena un trueno lejano.)*

CALIXTO.—¿Es cosa tuya ese trueno? *(Asustado.)*

CELESTINA.—Sí; es para subrayar...

CALIXTO.—Ya, ya. Comprendo, pero me ha cogido descuidado... Es una forma de subrayar que... *(Suena otro trueno.)* Este ya está mejor; como se lo espera uno, entonces... ¿Pero cómo decías? Me has dejado helado. Que yo esté naciendo, bueno, eso es verdad... *(Gime.)* ¡Uj! ¡Uj! Estoy saliendo a duras penas del claustro materno, uj, uj, con lo calentito que se estaba ahí dentro... qué frío, qué frío... ¿Qué es esto? ¿Me enredo en una tripa? ¿Es una cuerda? ¿Me la cortan? La cuerda, digo... el cordón del ombligo... tijeretazo, ya... ¿A qué viene todo esto de nacer? Paso por ello... pero que Melibea esté muerta, ah, eso no, mil veces no.

CELESTINA.—Sí, sí, está muerta; muerta como un ángel ¿Sabes lo que es un ángel?

CALIXTO.—*(Se encoge de hombros.)* Espíritus puros o algo así; así los llamábamos.

CELESTINA.—Se es un ángel cuando se siente asco de la vida... Melibea es un ángel... Un cadáver enterrado en la basura de ese convento. (CALIXTO *señala con un gesto de interrogación el ataúd.)*

CALIXTO.—¿Y esto?

CELESTINA.—Ah no, esto es diferente... Yo me entierro en este ataúd cada día que pasa... entierro en él mis penas y mis años, mis melancolías y desde luego mis tentaciones de morir... *De ahí mi eterna juventud*... ¡Y ahora alégrate, Calixto, alégrate! Porque el muerto corazón de Melibea ha de volver a latir si en ello nos empeñamos adecuadamente. Entre tú y yo haremos ese milagro... ¡Este es mi negocio! ¿No lo sabías? Pues esto es Celestina... Ese puente diabólico entre los dos seres que no saben cómo encontrarse, cómo... como desnudarse... esa comunicación imposible entre los sexos... esa victoria contra la soledad... La soledad es un invento divino, ¿no lo sabías?, metido a traición por el de Arriba *(Con odio.)* en el corazón de los hombres; y yo sé cómo se estrangula ese pesado monstruo[94]. *(Le besa, le acaricia. Él corresponde*

[94] La tercería celestinesca adquiere así un sentido trascendente, diabólico y antidivino.

ahora con entusiasmo.)

CALIXTO.—*(Con fervor amoroso.)* ¡Celestina! ¡Pero Celestina! ¡Ay, Celestina!

CELESTINA.—Así... así... *(Está sobre él.)* En efecto, ya eres un hombre... Estás naciendo muy bien, ¿sabes?

CALIXTO.—Oh gracias, gracias... *(Con los ojos cerrados.)* Me dejo acunar por ti. Gracias... Llévame. Llévame. (CELESTINA *le muerde suavemente en el cuello... Él queda inmóvil, como paralizado en un éxtasis... Va haciéndose el oscuro... Música y al momento vuelve la luz sobre* CELESTINA *sola, que, en un ambiente «diabólico», invoca a Satanás y realiza un ritual a inventar durante los ensayos.)*

CELESTINA.—«Conjúrote, triste Plutón, Señor de la profundidad infernal, emperador de la Corte dañada, capitán soberbio de los condenados ángeles, señor de los sulfúreos fuegos que los hirvientes étnicos montes manan, gobernador e inspector de los tormentos y atormentadores de las pecadoras ánimas; yo, Celestina, tu más conocida cliéntula, te conjuro por la virtud y fuerza de estas bermejas letras; por la sangre de aquella nocturna ave con que están escritas; por la gravedad de aquestos nombres y signos que en este papel se contienen; por la áspera ponzoña de las víboras de que este aceite fue hecho...»[95]. *(Bebe el licor ponzoñoso como en una misa. Música infernal... Oscuro.)*

---

[95] Comienzo, con algunas supresiones, del Conjuro que pone término al auto tercero de *La Celestina*.

Cuadro V[96]

Trabajos de Celestina

1. *En casa*

(*En la casa de* Celestina, *ésta contempla a* Areusa, *que está cantando. Es de noche como siempre que vemos a* Celestina.)

Areusa.—(*Canta.*)

Era una niña yo
en tiempos muy lejanos...
¿Dónde mis claros ojos?
¿Dónde mis dulces manos?

En tiempos muy lejanos
que mi alma olvidó
todo el mundo era viejo
y era una niña yo.

Todo el mundo era viejo
menos mis dulces manos.
Era una niña yo...
en tiempos muy lejanos.

¿Dónde estarán aquellos
sonrosados sonrojos?
¿Dónde mis dulces manos?
¿Dónde mis claros ojos?

Por aquellas mañanas
de los tiempos lejanos

[96] En la versión italiana, dividida en dos partes, comienza aquí la segunda.

canta una vieja niña:
¿Dónde mis dulces manos?

¿Dónde mis dulces manos?
¿Dónde mis claros ojos?
¡Ay los tiempos lejanos![97].

(CELESTINA *la ha contemplado complacida durante la canción y ahora le dice después de una pausa.*)

CELESTINA.—Qué bella estás, Areusa. Ni tu propia madre en sus mejores años.

AREUSA.—¿Cómo dices?

CELESTINA.—Que ni tu propia madre, en los mejores años de su esplendor, tenía unas tetitas así como las tuyas; por hablar de algo; que si te recorro con la vista, y con el tacto *(La toca.)*, encuentro elementos bastante prodigiosos y capaces de despertar los más dormidos entusiasmos[98].

AREUSA.—¿A qué te refieres?

CELESTINA.—A que te encuentro un tanto triste, niña mía, últimamente.

AREUSA.—A lo mejor lo estoy. No sé. Desde luego que ya no miro con la alegría de antes las cosas de la vida. Será porque ya no soy joven. Ten en cuenta que ya he cumplido los veinte años.

CELESTINA.—*(Ríe.)* ¿Y qué son veinte años?

AREUSA.—Eso depende, no sé, depende de la vida.

CELESTINA.—*(Con extremada dulzura.)* ¿La tuya ha sido mala, hija? ¿Puedes sentirte vieja tú? ¿Tanto has sufrido, corazón?

---

[97] La glosa que canta Areusa es un remanso lírico dentro de la acción, como los versos que entona Lucrecia al iniciarse el decimoctavo auto de *La Celestina*.

[98] Traen a la memoria estas palabras las del auto séptimo de *La Celestina*, cuando la tercera alaba el cuerpo de Areúsa: «¡Bendígate Dios y el señor San Miguel ángel, y qué gorda y fresca que estás; qué pechos y qué gentileza! Por hermosa te tenía hasta agora, viendo lo que todos podían ver; pero agora te digo que no hay en la ciudad tres cuerpos tales como el tuyo...»

AREUSA.—No, Madre, no... He sido muy feliz. No creo que haya habido puta más feliz que yo. Pero es verdad que a veces me quedo triste mirando por esta ventana. No sé por qué será.

CELESTINA.—Eso son tonterías, mi gatito, putica guapa, perlica mía de mi corazón. (*Con indecible ternura.*) ¡Momentos chungos[99] que una tiene, hija mía, no se sabe por qué...! Cosa de nada. Es cuanto el de Arriba, ese indeseable, trata de colarse en nuestro corazón con su carga de tristeza, con la melancolía. ¡Pero la vida puede más! ¿Y sabes por qué? Porque el Padre Satanás nunca nos deja de su mano.

AREUSA.—¡La vida! (*Se encoge de hombros.*) No sé. Algunas veces es como si el Demonio no existiera... Algunas veces, no...

CELESTINA.—Yo sí sé lo que te falta, Areusa.

AREUSA.—¿A mí?

CELESTINA.—Piensas en quien yo me sé.

AREUSA.—No pienso en nadie, Madre.

CELESTINA.—¿Por qué lo echaste de tu vera?

AREUSA.—¿A quién?

CELESTINA.—A ese canalla, mujer, a Centurio, el alguacil. A ese esbirro de la Justicia; a tu amiguito el sucio funcionario del orden público... de esa asquerosidad que es el orden público, pues todo hay que decirlo. ¡Maldito sea el orden público![100]. Pero a ver qué haces.

AREUSA.—¿Centurio? Vaya cosa.

CELESTINA.—Sí, eras otra con él. No sé qué te daba con lo feísimo que es. Pero tú resplandecías al recibirlo. Todavía lo recuerdo; y lo bien que nos venía su amistad para nuestro negocio; y no es que a mí me guste el trato con la bofia[101], pero viene muy bien a veces.

AREUSA.—Le prohibí que viniera a verme, ¿sabes por qué, Madre?, porque empezaba a quererlo mucho; empezaba a metérseme dentro del corazón y eso...

---

99 *chungos:* malos.

100 Desde *pues* hasta *público* no figura en *Primer Acto.*

101 *bofia:* policía.

CELESTINA.—Eso es lo malo, tienes razón, tienes razón: cuando el asunto trasciende de la vagina y se introduce por otras partes, hay que tener mucho cuidado. De todos modos, Areusa mía, no es tan malo tener, de vez en cuando, alguna debilidad sentimental y, sobre todo, en este caso veo que estás peor así, sin el Centurio, de lo que estarías si lo readmitieras en tu corte; por lo demás, él está deseándolo; lo sé de buena fuente; que el pobre hombre no vive desde que te perdió.

AREUSA.—¿Es verdad eso?

CELESTINA.—Claro que es verdad. Los que le conocen hablan y no paran de su melancolía y de que a veces se le escapan unos suspiros que meten miedo a quienes los escuchan.

AREUSA.—No será para tanto.

CELESTINA.—Claro que lo es, Areusa mía. *(La acaricia.)* ¿Tú sabes cómo estás? ¿Cómo no amarte? Cualquiera que te conozca ha de amarte y ha de suspirar por ti. ¿Cómo extrañarse de que el Centurio ande loco por esas calles? ¿Tan ignorante eres, hija mía, de tus propios encantos?

AREUSA.—*(Sofocada.)* Déjame, déjame.

CELESTINA.—*(Un poco resentida.)* ¿Ves cómo eres? ¿Ves cómo te has vuelto? *(Pausa.)*

AREUSA.—¿Te has enfadado?

CELESTINA.—No, no. ¿Contigo? ¡Qué disparate! ¡Enfadarme con ella, dice la muy tonta! Pero si es lo contrario, ¿no comprendes? Que me desvivo por ti y que me preocupa verte de esa manera.

AREUSA.—¿Pues cómo estoy? ¡Pero si estoy muy bien!

CELESTINA.—Dejémoslo, dejémoslo. *(Silencio.)* ¿Sabes dónde está de vigilancia Centurio y a quién vigila? Allí lo he visto de retén siempre que paso.

AREUSA.—¿En dónde?

CELESTINA.—En la calle del Convento de Melibea. Allí lo verás a cualquier hora. Pensarán que ese pobre Calixto puede volver al Convento y lo aguardan para echarle el guante, digo yo. Servicios rutinarios, que ellos dicen. *(Pausa.)* ¿Entonces qué? ¿Tú lo recibirías aunque fuera por una sola vez? ¿Por una sola?

AREUSA.—¿Tanto te interesa?

CELESTINA.—Me interesa por ti. *(Pausa larga.)*

AREUSA.—¿Por mí? *(Suspira, indiferente.)* Bueno, pues entonces que venga[102]... (CELESTINA *sonríe. Oscuro.)*

2. *En la calle*

(Cuando volvemos a verla, camina por la calle —es una noche de luna— y se hace la encontradiza con CENTURIO, *hombre de aspecto feroz: una especie de orangután*[103] *cuyo rostro puede ser una máscara terrible. Va armado, para defender el orden público, de un modo un tanto excesivo: cargado de cuchillos y con un tremendo mosquetón.* CELESTINA *lo saluda con la más alegre y complacida de las sorpresas y de las sonrisas.)*

CELESTINA.—Ay, ¿eres tú, Centurio? ¿Qué hace en esta calle el rey del mundo? (CENTURIO *emite un gruñido inintelegible que quizás exprese alegría por el encuentro.)* Ya, ya, trabajando como siempre en la custodia del orden público. ¿A dónde iríamos a parar si no fuera por vosotros? (CENTURIO *gruñe afirmativamente.)* Pues me alegro un rato de verte porque precisamente tenía un recado para ti, ya ves qué cosa. ¡Qué casualidades! (CENTURIO *parece aceptar que en la vida se dan casualidades: gruñe.)* Se trata de Areusa, pobre mujer. ¡Cómo la tienes! (CENTURIO *parece expresar extrañeza.)* Está que se nos va a ir de este mundo entre suspiros y tristezas. No te digo más, que se nos va a morir. Y todo por ti, que eres muy malo y muy bruto no yendo a visitarla. (CENTURIO *va a gruñir algo.)* Ya sé, ya sé que fue Areusa la que te echó de casa; pero ahora

---

102 Celestina convence a Areusa de que reciba a Centurio como en el auto séptimo de *La Celestina* lo hace para que reciba a Pármeno.

103 En *La sangre y la ceniza* Servet califica al verdugo de «simio parlanchín» y el sargento dice que los centinelas son «gente bruta, de poca cultura» (P. III, C. III).

está arrepentida y deseando verte. El otro día me lo dijo entre lágrima y lágrima y mira tú por dónde hoy de pronto te encuentro: las casualidades de la vida.

CENTURIO.—(*Ahora se mueve y parece King-Kong. Con voz ronca pregunta mientras le brillan los ojillos.*) ¿Cuándo puedo ir? ¿Eh, Madre? ¿Cuándo?

CELESTINA.—Mañana.

CENTURIO.—(*Mueve la cabeza negativamente.*) Tengo servicio.

CELESTINA.—¿Tan importante es que no puedes abandonarlo?

CENTURIO.—Si se entera el cabo, me jode.

CELESTINA.—¿Quién es el cabo?

CENTURIO.—Crito, ¿lo conoces?

CELESTINA.—No.

CENTURIO.—(*Con una voz cavernosa.*) Es muy bruto. Le tengo miedo. Tiene una mala leche que...

CELESTINA.—Pobre Centurio.

CENTURIO.—El otro día me hizo comer un ratón vivo porque dijo que no había limpiado bien el cuartel. ¡Me manda que persiga a los ratones!, y yo lo odio, lo odio y lo odio. Pero es el cabo y lo nuestro es la disciplina.

CELESTINA.—¿Dónde vive?

CENTURIO.—En aquella esquina de allá. Aquella casa blanca y amarilla de dos pisos.

CELESTINA.—Ya. ¿Y cómo es?

CENTURIO.—(*Con horror lo señala.*) Es... *así.* (CRITO *llega, efectivamente. Tiene un aspecto muy correcto, de persona amable y cortés*)[104].

CELESTINA.—(*Asombrada.*) ¿Es ése?

CENTURIO.—Sí, y vete, vete, que me la cargo.

CELESTINA.—Lo arreglaremos todo, ya verás. Areusa va a volverse loca de contento; yo te avisaré.

CENTURIO.—(*Gruñe entre dientes.*) Que me la cargo. (*Sale* CELESTINA. CRITO *se aproxima. Él se pone firme.*)

CRITO.—¿Con quién hablablas, cerdo?

---

[104] La caracterización de Crito se opone a su actuación, como sucede también con Centurio. *Vid.* la nota 42.

CENTURIO.—Con una señora que me ha preguntado por una calle.

CRITO.—Durante el servicio no se habla con el personal civil. *(Y le da una hostia.* CENTURIO *se tambalea. Oscuro.)*

3. *Detención e interrogatorio de Celestina*[105]

(En el oscuro vislumbramos una calleja con un farol y un crucifijo, y a CELESTINA *que pasa cuando, de pronto, unas figuras con cabezas de cerdo y de burro caen sobre ella y la arrastran. Es que la llevan detenida. Cuando viene la luz estamos en el despacho del* VISITADOR *del Santo Oficio. El crucifijo y el farol son los mismo de la calle. El crucifijo, muy grande, luce detrás de él con resplandores un tanto siniestros.* CELESTINA, *al ver que es el* VISITADOR, *hace una protesta formal.)*

CELESTINA.—*Esto es un atropello.* ¿No se dice así? Ay, señor Visitador: la que suscribe, Celestina Amaya y Heredia, vecina de Salamanca, no está de acuerdo con estos empujones y otros malos modales de sus sicarios, tan impropios de unos servidores de la religión de Nuestro Señor Jesucristo, que gloria haya y que allá nos espere muchos años, pues es la Creación lugar en verdad muy apetecible como salido de aquella omnipotente mano[106], ¿no es verdad? Pero además es que me extraña y a la par me alegra este pequeño arresto pues, mire Vuestra Ilustrísima qué casualidad, yo abrigaba el proyecto de venir a la presencia de Uve I —y hágame, por favor, la gran merced de no tomarme a mal esta respetuosa abreviatura de su muy justo y merecido tratamiento— de venir a la presencia de Uve I, decía, *de motu proprio.* ¡Dios mío! ¿He dicho *de motu proprio?* ¿Yo, pobre de mí, con latinajos? ¿Yo bachillera? ¿Yo doctora? De ninguna manera,

---

105 Esta secuencia (3) y la siguiente (4) no aparecen en la versión italiana.

106 La situación obliga a Celestina a simular. Las fórmulas del lenguaje administrativo que utiliza refuerzan la ironía de lo que dice.

Monseñor, pero es verdad que mi pobre cultura, quizás por mi roce con personas de mucha calidad, aumenta de día en día y ello no deja de ser una malísima señal. ¡Señal de hambre y otras penalidades! ¡Ay, sí! ¡Bendita ignorancia! ¡De ella vivimos los gitanos!

VISITADOR.—*(Risueño.)* ¿Vivís, pues, de vuestra ignorancia?

CELESTINA.—¡Qué va, qué va! ¡De la vuestra! ¡De la vuestra, Monseñor! *(El* VISITADOR *se ríe ahora francamente.)* Quiero decir de la ignorancia de los castellanos y, en fin, de los payos en general que se dejan decir, verbigratia, la buenaventura. ¿Uve I me comprende? Excúseme si le he molestado con mis palabras.

VISITADOR.—Por el contrario has estado graciosísima. ¡Qué gitanos estos! Sigue, sigue.

CELESTINA.—¿Qué quiere que le diga yo? Sepa Uve I que es sentencia popular aquella de que por la boca muere el pez, y que es bueno, para nosotros los pobres, y más si somos gitanos, medir todas las palabras. Sepa que todo lo que dice un gitano es peligroso para él y que cuanto más decentes somos más sospechosos parecemos. ¡Cuidado con los gitanos! ¡Si no te la hacen a la entrada te la harán a la salida! ¿No ha oído vuestra merced esa sentencia popular?

VISITADOR.—Por la boca sólo mueren los peces que tienen algo que ocultar... ¿Qué clase de pez eres tú, gitana Celestina? Piensa que nosotros no somos sino los pescadores de vuestras almas.

CELESTINA.—Yo, Excelencia, no sólo no tengo nada que ocultar sino al contrario.

VISITADOR.—Mejor, mejor, porque de otra manera podrías padecer tormentos tales que nadie se los desea ni a su peor enemigo. ¿Tú me comprendes?

CELESTINA.—*(Se estremece.)* No.

VISITADOR.—Hagamos una prueba y comprenderás sin más explicaciones el intríngulis[107] de tu actual situación. ¿De acuerdo? (CELESTINA, *muy pálida, se encoge de*

---

[107] *intríngulis:* razón verdadera y oculta.

hombros. El VISITADOR *se dirige a un* AGENTE *con cabeza de burro.)* Calzad con unos bellos borceguíes[108] aquí a la señora Celestina. *(Entre este* AGENTE *y otro con cabeza de cerdo*[109] *calzan a* CELESTINA *con unas botas de tortura.)* ¿Qué tal te sientan?

CELESTINA.—*(Tiembla.)* Muy mal, Monseñor.

VISITADOR.—¿Te hacen daño?

CELESTINA.—No mucho, Monseñor.

VISITADOR.—Ya te harán, ya te harán. Verás de qué manera funciona este curioso aparatito. *(Hace un gesto. Los* AGENTES *aprietan y* CELESTINA *se pone a gritar en seguida como una condenada. A los* AGENTES *les extraña tanto griterío porque apenas han empezado.)*

CELESTINA.—¡Ay, ay, ay!

VISITADOR.—Pero, hombre, no seas tan bruto, Conesus[110], que te lo tengo dicho. ¿Qué le has hecho a la pobrecilla? *(El* AGENTE *rebuzna como diciendo: nada.)* Ya sé, ya sé. Es que no calculas. *(A* CELESTINA.) No tiene malicia; es un buen hombre. Pero no calcula. Perdónale, por Dios (CELESTINA *se estremece como si le hubieran dado un latigazo.),* sus feos modales que le hacen parecer un bestiajo cuando en realidad no es sino un honrado padre de familia[111]. Hale, hale, hop. Ahora retírate. *(El* AGENTE

---

[108] *borceguí:* «calzado que llegaba hasta más arriba del tobillo, abierto por delante y que se ajustaba por medio de correas o cordones» (DRAE). Aquí, como la acotación precisa, es un instrumento de tortura.

[109] La presentación de los Agentes, igual que al final del cuadro VII, con cabezas de animales los despersonaliza y, al mismo tiempo, pone énfasis en su brutalidad. Guarda por ello relación con los «encapuchados semejantes a los del KKK» que custodian a Servet camino de la hoguera en *La sangre y la ceniza* (P. III, C. IV).

[110] *Conesus:* latinización irónica del nombre de un conocido comisario de policía del tiempo en el que se escribió el drama, como el Abate Ortiz de *La sangre y la ceniza* respondía realmente al nombre de un censor. Aparece con otros famosos policías en *Análisis espectral de un Comando al servicio de la Revolución Proletaria* (P. I, C. IV).

[111] Apunta Sastre a la figura del torturador en la vida profesional-persona normal en la privada («bestiajo»-«honrado padre de familia»). Recuérdese al respecto el drama de Buero Vallejo *La doble historia del doctor Valmy.* En el cuadro de *Análisis espectral...* citado en la nota anterior el policía tiene, aunque no en el mismo sentido, un doble comportamiento característico.

inclina la cabeza a la par que emite un complejo rebuzno y sale. El VISITADOR *explica a* CELESTINA.) Se va muy disgustado. No le gusta que le regañen y menos en presencia de las visitas. ¿De qué estábamos hablando?

CELESTINA.—*(Descompuesta por el dolor, trémula, muy pálida.)* Sepa Vuestra Ilustrísima que una servidora odia el sufrimiento físico y que además no puede soportarlo.

VISITADOR.—*(Mueve la cabeza.)* Yo también, yo también detesto el sufrimiento físico. El dolor es, mirándolo bien, una barbaridad, y Cristo Nuestro Señor, colgado de su cruz, pudo comprobarlo en su bendita carne. Cuenta, cuéntame pues, mujer amable, gitanilla gentil, brujita loca e inocente, amigable recomponedora de virgos, experta en filtros de amor y pócimas mágicas, amparo diabólico de los afligidos, refugium peccatorum[112]. Cuenta, cuéntame pues. *(Ha dicho la letanía consultando unas fichas que tiene sobre la mesa.)*

CELESTINA.—¿Qué quiere que le cuente yo?

VISITADOR.—Pues *eso,* pues eso que tú sabes.

CELESTINA.—¿Y qué es eso que yo sé según esa pregunta?

VISITADOR.—Tú sabrás lo que sabes o, mejor, tú sabes lo que sabes según antes dijiste. ¿No tenías algo que decirme? ¿No tenías pensado visitarme?

CELESTINA.—*(Se defiende como puede por medio de una frase complicada y ambigua.)* Yo no sé nada de eso que su merced cree que yo sabría a lo mejor.

VISITADOR.—¿De *qué,* pues, al decir *eso,* me hablas tú?

CELESTINA.—*(Defendiéndose lingüísticamente como gato panza arriba.)* De lo que Vuestra Ilustrísima supone que yo sé o sabría más o menos. *(Respira fuerte, fatigada por el esfuerzo. Entonces hay una pausa durante la cual el* VISITADOR *decide que el juego ha terminado.)*

VISITADOR.—Hablemos entonces de un hereje llamado Calixto Contreras Pérez. ¿Cómo está Calixto?

---

[112] Hay una irónica oposición entre lo que el Visitador afirma de Celestina (fundamento de la detención y de la tortura) y la suave manera de decirlo, que culmina al aplicarle la advocación mariana *refugium peccatorum,* que conecta con la palabra *letanía* de la acotación.

CELESTINA.—¿Caqué? ¿Cacómo? ¿Cacuál?

VISITADOR.—Ah está bien. Entonces borceguí: una miajita[113] de tormento, por favor. (*El* AGENTE *con cabeza de burro se arrodilla a los pies de* CELESTINA, *lo cual le hace reconocer a la persona inmediatamente.*)

CELESTINA.—¡Ah sí, Calixto! ¿Cómo no? ¿Pero dónde tengo yo la cabeza? Lo que ocurre es que a mí se me presentó con su segundo apellido, ése de Pérez, y, claro, al decir Calixto no he caído. Pero ahora ya... ya he caído. Y he de decir que no sólo lo conozco sino que sé dónde está. Y de eso precisamente es de lo que quería hablar al Santo Oficio; mire usted que es casualidad: ay sí, las cosas de la vida. Y han de saber aquí, en estas oficinas, que el tal Calixto Contreras Pérez no sólo es un hereje como dicen, que yo no lo sabía ni tampoco es de mi incumbencia, sino que además es un grandísimo canalla.

VISITADOR.—¿Dónde está ahora?

CELESTINA.—A eso iba, a eso iba. Pero sepa que el muy canalla vino a solicitar de mí servicios de tercería en unos amores desgraciados.

VISITADOR.—Ah, ¿luego lo conoces?

CELESTINA.—(*Con fastidio.*) Pensé que lo sabían.

VISITADOR.—(*Ríe.*) Estratagemas de este oficio. Estamos interrogando a mucha gente de la mala vida salmantina y por fin hemos dado en el clavo. (*Ríe satisfechísimo de su astucia. En los ojos de* CELESTINA *hay un relámpago de odio.*)

CELESTINA.—¡Maldita bofia!

VISITADOR.—¿Qué quiere decir eso?

CELESTINA.—No, nada, nada. Hablaba para mí.

VISITADOR.—¿Y qué decías?

CELESTINA.—(*Recuperando su forma.*) ¡Cómo le odio!

VISITADOR.—¿A quién?

CELESTINA.—Al tal Calixto. Sólo infortunios me ha procurado su conocimiento. Sepa que al negarme yo a trabajar para sus viciosos proyectos, pues andaba enamora-

---

113 *miajita:* el diminutivo y la elección del término *miaja* aplicado al tormento acentúan la ambigüedad irónica, que es fundamental en todo el interrogatorio.

do de tres mujeres a la vez, y por cierto de muy diferente condición, pues la una es medio princesa o no sé qué y la otra es monja en Valladolid y la tercera ejerce de prostituta creo que en Logroño; e imagínese Vuestra Ilustrísima el problema técnico para reunir a las tres damas en el mismo lecho y a la misma hora con él, pues tal era su loca pretensión. Se conoce que el buen hombre quiere recuperar el tiempo perdido en el convento antes de dedicarse a la herejía y a la corrupción. A lo que yo le dije que ese tal revoltijo me parecía contra natura y que conmigo no contara y entonces va el malage[114] —¡malos mengues[115] lo lleven!— y entra en cólera y me golpea llamándome puta y bruja y casi me estrangula y luego el muy infame huye.

VISITADOR.—¿Adónde?

CELESTINA.—*(Muy decidida.)* Por lo visto a Guadalajara.

VISITADOR.—¿A Guadalajara?

CELESTINA.—Eso parece; pues me lo ha dicho una gitanilla que ha pasado por Salamanca procedente de aquellas tierras. Y por las señas era él.

VISITADOR.—*(No muy convencido.)* Está bien, está bien. ¿Dónde vives ahora?

CELESTINA.—Ahora debajo del puente, allá abajo en el Tormes. No tengo donde caerme muerta.

VISITADOR.—Voy a dejarte en libertad.

CELESTINA.—Es justo porque soy una persona inocente de todo daño a personas o a cosas.

VISITADOR.—Con una condición.

CELESTINA.—*(Dispuestísima a colaborar.)* Dígame, dígame.

VISITADOR.—Que colabores con nosotros.

CELESTINA.—*(Muy contenta.)* ¡Qué bueno! ¡Eso colma todas mis esperanzas!

VISITADOR.—En calidad de confidente del Santo Oficio.

CELESTINA.—¡Oh, sí! ¡Soplona! ¡Qué maravilla! ¡Cómo me gusta eso![116].

---

[114] *malage:* malasombra, malintencionado.

[115] *mengue:* diablo (DRAE).

[116] Celestina finge nuevamente sin resistirse siquiera ante esta proposi-

VISITADOR.—Calixto es probable que vuelva a verte.
CELESTINA.—No digo yo que no.
VISITADOR.—Entonces nos lo entregas.
CELESTINA.—Claro que sí. Mi corazón pide venganza.
VISITADOR.—Ahora puedes marcharte.

(CELESTINA *hace una reverencia y sale. El* VISITADOR *hace un gesto y el de la cabeza de burro le sigue los pasos. Entrecuadro en el que vemos cómo* CELESTINA *burla y despista a su perseguidor.*)

4. *Maquillaje*

(*Ahora, al volver la luz, estamos de nuevo en casa de* CELESTINA, *la cual —ante su altar diabólico— está procediendo a construir el personaje clásico: se maquilla como vieja, se pinta los dientes de negro, se pone una peluca estropajosa y se viste de color pardo oscuro. Quizás al acabar, emite una carcajada «diabólica»... Pero esto no es necesario, desde luego. Oscuro.*)

5. *Calle y Convento*

(*Vuelve lentamente la luz para que veamos a* CELESTINA, *como vieja achacosa y sin embargo ágil, por la calle hasta la puerta del Convento. Junto a esta puerta vemos a* CENTURIO *que increpa a la mujer; no la reconoce.*)

CENTURIO.—¿Qué quieres tú, vieja?
CELESTINA.—(*Con una voz cascada muy «teatral».*) Vengo al convento en esta noche oscura; me llaman las monjitas para una cuestión de enfermedad, como amiga vieja que soy de esta comunidad religiosa. (*Gruñido de* CENTURIO.)

---

ción, si bien su mismo entusiasmo la descubre. Miguel Servet decía a Frellon en *La sangre y la ceniza:* «No hago oficios de chivato que son, a mi modo de ver, propios de hijos de puta» (P. I, C. I).

Retírese, joven, por favor. Que es una acción de caridad y en lo que es caridad ustedes, las fuerzas del orden, no deben sino proteger estos movimientos del alma. (CENTURIO *gruñe.*) Gracias, majo, gracias. (*Golpea la puerta con el llamador de bronce. Resuena su llamada. La puerta se abre y* CELESTINA *penetra en el convento. En el torno, saluda a* LUCRECIA, *la hermana tornera.*) Ay, hija mía. Buenos días nos dé Dios.

LUCRECIA.—¿Qué se le ofrece?

CELESTINA.—Tengo urgencia en ver a la madre Melibea de la Crucifixión, señora abadesa de este magnífico e ilustrísimo convento.

LUCRECIA.—No recibe a nadie generalmente.

CELESTINA.—Es un caso especial; de otro modo yo no me atrevería y menos a estas horas. De manera que yo le ruego, hermana tornera, que haga llegar a la madre Abadesa este papelín. Es cosa gravísima, en la que va en juego la salvación de un alma; no le digo más.

LUCRECIA.—(*Acepta el papel con repugnancia.*) De ser así, yo se lo haré llegar, pero sepa que en esta casa son muy indeseables las visitas del Exterior. (*Se estremece.*) ¡El Exterior! ¡Qué asco!

CELESTINA.—Pero mujer... ¿Por qué le da tanto asco el exterior? Con lo bonito que es.

LUCRECIA.—El Exterior, señora mía, es una basura inmunda, y es lamentable que ni en esta casa estemos a resguardo de sus malos olores.

CELESTINA.—(*Como ofendida.*) Si lo dice por mí, a lo más que puedo oler yo es a vieja que es un olor honesto.

LUCRECIA.—Yo me refería a la pestilencia moral, señora; al hedor de alcantarilla que se respira en cuanto que se abre esta puerta. ¡Grave penitencia es la mía en este empleo de portera de la comunidad!

CELESTINA.—Hágalo por Dios, hermanita.

LUCRECIA.—Por Él lo hago y hasta peores tareas aceptaría por su santa gloria.

CELESTINA.—¿Qué hacen aquellas monjitas?

LUCRECIA.—Tapiando las ventanas. El horror del mundo vive en lo más profundo de nuestros corazones y la Orden está a punto de ser reformada. *(Con profunda hostilidad.)* Y entonces no habrá más visitas en esta Casa.

CELESTINA.—¡Ay, Dios mío! Para mí, pobre anciana, ¿cómo decirle?, el mundo es puro y delicioso, y me gusta mucho vivir en él, y no me gustaría morirme nunca, hermana. Pero ande, por Dios, que es recado de mucha prisa el que aquí me trae. Precisamente al tratarse de un alma...

LUCRECIA.—No se preocupe, que ya voy. Espere aquí y veremos lo que decide nuestra Madre[117].

CELESTINA.—Dios la bendiga, hermanita. Pero, en vez de esperar, la sigo si me lo permite pues tengo la seguridad de que madre Melibea no puede negarme esta merced. *(Alegremente.)* ¡Vamos allá, vamos allá! ¡Ay qué convento más bonito! También debe de ser precioso vivir aquí, ¿verdad? Debe de ser precio-sooo *(Oscuro.)*

CUADRO VI

De la visitación de Celestina a Melibea y de la plática que tuvieron

(MELIBEA *en su celda. Lleva en la cabeza una corona de espinas. Se está flagelando, medio desnuda, cuando golpean a la puerta. Al principio, embebida en su salvaje paliza, no lo oye. De pronto se sobresalta.)*

MELIBEA.—¿Eh? Diga, hermana. ¿Quién es?

VOZ.—Es un recadito, un recaditooo.

MELIBEA.—Espere un momento. *(Se viste y luego oculta los flagelos. Se retoca un poco. Abre. La tornera le muestra el papel.)* ¿Qué quiere a estas horas de la noche?

LUCRECIA.—Es una ancianita que insiste en verla, Madre,

---

117 Hay una clara memoria del inicio del auto cuarto de *La Celestina,* en el que Lucrecia, criada de Pleberio, recibe a la «vieja de la cuchillada», habla de ella a Alisa y, finalmente, le franquea la entrada.

y además se nos ha colado hasta aquí mismo, y me ha dado este papel con el ruego de que lo lea usted. (MELIBEA *lo acepta.)*

MELIBEA.—*(Lo lee.)* Ay, pobre mujer. Es una señora que está agonizando y busca auxilio espiritual; no puedo negarme a verla. Hazla pasar.

LUCRECIA.—En seguida, en seguida. *(Grita hacia adentro.)* ¡Pase, pase, señora! *(Entra* CELESTINA, *vieja y como jorobada. Cojea y gime como si apenas pudiera andar. Lleva sus velos de beata.)*

CELESTINA.—*(Con voz débil y trémula.)* Buenas noches nos dé Dios, madre Abadesa. *(Estornuda.)* ¡Achús, achús! Estoy fatal, señora Madre.

MELIBEA.—Buenas noches, hermana en Nuestro Señor Jesucristo. *(A* LUCRECIA.) Puede retirarse. *(La hermana tornera se va.)* Dígame en qué puede servirla una esclava del Señor. (CELESTINA *se ríe.)* ¿De qué se ríe? Sepa, hermanita, que me hallaba entregada a mis piadosas oraciones y que las he interrumpido para atenderla a usted. (CELESTINA *ríe ahora abiertamente; ante el asombro de* MELIBEA, *va ágilmente hasta la puerta y la cierra con el cerrojo. Luego se va despojando de sus vestiduras y de la peluca y aparece ante* MELIBEA *con todo su juvenil esplendor.* MELIBEA *la reconoce con estupor. Exclama:)* ¡Celestina! ¿Eres tú? *(E inician un diálogo de lo más cotidiano.)*

CELESTINA.—Ya ves, mujer.

MELIBEA.—¿Cómo tú por aquí?

CELESTINA.—¡Tanto tiempo sin verte!

MELIBEA.—Es verdad, es verdad.

CELESTINA.—...Que me dije: voy a verla un rato esta noche. Y, como sé lo difícil que está entrar en este edificio tan sagrado, se me ocurrió ese poco de teatrillo; ya sabes lo mucho que me ha gustado siempre disfrazarme y reírme... Si llego a venir tal cual, es seguro que sor Lucrecia, la tornera, que me conoce un rato, no me deja pasar. ¿A que no?

MELIBEA.—¡Claro que no! Es que tiene severas instrucciones. *(Ríen. Pausa.)*

CELESTINA.—¿Y qué tal tú?

MELIBEA.—*(Con una sonrisita triste.)* Pues ya ves. *(Pausa.)* ¿Y tú?

CELESTINA.—*(Alegrísima.)* Pues ya ves: de lo mejor. Alegre como unas pascuas. *(Da unas palmas flamencas y esboza un cante.)*

MELIBEA.—*(Admirada.)* No pasa el tiempo por ti.

CELESTINA.—Ni por ti, mujer.

MELIBEA.—¿No me encuentras *terriblemente vieja?*

CELESTINA.—Qué va. Estás maravillosa. Mejor que nunca, si quieres que te diga. *(Un silencio.* MELIBEA *se sienta y dice, melancólica:)*

MELIBEA.—Yo quisiera estar *terriblemente vieja.*

CELESTINA.—¿Por qué, boba? *(La acaricia.)*

MELIBEA.—Yo quisiera *morirme.*

CELESTINA.—Otra que tal. (MELIBEA *llora.)* Pero Melibea... ¿Así estamos? ¿Qué te sucede, hija? ¿Qué os sucede a los jóvenes de hoy? ¡Mírame a mí, querida! Que ya no cumplo los cien años... Que se dice pronto... ¡Y ya me ves! Pero mujer, mujer, mujer... *(La acaricia.)* En cierta manera, me da mucha alegría encontrarte así... porque ello quiere decir que no estás muerta, como yo me temía, ¿sabes?; y ahora veo que seguramente hemos llegado a tiempo de salvarte. (MELIBEA *se yergue de pronto bruscamente.)*

MELIBEA.—*(Terrible metamorfosis*[118]) Salvarme tú? ¡Ah, la gran puta! ¿Salvarme tú? ¡Ah, la vieja y grandísima puta! ¡Ah la gitana! ¿Cómo vas a salvarme tú? ¿Con ese hedor de azufre que despides? ¿Con esa alma podrida? *Vade retro, Sathanas*[119].

CELESTINA.—*(Paciente).* Mujer, no te pongas así... Tranquilízate, que no es para tanto.

MELIBEA.—¡Retírate! ¡Retírate! ¡Eres una cosa que vuelve a mi vida desde el Infierno, zorra!

CELESTINA.—*(Con sencillez.)* Eso es verdad, eso es verdad...

---

118 Recuérdese el «arranque espantoso» que Melibea sufrió al concluir el cuadro I y su brusco cambio ante Calixto.

119 Palabras con las que Jesucristo rechazó a Satanás después de las tentaciones en el desierto (Mateo, IV, 10).

¿Pero qué tiene ello de bueno, quiero decir, de malo? ¿Te ha dado o no te ha dado alegría el verme? A ver; no mientas al responderme, que es pecado mentir.

MELIBEA.—*(Confusa.)* Me ha dado horror... Pero he tratado de recibirte con espíritu benévolo... cristiano... Y ahora ya veo que sigues siendo la misma Bestia apocalíptica.

CELESTINA.—¡Mujer! ¡Qué forma de decir las cosas tienes! Estás que no hay quien te aguante. En fin... Yo venía por un asunto muy grave e importante. Pero otra vez será; me voy, me voy —y perdona. *(Se pone y ajusta la peluca, etcétera, canturreando con buen humor.)*

MELIBEA.—*(Con curiosidad.)* ¿De qué se trata, dime?

CELESTINA.—No, déjalo... *(Sigue vistiéndose. Pausa.)*

MELIBEA.—Ya lo soltarás. ¡Cómo que no te conozco!

CELESTINA.—Bueno, si es que tanto quieres saberlo, se trata de un anciano agonizante... Está para palmarla de un momento a otro.

MELIBEA.—¿Y qué puedo hacer yo?

CELESTINA.—Ah, eso, tú sabrás. ¿No eres una religiosa de San No Sé Qué?

MELIBEA.—Soy una sierva de Cristo, y el consuelo a los agonizantes me va bastante; no es porque yo lo diga... Cuenta, que no quiero quedarme con el remordimiento de no haber auxiliado a un hermanito.

CELESTINA.—Tú lo conoces al cuitado.

MELIBEA.—¿Yo?

CELESTINA.—Es un teólogo de cierta fama y, el pobre, muy perseguido por la Inquisición. Tú le diste acogida en tu Convento al principio de esta fantástica tragedia. Por cierto que yo no sé dónde vive; ha venido a verme. Anda huido por ahí.

MELIBEA.—Ah ya. Ese Calixto, pobre hombre. Tuvo que salir por pies de aquí... *(Se ríe.)* Como hereje es de lo más ridículo que he visto. Es un enano blasfemo. Pobre hombre, al fin.

CELESTINA—*(Muy seria ahora.)* Sólo desea verte para despedirse de ti, ya ves. Se va al otro mundo.

MELIBEA.—¿A América?

CELESTINA.—No, qué va... Es que se va a matar el hombrecito. Ya lo ha intentado una vez pero sin éxito.

MELIBEA.—*(Con indiferencia.)* ¿Y ahora?

CELESTINA.—Yo misma le he preparado una pócima de lo mejor. Es un caso perdido. Mira que he tratado de convencerlo de que la vida es bella y esas cosas. Pero nada. ¿Sabes lo que es ese tío gordo?

MELIBEA.—No, ni me importa.

CELESTINA.—Un mamífero triste, ya ves tú. Es decir, que el hombre siente la tristeza de ser mamífero, no sé si me entiendes.

MELIBEA.—No.

CELESTINA.—Le da pena, por lo que parece, pertenecer al reino animal. *(Ríe.)* ¿Qué te parece? Es de lo más extravagante. A mí me hace reír con sus tristezas, te lo digo de verdad. Me paso muy buenos ratos con él. Sobre todo cuando le da por llorar se pone graciosísimo

MELIBEA.—Yo lo traté de mala manera cuando me lo trajo Parmeno con eso de la persecución. Imagínate que, al verme, se me enamoró el tío *(Ríe.)* y yo, que creí que era un listo, lo mandé a hacer puñetas, con perdón.

CELESTINA.—*(Ríe de buena gana.)* ¡Cosas de Calixto! Él es así. No tiene malicia ese muchacho. *(Pausa.)* Así pues, si lo quieres recibir, te hará una despedida de lo más patético y se morirá consoladísimo. ¿Qué trabajo te cuesta? En cuanto a las condiciones objetivas[120] del encuentro, yo las crearía con mucho gusto, mujer.

MELIBEA.—No sé qué hacer, hija. Para entregarlo al Santo Oficio, no tengo corazón por muy monstruo que sea. Pero de eso a recibirlo...

CELESTINA.—Si no quieres verlo, vale. Yo te lo mando al otro mundo en un santiamén y no te molesta más; no te preocupes. Pero si te animas a echarle una mano espiritual...

---

[120] Expresión utilizada entre los luchadores contra la dictadura que se refería a las posibilidades concretas de un momento determinado o a los medios imprescindibles para conseguir algo. En la tertulia de intelectuales de *Crónicas romanas* (C. V) señala uno de ellos: «Sin embargo se lucha, en los términos que lo permiten las condiciones objetivas y aun superándolas...»

MELIBEA.—¡Qué demonio eres!

CELESTINA.—*(Riendo.)* No lo sabes tú bien... En fin, si decides recibirlo, te decía, y no seré yo quien te insista en ello, porque a mí, a fin de cuentas, ni me va ni me viene, puedes hacer dos cosas con él —¡o más; eso depende de tus creencias, que yo respeto muchísimo, y también de tu fantasía que...! Pero, por lo menos, dos... dos cositas, dos.

MELIBEA.—¡Ay Celestina! Ya no soy la que era. Aquella fantasía de mis años mozos, cuando estaba entregada al vicio, me ha desaparecido con el bello hastío de la virtud. ¿A qué dos cositas te refieres?

CELESTINA.—Pues podrías, digo yo, tratar de convertirlo o, por lo menos, consolarlo espiritualmente al modo cristiano que tú dices. Después de todo, el fulano se va a quitar de enmedio porque te ama, mujer, y una no es de piedra, vamos digo yo. A no ser que te hayas convertido en una estatua de hielo; pero, en fin, allá tú. La otra posibilidad que se te ofrece... es demasiado bella en plan de hacer sufrir al género masculino, al que no sé por qué le has tomado esa manía tan horrible, pero en fin.

MELIBEA.—*(Vuelve a ser un personaje amargo.)* ¡Que no lo sabes! ¡Que no lo sabes! Porque son unos cerdos, nada más... ¿No lo sabes tú, vieja? A mí me trataron los tíos como a una puta cosa, ¿y no lo sabes tú?; como el agujero de un retrete, ¿y no lo sabes tú, cabrona? ¿Qué hacía yo en tu casa? ¿Era una vida humana aquello?[121].

CELESTINA.—Depende, depende.

MELIBEA.—¿Qué otra cosa era yo que una sirvientilla de placeres, dime? ¡Gente sucia, los hombres! ¡Me usaban y me tiraban a la basura! ¡Ahí te pudras niña! ¿Por qué los odio? ¡Por eso y también por otras cosas más que no me sale de dentro relatarte ahora! ¿Te imaginas ahora *por qué?* ¡Que no lo sabe, dice la grandísima puta!

CELESTINA.—Haber hecho como hace Areusa, chica, que los usa, como tú dices, y los tira luego, a los hombres, digo, cuando le aburren con sus cabronaditas; o los or-

---

[121] *Vid.* lo indicado en la nota 22.

deña[122] y se queda tan pancha[123]: vale un rato esa chica... un rato largo. En fin, permíteme que no te entienda bien, Melibea, ya puestas a hablar en serio, lo cual, por cierto, me molesta bastante. *(Pequeña transición.)* Pensaba que, a la postre, con el tal Calixto —si lo de su conversión no te interesa y lo de la consolación cristiana no te va por eso de ser el pobre hombre un hombre—, se te ofrece una ocasión de divertirte un rato haciéndole sufrir a tu modo, con libertad, y así, de paso, te vengarías un poquito del hombre en general, ya que te ha dado por ahí. ¡No sé! A ver si me entiendes. Yo no entro ni salgo. *(Suena un trueno.* CELESTINA *murmura complacida.)* Vale. Creí que me iba a fallar...

MELIBEA.—¿El qué?

CELESTINA.—No, nada. Y bueno, adiós.

MELIBEA.—Ha sonado un trueno.

CELESTINA.—*(Modestamente.)* Pues sí. *(Suena otro más próximo.)* Y ahora otro.

MELIBEA.—Espera un momento. *(Pausa.)*

CELESTINA.—Dime. *(Pausa muy larga.)*

MELIBEA.—Voy a hablar con ese Calixto de los demonios por una sola vez y voy a decirte, bruja, para qué lo recibo. *(Es ahora el papel* duro *de* MELIBEA.) No para tus *cositas*... no para lo que tú, demonia, puedas imaginar. No para *convertirlo*. No tampoco para *consolarlo*... No tampoco para hacerle sufrir y divertirme con sus miserias *masculinas*... No tampoco, ni mucho menos, para *salvarlo* de la muerte... Allá él: ése es su problema, no el mío... No, no, no. *Voy a recibirlo para matarlo* de la mejor forma posible... ¿Entiendes? ¿Qué se quiere morir? Pues que se muera, pero entre los resplandores de la fe. *(Se encoge de hombros.)* O algo así...

CELESTINA.—Eso allá tú; yo no entiendo nada. *(Displicente.)* ¿Te lo traigo al convento?

MELIBEA.—*(Asiente.)* Con mucho cuidado, no por él, que no me importa *nada*, sino por mí, por mi seguridad...

---

122 *ordeñar:* sacar algo en su relación con ellos.

123 *pancha:* tranquila, satisfecha (DRAE).

No quiero arriesgar nada en todo esto. ¡Nada! ¿Queda entendido así?

CELESTINA.—De acuerdo. Ya te enviaré recado lo antes que pueda. Queda con Dios, mujer.

MELIBEA.—¡Y tú vete al demonio, que sé que te gusta!

CELESTINA.—Gracias, mujer, gracias... (*Sale cojeando, otra vez disfrazada, jorobada y vieja.* MELIBEA *suspira. Cierra la puerta. Se quita algo de ropa y vuelve a flagelarse como al principio del cuadro. Luego llora con desesperación. Se hace el oscuro.*)

CUADRO VII

Del amor y de la muerte

1. *Un atentado*

(*En una penumbra, sombras chinescas, fantásticas.* CELESTINA *habla a dos gitanos.*)

CELESTINA.—Se llama Crito el payo... Su casa es esa blanca y amarilla en la calle de la Cruz, esquina a Santo Tomás. Su aspecto es muy cortés, de payo fino... Lleva bigotes y el cabello muy recortado. Una linda cabeza. Una lindísima cabeza. ¿Entendéis bien, hermanos? Una lindísima cabeza muy a propósito para nuestro negocio, y que el porrazo sea, por favor, de lo más contundente[124].

---

[124] Una nota del autor (que no figura en la edición italiana) señala: «Celestina puede dar las órdenes a los gitanos en caló de la siguiente forma: "Le asnaban Crito al payo que te penelo. Diquelar su quer, ese parnó ta batacolé en el drun del Trijulao, cuná del Manjaró Liyac. Bichala un payo sorabé. Liquera bericobé ta bai chimó. Una berjí jeró. Baribú berjí. ¿Chanelais, planós? Baribú berjí la jeró somié amaró curelo: ¡Un caste sistiló! ¡Dur, quiribós, dur!"»

Vid. el apartado «El lenguaje marginal» de la Introducción.

(Las sombras se funden. Se ilumina un panneau *blanco y amarillo: es una puerta. Sale, medio embozado,* CRITO. *En seguida es asaltado por los gitanos. Uno le da un porrazo en la cabeza.* CRITO *cae como un trapo. Los gitanos le arrastran hasta desaparecer en la oscuridad; y oscuro...)*

2. *La bella y la bestia*

(Cuando se hace la luz estamos en la habitación de AREUSA. *Ella se acicala esperando a alguien que por fin llama. Es* CENTURIO *que emite su gruñido más afectuoso y tímido.)*

CENTURIO.—Hola, Areusa.
AREUSA.—Hola.
CENTURIO.—*(Timidísimo.)* Ya estoy aquí. Ejem.
AREUSA.—Ya te veo. *(Pausa.)*
CENTURIO.—Me faltaba algo sin ti.
AREUSA.—A mí también.
CENTURIO.—Me la juego viniendo a verte; estoy de servicio y lo he abandonado.
AREUSA.—Sólo tenía esta hora libre, ya ves.
CENTURIO.—Como vaya el cabo a inspeccionar el puesto es la horca, ¿sabes? Me colgarán sin remisión.
AREUSA.—No creo que vaya.
CENTURIO.—Te lo digo para que veas cuánto te quiero, Areusa. Te amo como un burro.
AREUSA.—Yo a ti también, King-Kong[125].
CENTURIO.—Nunca he comprendido por qué me llamas King-Kong; pero me gusta.
AREUSA.—Creo que te va, no sé. Es una palabra caprichosa. *(Lo mira con entusiasmo.)* Estás guapísimo. Desnúdate, mi amor. (CENTURIO *lo hace y vemos que tiene todo el tórax cu-*

---

125 En *Lumpen, marginación y jerigonça* (cap. X, págs. 61-62) afirma Sastre: «Pero para mí que en este Asunto (que también llaman Mito) de la Bella y la Bestia no hay nada tan admirable y definitivo como el gran King Kong [...]. ¡King Kong, King Kong! ¿Cómo olvidarse de King Kong? V. m. dispense; pero es que King Kong es demasiado para mí.»

bierto de pelo. Es un mono velludo.) Ahora golpéate el pecho como tú sabes y da ese alarido tan precioso. (CENTURIO *se golpea el pecho con los puños y da un grito selvático.)* Así me gusta. Ahora quítame la ropita poco a poco. Imagínate que yo soy muy pequeñita y que me tienes en el hueco de tu gran manaza. Con cuidado, querido, como siempre. Así, así... *(Oscuro.)*

3. *Lamentables escenas y triste desenlace*

(Cuando vuelve la luz estamos en el Convento. Es una sala gótica. No hay nadie. Se oyen arcabuzazos lejos, como en la calle. Ruido de pasos precipitados. Agitación. «¿Qué ocurre? ¿Qué ocurre?». Se abre una puerta bruscamente y entran CELESTINA *—vestida de vieja—y* CALIXTO, *acompañados de* SOR LUCRECIA, *la tornera.)*

LUCRECIA.—*(Nerviosísima.)* Dios mío. ¿Qué habrá sido eso? Parece como si los guardias vinieran disparándoles a ustedes según venían. ¿Por qué corrían tanto? *(Anda un poco y advertimos que es coja.)* ¿No saben que correr es peor?

CALIXTO.—*(Mete un dedo descuidadamente por un agujero que tiene su sombrero.)* ¿Dispararnos a nosotros? ¡Qué va! ¿Por qué iban a dispararnos a nosotros, verdad, señora? *(A* CELESTINA.)

CELESTINA.—*(Hipócrita, haciendo el* personaje *celestinesco.)* Como es de noche y hay tanto bandido suelto —que la noche, como bien se sabe, es capa de pecadores—, pensamos al ver una ronda de alguaciles que se trataba, Dios nos libre, de bandoleros y de ahí nuestra correría; a lo cual ellos han replicado creyéndose no sé qué y de tan mala forma que todavía no me llega la camisa al cuerpo, con perdón. Pero al ver que hemos entrado en un santo lugar es claro que se retirarán piadosamente; y ahora vaya, vaya, hermanita, a avisar a la Madre Abadesa, la cual nos está esperando como usted debe ya de saber seguramente.

LUCRECIA.—*(Muy cómplice.)* Claro está que lo sé. Esperen un momentico, si les place. *(Sale. Un silencio.)*

CALIXTO.—¡Ay, Celestina! Esos esbirros de la Santa Inquisición me han reconocido sin duda. Desde luego que saben que estoy en Salamanca.

CELESTINA.—A mí también me la tienen jurada pero con este disfraz —que por cierto me lo regaló una cómica de la legua— no creo que puedan reconocerme. Estamos apañados, hijo mío, con esto de la represión, yo por ser un demonio y tú un ángel; que, por cierto, no sé qué cosa tan grave has hecho para que haya esa orden de ejecución *in situ* como dicen, ya que generalmente a los herejes como tú y a las brujas como mi menda[126] nos suelen asar al aire libre para regocijo y escarmiento del pueblo de Dios.

CALIXTO.—Es que dicen que soy individuo pestilente y peligro público y temen que en el Tribunal organizaría un escándalo teológico y moral. Por eso preferirán, me digo yo, liquidarme sin más contemplaciones: aquí te cojo, aquí te mato, como se dice. Todo por mor de haber defendido a Miguel Servet, del cual está prohibido hablar ni para bien ni para mal desde que lo incendiaron en Ginebra, y también por haber colgado los hábitos después de haber sembrado la mala semilla del pensamiento entre los frailes de mi comunidad, los cuales andan la mayoría por ahí como locos, fuera de la Iglesia y también, ay, de las buenas costumbres, como yo mismo que ahora ya no soy ni siquiera un hereje como lo fue mi maestro sino que, en no mucho tiempo, he llegado incluso a abandonar toda religión y ahora sólo pienso, como sabes, en el amor divino —ay, perdona, *infernal*— de Melibea, a la cual, por tus buenos oficios, queridísima Madre Celestina, estoy a punto de ver y todavía no me lo creo. ¡Es demasiada felicidad para mi pobre corazón! ¡Ay! ¡Los que dicen que de amor no se muere, no saben de la misa la mitad!

CELESTINA.—Por cierto, ejem, que yo le dije que tan sólo

---

126 *menda:* el que habla (DRAE).

deseabas despedirte de ella porque pensabas darte muerte, desesperado. El caso era que accediera a verte, ¿no? ¿Vale?

CALIXTO.—Sí que vale. Todo vale en una cuestión así.

CELESTINA.—Te deseo, pues, oh Calixto, la mejor suerte con esta pobre y gentil Melibea, que es hoy ruina de lo que fue, bello despojo humano, el cual creo yo que espera, sin atreverse ni a pensarlo, el milagro cachondo de la vida, de la resurrección de la carne[127], como todos los tristes de este mundo... ¡Anda con ella! *(Pícara.)* A ver cómo te portas; que yo vigilaré y os daré el agua[128] si hay moros en la costa[129], pues, en verdad no estoy muy tranquila con eso de la ronda y los disparos.

CALIXTO.—Ahora me encuentro bien. No estoy nervioso. Tú, Madre, me has enseñado a andar... Cuando la otra noche, en tu casa, te poseí... (CELESTINA *se ríe.)* ¿De qué te ríes?

CELESTINA.—¡De qué va a ser! ¡De eso! (CALIXTO *no entiende nada.)* De que llames a lo que hicimos *poseerme*... ¡Qué loco eres! ¡Pero qué loco! ¡Qué ideas tienes en eso que, sin embargo, parece una cabeza! ¡Poseer a esta gitana! *(Ríe sarcástica.) No ha nacido quién,* hombre... Mira, muchacho, yo soy muy mía, muy independiente, mira tú. ¿Cómo puedes llamar tú posesión, nada menos, a aquel orgasmillo didáctico? Pero aunque no hubiera sido didáctico... Pero hombre, pero hombre... ¡Si el poseso eres tú, muchacho! ¡Si aquí el único poseso eres tú![130].

CALIXTO.—Usted perdone. *(Se ha ruborizado.)* Bueno... El caso es que me sentía fuerte y poderoso cuando veníamos hacia aquí... Pero ahora, ay, me siento desfallecer... ¡Ay, ay! A mí me va a dar algo.

---

[127] Como el adjetivo *cachondo* apunta, son expresiones irónicas que no se refieren a la otra, sino a esta vida.

[128] *dar el agua:* avisar de algún peligro (como *dar la pañí*).

[129] *haber moros en la costa:* frase con la que se recomienda precaución o cautela (DRAE) por encontrarse enemigos cerca o a la vista.

[130] Juego de palabras con un triple sentido: «poseer a una mujer» (gozarla); «dominar o tener en su poder»; y «estar poseído (poseso) por un espíritu diabólico».

CELESTINA.—Ánimo, hombre. (CALIXTO *está de espaldas a la puerta, en la que acaba de aparecer* MELIBEA, *que dice.)*
MELIBEA.—Ah, estáis aquí. (CALIXTO *se sobresalta.)*
CALIXTO.—Ay. Qué susto me ha dado.
CELESTINA.—*(Ríe.)* Agur[131]. Hasta luego, que ya ha llegado vuestra escena... Permitidme esta pequeña magia para hacer mi mutis menos engorroso. Simplifiquemos. ¡Agur! *(Hace un gesto. Surge una humareda ante sus pies y cuando el humo se desvanece, ella ya no está.* MELIBEA *hace un gesto de disgusto, quizás de terror.)*
MELIBEA.—¡Ay Dios mío! *(Se santigua.)* Esta Celestina es un monstruo. ¿Ha visto que manera de irse? No tiene vergüenza. *(Pausa.* CALIXTO *la mira y está como pasmado. El silencio es embarazoso. Muy fría:)* Bueno, hay algo que quisiera decirle para empezar y con ello podríamos también terminar sin haber apenas empezado. No sé si me comprende. ¡Quiero decir, hablando claro, que podríamos empezar por terminar!
CALIXTO.—Pues... ¡ay, no! No la comprendo bien. ¿Podría repetírmelo?
MELIBEA.—Es muy sencillo y no creo que seas tan torpe para no comprenderlo.
CALIXTO.—¡Oh, gracias!
MELIBEA.—*(Extrañada.)* ¿Por qué?
CALIXTO.—Por el tuteo. ¡Porque me ha tuteado! ¡Porque *me has* tuteado!; y *usted* perdone que la tutee, que te tutee, que... *perdone, perdona,* me estoy haciendo un lío como siempre.
MELIBEA.—*(Con infinito desprecio.)* ¿Y tú eres el hereje, el tan famoso y perseguido hereje, el heterodoxo y todo eso? ¿A qué tanto barullo[132] contigo?
CALIXTO.—Eso digo yo, que me siento de lo más insignificante.
MELIBEA.—¿Tan insignificante? ¿Sí? ¿Y vuestra pequeña canallada *qué ha significado?*

---

131 *agur:* interjección de despedida (DRAE).
132 *barullo:* se refiere a la desproporcionada confusión producida por la búsqueda y persecución de Calixto.

CALIXTO.—¿A qué te refieres? Yo...

MELIBEA.—Me refiero a Parmeno y a ti, al cuento siciliano, a vuestro engaño, a vuestro abuso de confianza, *y a todo en general.*

CALIXTO.—Yo... yo no quería engañarla: yo... ¡ay Melibea! Todo esto es horrible. Mi vida es una cosa horrible.

MELIBEA.—*(Fría.)* Ya sé, ya sé. Todos es lo mismo; la misma porquería todos. No me perdonaré nunca mi última debilidad; haberme dejado engañar una vez más en esta vida cuando ya me creía, pobre de mí, de vuelta de todo y a cubierto de todo engaño masculino e incluso femenino.

CALIXTO.—En cuanto a lo del engaño, perdóname, ay, ay, ay, fue Parmeno el que se sacó de la manga esa historia de una venganza siciliana. Todo por no hablar de la cosa dogmática pensando, digo yo, que una monja, y más si es la madre abadesa, es... bueno, *es una monja* y, como tal, ha de ser temerosa de proteger el error dogmático. Ya sé que estuvo muy feo pero el miedo era mucho y... *(Con suma vileza.)* Parmeno no sabía donde meterme o, mejor dicho, cómo deshacerse de mí, dado que lo perjudicaba y lo comprometía viviendo con él en su propia casa. Así que, ¡paf!, el muy ladino me soltó en este convento como si tal cosa.

MELIBEA.—Por cierto, ¿dónde está el hombrecito ése?

CALIXTO.—¿Quién?

MELIBEA.—¿Que quién? Parmeno.

CALIXTO.—*(Como si fuera sordo de pronto.)* ¿Par... qué?

MELIBEA.—*(Burlándose.)* Par... meno. *(Grita:)* ¡Parmeno, idiota!

CALIXTO.—*(Asustado.)* Ah, yo no sé. Hace tiempo que no lo veo, que no... *(Incapaz de mentir:)* Bueno, en fin, creo que se ha muerto. *(Inmediatamente se da cuenta de que ha metido la pata.)* Bueno, es decir...

MELIBEA.—*(Sorprendidísima.)* ¿Cómo que se ha muerto?

CALIXTO.—*(Trata de volverse atrás.)* ¿He dicho muerto? ¡Qué tontería, *muerto!* ¿A quién se le ocurre? ¡Parmeno muerto! ¡Ja, ja, ja! ¡Qué tonterías dice la gente! El ser humano es de lo más extraño y... Y de lo más... falible. ¿He dicho falible? ¿Ves? Otra tontería. Yo no quería decir *falible.* Aunque, ¿por qué no? También es verdad que el hombre, homo hominis, es... es muy falible. ¿De quién hablábamos? Ah, sí: *(Triunfalmente:)* ¡Del hombre en general!

MELIBEA.—*(No sale de su asombro. Ya casi le hace gracia el pobre* CALIXTO. *Lo mira y comenta reflexivamente:)* Es demasiado.

CALIXTO.—¿Demasiado qué?

MELIBEA.—Demasiado idiota todo esto. ¿Y tú eres el que dice que Dios Nuestro Señor es un perro de tres cabezas?

CALIXTO.—*(Como si le hubieran sorprendido con las manos en la masa.)* ¿Yo?

MELIBEA.—No, tú no. Mi tía[133].

CALIXTO.—Jamás he dicho cosa semejante.

MELIBEA.—Pero tu maestro, sí. Me he informado de ello al descubrir el porqué de tu caso y está clarísimo: «Un perro de tres cabezas», eso dice Servet que es la Santísima Trinidad[134]. *(Se santigua.)* ¡Dios me perdone por repetir esas nefastísimas palabras del demonio! ¿Y tú perteneces a esa banda?

CALIXTO.—Ya no, ya no. Yo *era* servetiano...

MELIBEA.—¿Ya no?

CALIXTO.—Ahora soy *melibeo.* El Santo Oficio persigue a un fantasma, a uno que yo fui. Ahora me persiguen por nada. (MELIBEA *se ríe groseramente. Se mete un dedo en la nariz.)*

MELIBEA.—¿Qué me encuentras para tanta adoración? Escucha mi palabra: yo ahora no soy sino una religiosa sencilla e ignorante. Me he refugiado en la Iglesia y no soy una teóloga que digamos, pero escucho con mucho horror blasfemias como las que pronunciaba tu amiguito hasta que lo quemaron.

CALIXTO.—Mi amiguito, como tú dices, amaba a Cristo sobre todas las cosas.

---

133 *No... Mi tía:* irónica manera de reforzar mediante una negación la respuesta afirmativa.

134 *Vid.* la nota 41.

MELIBEA.—¿A un Cristo con cabeza de perro? No me hagas reír.

CALIXTO.—Pobre Melibea. Escucha, yo nunca conocí a Miguel Servet pero leí un ejemplar de su obra *Por la Restitución del Cristianismo*[135] y encontré aquel libro, uno de los pocos que se libraron de la quema, bello y lleno todo él de amor. (MELIBEA *va a decir algo.*) Perdona, perdona. Déjame hablar sólo un momento. Me pregunto cómo es que tú ahora, *tú,* siempre perseguida por la mala fortuna, te colocas así, de lado de los perseguidores, del lado de los grandes de este mundo.

MELIBEA.—*(Con cinismo.)* Es una situación más confortable.

CALIXTO.—*(Con dolor.)* No puede ser que tú pienses así.

MELIBEA.—*(Contenta de haber herido.)* Pues así es precisamente como yo pienso; *así, así;* y si hoy estás aquí conmigo *es para pedirte que hagas algo por mí.* Por lo que parece, es algo que deseas fervientemente. ¿Es así o no?

CALIXTO.—*(Muy rotundo.)* ¡Así es!

MELIBEA.—Pues voy a pedirte algo encarecidamente.

CALIXTO.—Eso está hecho. ¿Qué es?

MELIBEA.—Es muy sencillo.

CALIXTO.—*(Ávido.)* A ver.

MELIBEA.—*(Se aguanta la risa.)* Que renuncies a tus errores teológicos y que, en prueba de reconciliación con nuestra Santa Madre Iglesia, te presentes voluntariamente en el Palacio del Santo Oficio.

CALIXTO.—*(Con terror.)* Eso sería una locura.

MELIBEA.—*(Sencillamente.)* Sí. ¿No estás loco de amooor?

CALIXTO.—No estoy preparado para esto.

MELIBEA.—¿Para qué? ¿Para la chamusquina?[136].

---

135 *Christianismi Restitutio* es uno de los libros en los que Servet expone sus pensamientos y creencias, como en *De Trinitatis erroribus* y en *Dialogorum de Trinitate libri duo.*

136 *chamusquina:* se refiere a la hoguera irónicamente (*chamuscar* es tan sólo «quemar una cosa por la parte exterior» —DRAE—). También señala el DRAE que *chamusquina* «se decía de las palabras o discursos peligrosos en materia de fe», quizá por la proximidad entre éstos y la pira purgativa.

CALIXTO.—Para el debate teológico. Además ya no me interesa nada. Sólo usted, *tú.*
MELIBEA.—Puedes decir eso del perro y explicar tus razones. Y después subir a la hoguera como un mártir.
CALIXTO.—*(Asustado.)* Me quemaría.
MELIBEA.—Ah, eso sí.
CALIXTO.—Tengo horror del sufrimiento físico.
MELIBEA.—¿No habías venido a despedirte?
CALIXTO.—¿A despedirme? Ah, sí.
MELIBEA.—Celestina me dijo que ibas a acabar de mala manera y por tu propia voluntad.
CALIXTO.—Ya lo he intentado una vez. Dije «¡adiós a la vida!», y me pegué un coscorrón.
MELIBEA.—*(Ríe.)* Ya sé, ya sé.
CALIXTO.—*(Ríe también, tímidamente.)* Gracias a esto estoy aquí, y te digo que me siento bastante feliz en este momento. *(Pausa. Queda como absorto.)* Porque te puedo hablar de amor. *(Pero no dice nada.)*
MELIBEA.—¿Qué más?
CALIXTO.—*(Como para sí.)* Ésta tendría que ser la escena.
MELIBEA.—¿Qué dices?
CALIXTO.—Digo... No sé. Si esto fuera un teatro, ésta tendría que ser la escena. ¡Todo estaría preparado para esta escena! Y a mí, al llegar aquí, no se me ocurre nada. *(Desolado.)*
MELIBEA.—*(Ríe broncamente.)* ¡Ésta sí que es buena! *(Se encoge de hombros.)* Pues entonces abajo el telón... *(El telón del teatro empieza a descender hasta el punto de que pueda parecer que la obra termina aquí.)*
CALIXTO.—*(Angustiado.)* ¡No, no...! Espera. Espérate. *(El telón se detiene.* CALIXTO *se ha dirigido a ella —no al telón— como si* MELIBEA *estuviera a punto de dejarle, pero* MELIBEA *no se ha movido, aunque está de pie.)* Escúchame un momento, por favor. (MELIBEA *se sienta, mientras el telón vuelve lentamente hacia arriba*[137]. CALIXTO *entonces se sienta a su lado y le*

---

[137] Al igual que en numerosos momentos de la obra, se insiste en su condición *teatral,* de representación o de nueva aparición de palabras, situaciones y personajes anteriores.

toma una mano con pasión.) ¡Ah, Melibea, Melibea!

MELIBEA.—*(Lo rechaza con repugnancia estética.)* ¡Oh no, hasta ahí podíamos llegar! La escena del sofá, eso sí que no! Es demasiado ridículo. Intenta otra cosa, por lo menos[138]. Y luego vete al Santo Oficio o muérete por tus propios medios, me da igual... pero sin aspavientos... No soporto esas muertes del teatro... ¡Ah! ¡Pero, eso sí, a ser posible, muérete en otra parte! *(Ríe groseramente, babea.)*

CALIXTO.—*(Extrañadísimo y un poco asqueado.)* ¿Pero cómo hablas así? No se corresponde, no... *(Apenado, balbucea.)* No se corresponde.

MELIBEA.—¿Con qué? ¿Qué dices tú? *(Hay un profundo desprecio en su modo de hablar.)*

CALIXTO.—No se corresponde con... con esos hábitos religiosos, con... con tu elección de una vida penitencial, Melibea... Con... con nada. Porque podrías ser de una forma, como antes eras, o de otra... como ahora serías... Pero así... *Así no*... ¡Todo a la vez no! ¡Nada, no! Tiene que haber una lógica, una coherencia... para que yo entienda; *para que yo no me vuelva loco,* Melibea... ¿Quién eres tú? *(Pausa. Hay ahora una gran melancolía en la voz de* MELIBEA *que dice lentamente:)*

MELIBEA.—Todavía no te has dado cuenta de que yo no soy nadie, de que no existo... de que yo no soy de una manera ni de otra... *(Se ríe.)* ¡Soy de mentira! En los viejos tiempos ya dejé de ser yo... pero, qué risa, *yo*... ¿Qué quiere decir esto? El caso es que he sido siempre muy adaptable, ¿sabes? *(Ríe.)* Me adaptaba divinamente al cliente, al otro, y unas veces era triste y profunda, según, según, y otras alegre y superficial: según... y luego... luego me hice mala. Pero siempre de lo más incoherente... ¡Una risa!

CALIXTO.—*(Como si eso fuera imposible.)* ¿Mala tú?

---

138 Melibea alude a la «teatral» escena de las amorosas declaraciones de Don Juan y Doña Inés en la quinta cercana al Guadalquivir *(Don Juan Tenorio,* P. I, A. IV, E. III). Ve ella a Calixto «demasiado ridículo», como si se hubiese confundido de obra («intenta otra cosa»).

MELIBEA.—Sí, hijo, sí: *mala*... Lo mismo pero al revés... y entonces, si un tío era alegre, yo me ponía de lo más lúgubre, y si el menda era triste, yo alegre; y así... Todo para fastidiar, así como suena. Es fácil, se hace lo contrario de lo que el otro espera de una, y sale muy bien; escenas de lo más divertido... Ah, y con el género sufriente, al que tú perteneces, majo, es facilísimo: ya ves. ¿A que te hago llorar, qué te apuestas?

CALIXTO.—Déjame, déjame.

MELIBEA.—No somos nadie, chico; y además... *(Ríe.)* Y además tú y yo *(Ríe.)*, ¡tú y yo somos *(Ríe.)*, somos *dos viejos!* (CALIXTO *murmura algo.)* ¿Qué? *(Un silencio.)*

CALIXTO.—*(Con voz muy ronca y profunda.)* Yo te ruego, por Jesucristo, una sola palabra de consuelo, una sola palabra. Por Cristo Crucificado en quien todavía quiero creer y cuya cruz portas tú sobre estos hábitos, te pido una palabra de consuelo. Y después me iré; te lo juro, *desapareceré* en los calabozos del Santo Oficio.

MELIBEA.—*(Suspira como con un benévolo fastidio.)* Ah. ¿Prefieres el personsje *cristiano?* Bueno, bueno... Lo hago bastante bien, ¿sabes?, pero no creo que te convenga, hermano... Está más lejos todavía de ti... es... *(Como si hablara de otra persona.)* una madre Abadesa que se disciplina hasta que su cuerpo sangra en la penumbra de su celda, durante las largas vigilias de este lóbrego invierno[139]... *(El personaje cambia.)* Es una dama triste que, a veces, mira caer la lluvia y quisiera estar lejos... El tedio de la vida y un mundo horrible de asquerosos recuerdos y de horrores sin fin puebla sus infinitas noches... Al amanecer siente a veces, es cierto, algo como una débil alegría... ¿Qué más quieres saber?; y no siempre está desesperada... A veces, esa pobre mujer, llora dulcemente...

CALIXTO.—*(Con infinito alivio, como si* MELIBEA *lo hubiera aca-*

139 Al describir el «personaje cristiano» (el que ella *representaba* al comienzo del cuadro VI) muestra Melibea su naturaleza polifacética y su personalidad múltiple (no es, ha dicho poco antes, «de una manera ni de otra», es «de mentira»).

riciado ahora.) Esto sí... Esto sí... Me basta; ya me basta... Ahora puedo marcharme... Con estas dulces palabras, sí... No podía soportar *lo otro,* ¿sabes?, ese horror inhumano, no, no, no, no... Y no digas, oh Melibea, que tú eres cualquier cosa... un personaje u otro, qué más da... No, no... No es cierto así... Tú eres... Esa persona melancólica que acaba de hablar ahora... esa gran pureza infinita que mira con tristeza el fango pestilente de la vida... y que sueña sin saberlo otra vida... Pero no digo esa otra vida ilusoria de catecismo y ultratumba... sino una nueva vida en este mundo, Melibea, en este oscuro y perdido mundo en el que a veces, creo yo, hay resplandores como tú.

MELIBEA.—¡Ay, Calixto! No creas nada de lo que ahora voy a decirte... Es otra mentira, otro papel... Pero tendría que decir que, al escucharte ahora, he oído como una música.

CALIXTO.—Melibea, Melibea... Es el dolor, es el amor que canta... Yo contemplándote también oigo como una especie de música. Cuando guardas silencio, es también música.

MELIBEA.—*(Como en un ensueño, entrecierra los ojos.)* Bah, bah... Es la imaginación... Con una ruinita de nada, como yo soy, se puede hacer algo bello... y hasta el más grosero e indiferente silencio puede convertirse, no sé... en un gran concierto de músicas y voces... cuando en verdad no hay nada, nada, nada... sino a lo más una respiración animal... o un dejarse llevar de cualquier modo... o un deseo terrible e inconsciente de vomitar, o nada, nada... ni eso... nada.

CALIXTO.—Ah sí, la imaginación[140] es... es eso. Es... nuestra irrisoria grandeza... pero también, ay Melibea, es nuestra peor enfermedad. Animales enfermos de imaginación... Convertimos con ella un mundo simple y na-

---

[140] En el auto decimocuarto de *La Celestina,* cuando Calisto piensa en su primera noche con Melibea, dice para sí: «Pero tú, dulce imaginación, tú que puedes, me acorre. Trae a mi fantasía la presencia angélica de aquella imagen luciente...»

tural en un paisaje de fantasmas... El momento se desgarra en el tiempo... Y hay memoria: dolor... y hay los recuerdos del futuro: más y más y más dolor... y ya no existe el pequeño recinto, el resguardo, el refugio en que uno se siente bien y como al seguro del pasado y... y del futuro... al fin y al cabo de la muerte... ya no hay el momento absoluto, animal, de la vida... ¡Oh la triste imaginación! ¡Oh la tristeza de no ser ciego; el dolor de recordar, de *saber!*[141].

MELIBEA.—*(Casi en un susurro.)* Tampoco, tampoco... La ceguera es también mucho dolor, Calixto... y yo sé lo que hay en ese abismo animal... yo conozco, Calixto, *esa dudosa alegría*... y te digo que lleva dentro mucho, mucho dolor; yo te lo puedo decir... porque vuelvo de allá.

CALIXTO.—¿Entonces? ¿Qué?

MELIBEA.—Entonces... esto. *(Se encoge de hombros.)* No sé... Un día, por ejemplo, Celestina, mi antigua ama, hace posible *esto*... esta fantasía de reconciliación; y nada más... Ya es demasiado, ya es algo que no existe en el mundo... Ya esta escena es *absurda*... Y no se sabe si reír o llorar cuando algo así pasa; y luego nada, se acabó. Esto *y nada más*... nada más... ¡Nada más! *(Un silencio. Ahora parece haber abandonado todas sus defensas. Está como fatigada. Diríamos: dulcemente fatigada. Entrecierra los ojos.)* Ahora me acuerdo, ¿sabes de qué?, ahora me acuerdo de la primera escena.

CALIXTO.—*(Como en un suavísimo reproche.)* ¿Qué quieres decir? ¿Otra vez el teatro?

MELIBEA.—No, el teatro no... la vida... pero también el teatro, sí... Calixto y Melibea... y Celestina y... ese mun-

---

[141] Hay en las palabras de Calixto ideas semejantes a las expresadas por Rubén Darío en el conocido poema «Lo fatal» *(Cantos de vida y esperanza)*, donde se afirma la felicidad de no sentir, de «ser, y no saber nada». Sastre tuvo una temprana admiración por Darío. Uno de sus poemas de juventud, «Dos poetas» *(El español al alcance de todos*, pág. 16), comienza:

> A la cabeza va Rubén Darío,
> poeta tan de todos y tan mío.

El segundo de ellos es don Antonio Machado.

do fantástico, y también nosotros... otro mundo fantástico... o real[142], qué más da... pero tan fugitivo que... cuando de nosotros no quede ninguna huella... sea como sea nuestra historia... parecida o no a la escrita... será aquella, la escrita, la que permanecerá en la memoria de las gentes. Y entonces será como si tú y yo y esa gitana Celestina no hubiéramos existido nunca. Y aquello que no ha ocurrido nunca es lo que seguirá sucediendo siempre: una vieja degollada, una dulce muchacha arrojándose desde una torre porque cierto muchacho, que un día entró en su casa persiguiendo un halcón, ha muerto estúpidamente cuando todo lo deseaba menos morir... ¿Y para qué nosotros?

CALIXTO.—Nosotros para vivir.

MELIBEA.—*(Con una vieja sonrisa.)* ¿Vivir hasta que la muerte nos separe?

CALIXTO.—Sí, pero yo pienso... escucha Melibea, yo pienso... en una vida sencilla y prolongada, en una vida al margen de todo este infierno de dolor; en una vida... que sea como una gran fiesta de los sentidos corporales en la que los cuerpos se vayan apagando sin sentirlo. Rompamos, oh Melibea, ese libro del que hablamos, como tú dices, en la primera escena.

MELIBEA.—Me haces reír, me haces reír aunque no quiera... Eres, pobre Calixto, como un niño viejo y gordo que no sabe nada de la vida; y estamos viviendo ahora... y yo me dejo, me dejo con curiosidad de ver cómo puede ser un sueño... estamos viviendo, digo, una situación falsa... imposible... que ya dura demasiado. ¡En cualquier teatro decente ya nos habrían tirado un montón de tomates y de huevos podridos! ¡Y ese olor fétido nos devolvería a la realidad de la vida!

CALIXTO.—Si esto es un sueño, oh Melibea, yo no quisiera despertar.

---

[142] Se reitera el carácter a un tiempo real y fantástico, objetivo y producto de la imaginación («nuestra irrisoria grandeza») de la escena. Recuérdense en este sentido el cuadro VII de *Jenofa Juncal, la roja gitana del monte Jaizkibel* y *El viaje infinito de Sancho Panza*.

Vid. Francisco Caudet, *Crónica de una marginación*, cit., pág. 143.

MELIBEA.—(*Ríe ahora con sorprendente buen humor, casi con alegría.*) ¡Está bien! ¡Está bien! ¡Ganas tú! Es vulgar lo que acabas de decir pero a mí me gusta... refugiarse en el sueño, dices... ¿Por qué no? ¿Por qué no? Y quizás un buen día tomarnos de la mano y caminar... en sueños... Duerme, duerme, mi niño, que viene el coco... Duerme, duerme, mi niño... (*Tararea una extraña nana.* CALIXTO *la mira como fascinado, con los ojos muy abiertos. Pausa.*) ¿Te ha gustado así?

CALIXTO.—(*No sabe de qué va.*) ¿El qué?

MELIBEA.—La escena.

CALIXTO.—(*Con miedo.*) ¿La escena? Déjala como ha quedado ahora. No la toquemos más[143], por Dios... Soy muy feliz así... en este momento.

MELIBEA.—Está bien, está bien... Termínala besándome. (CALIXTO *la besa con dulzura en una mejilla. Ahora se oye realmente una música leve y entonces va haciéndose el oscuro, en el que, al hacerse completo, se oyen de pronto voces terribles y como gruñidos animales. Es una irrupción zoológica de gentes armadas con ballestas y portadores de hachones encendidos. «¡Está aquí! ¡Está aquí!» A la luz de las antorchas, vemos ahora sus rostros: son jetas de cerdo y cabezas de burro. Se arrojan sobre* CALIXTO. *Éste forcejea. Un* CERDO *le clava un espadón en el vientre. Cae* CALIXTO *al suelo desangrándose.* MELIBEA *da un grito de horror y se inclina sobre el cuerpo, ya muerto, de* CALIXTO. *Llora. Se abraza a él.*) Calixto, amor mío... Ahora te lo puedo decir, ahora que has muerto... Que tú has sido mi único, mi verdadero, mi eterno amor[144]... (*Llora ahora con un desconsuelo infinito. Entonces uno de los* BURROS dispara su ballesta sobre MELIBEA *que muere a su vez, abrazada al cuerpo de* CALIXTO.)

---

143 Estas palabras traen a la memoria el dístico de Juan Ramón Jiménez «El poema» (*Piedra y cielo*):

> ¡No le toques ya más,
> que así es la rosa!

144 Jenofa dice a Pedro, tras contarle su dolorosa historia: «¿Y si te digo que seguramente tú has sido mi único amor...?» Esta escena hace también pensar en el cuadro V de *Jenofa Juncal, la roja gitana del monte Jaizkibel*, en la que los protagonistas mueren acribillados.

CERDO.—¡Pero qué burro eres! ¿No has visto que era una monjita?[145].

BURRO.—¡Y yo qué sabía! Yo he visto una escena inmoral y me ha parecido conveniente la intervención.

CERDO.—A ver cómo se lo contamos al señor Obispo.

BURRO.—Podemos decirle que era una guarra y que trataba de ventilarse[146] a un cadáver.

CERDO.—Es una buena idea. *(Oscuro sobre el cuadro de horror.)*

CUADRO VIII

En el que muere hasta el Apuntador[147] *pero algo sobrevive un poco*

(Es de noche. El panteón de CALIXTO *y* MELIBEA. *Dos tumbas ornamentadas con sendas estatuas yacentes de los pobres amantes: «HIC IACET MELIBEA», «HIC IACET CALIXTO». Al poco, entra* SEMPRONIO *y saluda a las tumbas)*[148].

---

[145] No se evita aquí su muerte a sangre fría, como en situación semejante hace el Cabo en *El camarada oscuro* (C. XVI): «¿Qué vas a hacer, so bestia? ¿No ves que es un prisionero?», dice al soldado que iba «a rematar a Ruperto».

El diminutivo *monjita* hace más perceptible el contraste entre el desvalimiento de Melibea y la brutalidad de su agresor.

[146] *ventilarse:* poseer sexualmente.

[147] Esta expresión coloquial establece una relación entre este final y los paródicos de *Manolo,* de Ramón de la Cruz, o *La venganza de don Mendo,* de Muñoz Seca, en los que todos sucumben. Pero la segunda parte del título hace surgir la ambivalencia por encima de la parodia porque señala la permanencia del amor.

[148] Como en la Introducción dijimos, hay en el ambiente de esta escena un recuerdo del acto primero de la parte segunda de *Don Juan Tenorio.* La mención de *los pobres amantes* evoca a Diego Marsilla y a Isabel Segura, los protagonistas de la pieza de Hartzenbusch, pero las tumbas con sus estatuas yacentes hacen pensar, en una nueva dualidad temporal, en el actual Mausoleo de los Amantes, de Juan de Ávalos, que puede ser visitado por los turistas en Teruel.

SEMPRONIO.—¡Hola, Calixto! ¡Hola, Melibea! No creáis que vengo a visitaros en vuestras tumbas. Es que la Madre Celestina me ha citado aquí, en estas horas nocturnas y melancólicas. Anda huyendo, esa gran mujer, de la Inquisición desde que ocurrió lo vuestro. Le han incendiado la casa los muy cabritos[149] y detuvieron a Areusa, a la cual, por cierto, han quemado ayer en la plaza pública y, a decir verdad, exhalaba unos gritos, al asarse, que partían el alma[150], de quien la tuviera, que no es mi caso, pues soy de lo más desalmado que deambula por Salamanca. Yo creía que Celestina se habría quitado de enmedio poniendo los pies en polvorosa, pero se ve que no ha sido así, pues me ha enviado esta nota o mensaje con un chaval... *(Lee.)* «No me faltes, Sempronio, que he de pedirte un señalado favor a medianoche en el Panteón de los Pobres Amantes»; que así se llama esta fúnebre cripta construida para cumplir, oh Calixto, el testamento que habías escrito antes de tu fatal encuentro con Melibea. Que, por cierto, en ello se han ido todos tus dineros y me has dejado sin blanca a pesar de todas tus promesas de retribuirme mis servicios. ¿Qué tal os va, Calixto, Melibea? Por aquí todo sigue igual con esta basura que es la existencia del hombre en la sucia y apestosa cloaca que es el mundo. Seguimos por aquí, ya me veis, arrastrando el rabo por el suelo y tan mamones como siempre. Pero ¿qué es esto? *(Hay como un bulto de trapos en el suelo. Lo mueve con el pie.)* ¿Qué es esta basura? *(De la* COSA *sale una vocecita triste.)*

COSA.—Soy yo, Sempronio, hijo.

SEMPRONIO.—*(Mira el bulto con horror y se ríe.)* Es la voz de la Madre Celestina. ¿Pero dónde estás?

COSA.—Aquí, aquí... soy yo.

SEMPRONIO.—¿De qué te has disfrazado esta vez? ¿De montoncito de trapos? Qué cosas se te ocurren, mujer.

---

149 *cabrito:* aquí en la acepción, no recogida por el DRAE, de «persona que causa perjuicios o hace *cabritadas* o *cabronadas*» (DRAE: mala pasada, acción malintencionada o indigna contra otro).

150 Recuérdese el patético final de *La sangre y la ceniza* (P. III, C. IV) con la muerte en la hoguera de Miguel Servet.

COSA.—Ahora no es un disfraz, hijito. Voy a intentar ponerme en pie. Ayúdame hijo mío, que ando muy malamente. (*La* COSA, *con grandes dificultades, se pone en pie. Es una especie de monstruo:* el monstruo de la vejez[151], *podríamos decir.* SEMPRONIO *la mira con horror.*)

SEMPRONIO.—¿Eres tú? ¿Eres tú? (*Retrocede espantado.*) ¿Eres tú?

CELESTINA.—Sí, soy yo. No te dé asco, hombre. Acércate.

SEMPRONIO.—¿Pero qué te ha pasado, Madre? ¿Qué ha sido de ti? (*Se tapa la nariz.*) Al moverte, un hedor imposible se ha desprendido de ti, como si estuvieras podrida, Madre. ¿Qué te ha pasado, Celestina? ¿Qué ha sido de la estupenda gran puta que tú eras, aquel animal alegre, el único que yo haya conocido?

CELESTINA.—Estoy mala, Sempronio. *¡Espajú, espajú!*[152]. Es un problema de la tierra, de la chiquén: ay, de la tierra egipcíaca de mis antepasados, en la cual yo sepultaba, mientras que dormía, todos mis muchos años y todas mis penas, mis ducas, mis charaburrís... Aquella tierra era mi baño lustral[153], Sempronio mío; yo la ensuciaba, la cagaba durante el sueño diurno y me quedaba limpita, como recién nacida cada noche... Areusa, mi pobre Areusa, la sacaba después en cubos al vertedero de la basura que olía a perro muerto por mí... ¡Algo se pudría por mí, *en mi lugar...!* Soy vieja, Sempronio; murió la gitanilla bailadora y, ahora que me han quemado el quer[154] y que mi lecho egipcíaco ha sido destruido, todos los años, todos... se me han venido así, de pronto, encima... y ya tengo dentro esas pequeñas bestias, los

---

[151] Sastre lleva a cabo un hondo tratamiento dramático de «el monstruo de la vejez» en *Los últimos días de Emmanuel Kant* y de la degradación de los protagonistas hasta llegar a su muerte en *Revelaciones inesperadas sobre Moisés*, en *Demasiado tarde para Filoctetes* y en *¿Dónde estás, Ulalume, dónde estás?*

[152] *espajú:* espanto. Algunos términos y frases en caló que son empleados por Celestina en esta ocasión se traducen por el autor en el texto y así figuran en la edición de *Primer Acto* y en la versión italiana. Trasladamos las aclaraciones a notas, indicando (*N. del A.*).

[153] *lustral:* purgativo o de purificación.

[154] *quer:* casa (*N. del A.*)

gusanos; estoy agusanada... Esa es la horrible verdad, y ve ahí el origen de mi actual pestilencia... Ya ves, ya ves en qué he venido a parar, Sempronio... Esos gusanos que ahora me habitan y bullen en mi interior... son ciegos y abren sin tregua sus asquerosas galerías de mierda; me habitan y se reproducen como una colonia voraz, carnívora... los siento recomerme por dentro y me están convirtiendo en una pura inmundicia, ya lo sé, ya lo sé... ¿Tan mal huelo, Sempronio? ¿A qué huelo, dime? *(Avanza, medio arrastrándose, hacia él.* SEMPRONIO *trata de retroceder pero no puede. Está como hipnotizado. Tiembla.)*

SEMPRONIO.—Déjame, déjame. ¿Qué me estás haciendo? No puedo ni moverme.

CELESTINA.—Es una miaja de hipnotismo; mis viejas artes... ¿A dónde querías ir?

SEMPRONIO.—*(Muy pálido.)* Muy lejos. No sé. ¡Tengo miedo, Celestina!

CELESTINA.—¿Miedo de qué, hijo mío? ¿Canguelo tú, mi rey? ¿Jindama, chavoró?[155]

SEMPRONIO.—*(Helado.)* Miedo, miedo... de ti.

CELESTINA.—Gracias, gracias por haber venido. *(Salta sobre él, que cae al suelo; y se agarra al cuerpo de* SEMPRONIO *como una ventosa. Él chilla.)* Pobre, pobre Sempronio. Necesito alimento, ¿sabes?, jayipén[156], y tú eres casi, casi mi última esperanza... Por eso te he citado aquí... necesito alimentarme un poco, un poco... Y es buena la carne joven, hijo, y Madre Celestina volverá a ser, por medio de tu preciosísima sangre, la grandísima Puta que siempre he sido para deleite y admiración de todo el mundo. ¡Barí lumiasca![157]. Permíteme, permíteme... *(Sus manos son ahora unas terribles garras de ave carnicera, de arpía*[158]. *Se las clava en el pecho; y entonces le muerde en el cuello para succionarle*

---

155 *¿Jindama, chavoró?:* ¿Miedo, niño? *(N. del A.)*

156 *jayipén:* algo de comer. *(N. del A.)*

157 *¡Barí lumiasca!:* ¡Gran puta! *(N. del A.)*

158 Con la conversión de sus manos en garras de *arpía* (DRAE: «ave fabulosa, cruel y sucia, con el rostro de mujer y lo demás de ave de rapiña») muestra Celestina el poder de metamorfosearse que tienen las brujas. *Vid.* la nota 29.

glotonamente la vena yugular[159]. *Pero* SEMPRONIO *consigue sacar su cuchillo y se lo clava en el hígado —o en el corazón, a gusto del actor y naturalmente con el acuerdo de la actriz— de modo que* CELESTINA *gime y acaba abandonando su presa.* SEMPRONIO *se levanta ensangrentado y mira con horror el cuerpo de* CELESTINA, *que aún se remueve y todavía grita, agonizante, en un terrible estertor, con infinito odio:)* ¡Panipén gresité terele tucué drupo! ¡Sos te diqueles on ar báes dor buchil y arjulipé satá ar julistrabas! ¡Sos les galafrés te jayipéen! ¡Sos panipenes currucós te mustiñen les sacais! ¡Sos mangues sacaítos te diquelen luandao e a filimicha, y sos menda quejesa or sos te buchare a ler pinrrés, y ler bengorrós te liqueren on drupo y orchí balogando a or casinobén![160].

(Hace como un terrible eructo y queda por fin inmóvil. SEMPRONIO *se tapa la nariz con un pañuelo como si respirara el hedor de una abominable putrefacción.)*

SEMPRONIO.—*(Tiembla.)* ¡No, no está muerta! *(Con un gran escalofrío.)* ¡Es inmortal! ¡Tengo que cortarle la cabeza, y aún así no sé...! *(Escena de ensañamiento*[161] *—quizás le corta*

---

[159] Este genuino acto vampírico evidencia otro aspecto de la personalidad de Celestina. La Madre Celestina, como Saturno, quiere ahora alimentarse con la «preciosísima sangre» (expresión que evoca la de Jesucristo) de su «hijo» Sempronio.

[160] *¡Panipén... casinobén!:* ¡Mal fin tenga tu cuerpo! ¡Que te veas en las manos del verdugo y arrastrado como las culebras! ¡Que los perros te coman! ¡Que malos cuervos te saquen los ojos! ¡Que mis ojitos te vean colgado de la horca y que yo sea quien tire de los pies, y los demonios te lleven en cuerpo y alma volando a los infiernos! *(N. del A.)*

En este supremo momento de su existencia Celestina se manifiesta en caló, *su* lengua. No olvidemos que «se es como se habla» *(Lumpen, marginación y jerigonça,* cap. XIX, pág. 101).

[161] Recuérdense las muertes de Viriato *(Crónicas romanas,* C. VIII): «Viriato recibe en pie las cuchilladas y no cae. Entonces ellos gritan con sobrenatural espanto y lo apuñalan una y otra vez, hasta hacerlo caer de rodillas y, por fin, de bruces. Con encarnizado terror, lo rematan una y otra vez, siempre chillando, como temiendo que todavía se levante y se alce contra ellos. Así lo degüellan como un cerdo, lo desangran...»; la de Jenofa Juncal *(vid.* nota 144); o la de Moisés *(Revelaciones inesperadas sobre Moisés,* C. XII), «una escena fuerte en la que el pueblo de Israel procede al linchamiento inmisericorde de

la cabeza— que el autor renuncia a describir. ¿Para qué? El caso es que SEMPRONIO *termina muy fatigado; pero pronto recupera, al menos en parte, su antiguo cinismo para comentar:)* Todo esto es ciertamente horrible; me he puesto perdido. *(Se sacude el polvo del traje.)* Aquí fenece hasta el Apuntador[162]... *(Se ríe de lo que acaba de decir.)* ¡Hasta el Apuntador...! *(Reflexiona.)* Lo cual hace aún más absurda, si cabe, digo yo, mi existencia. *(Mira extrañadísimo a su alrededor.)* ¿Qué pinto yo aquí? *(Mira al cielo. Grita:)* ¡Eh tú, Autor! ¿Qué pinto yo todavía aquí? *(Escucha el silencio.)* Nada, el tío ni contesta, como siempre... Apuesto a que el buen hombre es sordomudo —y ciego y cretino— y... *(Se tambalea de pronto.)* El absurdo es una cosa que me marea, ¿sabe? ¿Qué tendré yo, doctor? Siento frecuentes náuseas y algunas veces incluso vomito sobre las barbas de mi padre. ¿Es malo eso, doctor? ¿Será muy grave? *(Vuelve a reírse.)* Ya está bien, ya está bien. Es una situación ciertamente insostenible. ¿No habrá una cuerda por ahí, señores? *(Se fija en una cuerda que ha estado colgada a un lado del escenario desde el comienzo del espectáculo.)* Ah sí, aquí está. ¿Dónde la he visto antes? Ah sí, estaba ahí mismo desde el principio, ahora que me acuerdo... No puedo uno quejarse de su suerte. *(Se sube a la banqueta. Saluda hacia la sala como hacen los toreros cuando brindan un toro al público*[163].

Moisés: escena muy repugnante, porque lo que se mata y se destroza es ya un resto humano incapaz de cualquier movimiento ni acción». Lo que queda de él después es tan sólo «un montoncito de basura sangrienta».

[162] *Vid.* nota 147.

El cultismo *fenece* establece una irónica contraposición con la frase coloquial. Respecto a la utilización de cultismos como «procedimiento de comicidad por contraste», puede verse Manuel Seco, *Arniches y el habla de Madrid*, Madrid, Alfaguara, 1970, pág. 254.

[163] Al final de la primera parte de *La sangre y la ceniza* se quema en efigie a Servet con la ambientación propia de una corrida de toros: «Entran en escena las autoridades y se sitúan en un estrado. De pronto, un clarinazo y un redoble. Silencio. El Ejecutor de la justicia pide permiso a la tribuna, como se hace en las corridas de toros, y el presidente de la ceremonia saca un pañuelo...» *(Vid.* al respecto la Introducción de Magda Ruggeri Marchetti a Alfonso Sastre, *La sangre y la ceniza* y *Crónicas romanas*, Madrid, Cátedra, 1979, págs. 43-44). Algo semejante tiene lugar en el Momento V del Epílogo de *La taberna fantástica*.

Gira sobre sus talones con el sombrero en la mano.) ¡Va por ustedes!

(Tira el sombrero al suelo con un gesto castizo y procede, meticulosamente, a hacer el lazo corredizo. Parece un artesano enamorado de su oficio y además un alegre suicida. Se cuelga por fin, saltando de la banqueta. ¡Hop! Su cuerpo se balancea de un modo más o menos siniestro[164]. *Entonces hay una música y una larga pausa. Porque, ay, la pieza no ha terminado todavía... Y es que la estatua yacente de* CALIXTO, *al poco, se remueve. Bosteza.)*

CALIXTO.—¡Qué sueño tan horrible! *Me ha parecido que existía.* Qué horror, ¿verdad? (SEMPRONIO, *colgado, se ríe.)*
SEMPRONIO.—¿Estoy soñando?[165].
MELIBEA.—*(Se despierta a su vez.)* Qué cosas tienes, hombre. *(Queda sentaba sobre su tumba mientras* CALIXTO, *sobre la suya, se atusa un poco el pelo.)* ¿Has visto *eso? (Por los despojos de* CELESTINA.)
CALIXTO.—*(Con rara indiferencia.)* Ah sí... Es aquella gitana, Celestina, pero está de lo más muerto que he visto; qué barbaridad.

---

[164] Sempronio consigue lo que Calixto había intentado sin éxito: ahorcarse. En sus obras Sastre ha mostrado en distintas ocasiones suicidios («Del suicidio» es el título de un poema de *El español al alcance de todos),* especialmente por medio de la horca. Pensemos, por ejemplo, en el de Ulla en *Ejercicios de terror* (C. V); en la imagen de la horca al comienzo del cuadro III de *La sangre y la ceniza;* en el frustrado suicidio de Sancho en *El viaje infinito de Sancho Panza* (C. I); en el de María, esposa de Aarón, en *Revelaciones inesperadas sobre Moisés* (C. XI); y en el de Larrea, en el cuadro final de *Demasiado tarde para Filoctetes,* que se cuelga de un «gran árbol esquelético» después de encontrar una cuerda entre sus manos. Sastre escribe en la correspondiente acotación: «El autor ya ha propuesto un suicidio muy parecido en otra de sus obrillas —*Tragedia fantástica de la gitana Celestina*— pero ello no dice nada en contra de la originalidad que puede alcanzar esta escena, en la que el suicidio es una consecuencia lógica de una existencia humana mientras que en aquella otra ocasión era un momento más en el absurdo, a manera de respuesta jocunda al hecho de haber muerto ya todos los demás personajes.»

[165] Como en la nota «Versión definitiva» se indica, en la italiana «el cuerpo colgado de Sempronio interviene mediante más réplicas —citas de Rojas— en la escena póstuma de los dos amantes», en esta escena.

MELIBEA.—*(Lo mismo.)* Y, si te fijas, ahí, colgado, está aquel Sempronio, más muerto que vivo *(Se ríe de su pretendido chiste.),* creo yo. ¿No te has fijado? Colgado, el buen hombre, de una cuerda. *(El cadáver se ha puesto serio. Disimula, silba.)*

CALIXTO.—Sí, ya lo veo, ya. *(Pausa.)* Por lo que parece, en esta obra hemos muerto todos: toditos, como diría aquél.

MELIBEA.—*(Con fuego inédito.)* ¡Todos *menos tú y yo! (Más débil.)* Vamos, quiero decir que a mí me gustaría que... Bueno es igual.

CALIXTO.—*(Ahora un tanto escéptico.)* No sé, no sé. *(Pausa.)* De todos modos, aquello podía haber sido mejor, digo yo. Aquello... Quiero decir la vida que...

MELIBEA.—Sí, sí, comprendo... la vida que... *(Muy triste.)*

CALIXTO.—Y ahora se acabó, porque esto de la ultratumba, como ya ves, no es nada de nada... Lo poco que queda antes de uno desaparecer del todo... una reminiscencia.

MELIBEA.—*(Ríe débilmente.)* ¡Reminiscencia! ¡Qué palabra! Por cierto que hoy la lucecita es todavía más débil, ¿no? Está más oscuro que ayer. *(Se estremece.)* Y hace más frío.

CALIXTO.—Eso parece, sí... *(Suspira.)* ¡Cómo te quería yo! ¡Uf! *¡Demasiado!* Pero, en fin... Ya pasó todo.

MELIBEA.—Ahora que me acuerdo... *(Reflexiona.)* ¿Sabes? Cuando yo te vi caer muerto, te amé muchísimo de pronto *pero ya era demasiado tarde*[166]... ¡Qué cosas! ¿Verdad? ¡En fin! No vamos a contarnos ahora *nuestras batallitas.*

CALIXTO.—A lo mejor, digo yo, todo esto pudo ser de otra manera. ¿O ya lo he dicho antes? *(El cadáver de* SEMPRONIO *ha quedado definitivamente inmóvil.)*

MELIBEA.—No sé, no creo, qué más da. *(Pausa.)*

CALIXTO.—*(Bosteza.)* No puedo más; estoy rendido. Ayer aguanté incorporado lo menos cuatro o cinco minutos, pero hoy no puedo más, querida. Perdóname. *(Se tumba.)*

---

166 También Calixto creía que ya era «demasiado tarde» (*vid.* nota 47).

MELIBEA.—¡Calixto, déjame que te diga que yo *te amo eternamente!* ¡Te lo digo ahora por si mañana ya no pudiera hablar...! ¿No ves? ¿No ves? Ya sólo queda una chispita o algo así de nosotros... ¿No podríamos hacer un incendio, aunque durara poco, con esta chispita? ¿No? (CALIXTO *trata de hablar pero no lo consigue.*) Mañana quisiera poder incorporarme todavía un rato... Lo intentaré, amor mío, yo lo intentaré... ¿Y tú?

CALIXTO.—(*Yacente, exhausto.*) Adiós, adiós. (*Cruza las manos sobre el pecho.* MELIBEA *no se da cuenta del mortal gesto de* CALIXTO. *Parece revivir ahora un poco y recuerda con literaria exaltación que incorpora aquella amada literatura a su propia vida, a su propia muerte.*)

MELIBEA.—«¿Dónde estabas, luciente sol?[167]. Todo se goza este huerto con tu venida... Mira cómo un templadico viento menea los cipreses... Mira sus quietas sombras, cuán oscuras están y aparejadas para encubrir nuestro deleite... ¿Qué quieres que cante, amor mío? Ay, pero manda a tus manos que se estén quedas, por favor. (*Con mucha dulzura.*) Mándalas estar sosegadas, querido mío. Tus honestas burlas me dan placer, tus deshonestas manos me fatigan cuando pasan de la razón. (*Se tiende. Suspira.*) Deja estar mis ropas en su lugar, deja, deja... (*Pausa.*) Si quieres ver si mi hábito es de seda o de paño, ¿para qué me tocas la camisa? ¡Es de lienzo, es de lienzo...! Ay, Calixto... Holguemos de otros modos que yo te mostraré; no me destroces ni maltrates como sueles... ¿Qué provecho te trae dañar mis vestiduras?» (*Un suspiro muy profundo. Una larga pausa.*)

CALIXTO.—(*Sin moverse.*) «Jamás querría, señora, que amaneciese, según la gloria y el descanso que mi sentido recibe de la noble conversación de tus delicados miembros.»

MELIBEA.—«Señor, yo soy la que gozo, yo la que gano; tú, señor, el que me haces con tu visitación incomparable

---

[167] Recoge Sastre distintas frases textuales y algunas ligeramente modificadas del encuentro de Calixto y Melibea en el auto decimonoveno de *La Celestina.*

merced.» (*Pausa.*) ¿Estás ahí? (*Silencio. Cambio al habla cotidiana.*) Yo también estoy muerta... ¡Muertecita estoy! (*Queda inmóvil. Un silencio. En voz muy baja, como un susurro.*) ¿Puedes mirarme aún?

CALIXTO.—(*Con un hilo de voz.*) Ya no.

MELIBEA.—Mejor, mejor, Calixto... Así no me ves llorar... Así... Estoy llorando. ¿Sabes? Porque te quiero, porque te quiero mucho... Y yo no quisiera morirme ahora... No quisiera morirme... Ahora que te he conocido, ya no[168]...

(*Queda definitivamente inmóvil. Cambia la luz sobre las tumbas de Los Pobres Amantes. Sus figuras yacentes tienen ya la consistencia pura del alabastro y toda la cripta adquiere un aspecto ilustre y monumental. Aquí puede acabar la obra. Pero también, entonces, puede irrumpir un grupo de turistas extranjeros acompañados por un* CICERONE *que les está mostrando lo que ahora vemos que es el interior de una gran iglesia. Suena música solemne de órgano: un Réquiem solemne y muy pomposo.*)

CICERONE.—Vean aquí, señoras y señores, las tumbas de quienes fueron los desdichados amantes Calixto y Melibea... Ambos murieron en esta ilustre ciudad de Salamanca durante la segunda mitad del siglo XV; según algunos historiadores el luctoso hecho sucedió en 1461 y según otros en el 72[169]; así, por ejemplo, lo afirma el Padre della Pugnetta en su *Historia de personajes ilustres salmantinos* publicada en Valladolid en 1908[170]... Calixto era un bello y arrogante mancebo salmantino que que-

---

168 Estas palabras, tras las anteriores citas de la *Tragicomedia,* apuntan hacia la posible persistencia del amor («Algo sobrevive un poco») haciendo de esta *tragedia fantástica* una ambivalente *historia de amor y de magia.*

169 Las fechas que el Cicerone menciona pueden aplicarse a los personajes de *La Celestina,* pero no a los de esta *Tragedia fantástica,* que tiene lugar, como sabemos, en la segunda mitad del siglo XVI. Su explicación posterior se refiere igualmente a la historia tradicional. En esta escena final se mezclan significativamente distintos planos temporales.

170 Esta broma del autor no figura en la versión italiana.

dó prendado de la joven y pura Melibea de la siguiente forma. (*Recita:*) Cierta tarde primaveral en que el apuesto mozo se hallaba cazando por estos contornos, un halcón de Calixto se coló, con perdón, en el huerto de Melibea. Persiguiéndolo Calixto hasta allí, penetró en el huerto, y cuenta la historia que el mancebo quedó deslumbrado por[171]...

(Sigue explicando su cosa... Sale hacia otra capilla, seguido de sus más incondicionales y estrafalarios clientes: escena a montar por los actores y el director[172]*. Alguno, por ejemplo, se mete un dedo en la nariz. Otro, curioso y rezagado, mete su dedo en la nariz de la estatua de* MELIBEA *y en inglés o en noruego dice doctamente a su pareja que la estatua «es ciertamente de alabastro». Etc. Después la capilla se queda casi sola. Decimos casi sola porque hay una parejita —ella puede ser blanca y él negro*[173]*— que se ha quedado quieta, de espaldas a nosotros, ante las estatuas de los pobres amantes. Están inmóviles, quizás con un fondo repentino de jazz, cogidos de la mano, de modo que parezcan formar parte del monumento. Entonces, por fin, va cayendo lentamente el telón.)*

Alfonso Sastre
Castiglioncello, marzo 1977
Fuenterrabía, enero 1978

---

[171] En la versión italiana se añade «tanta belleza».

[172] En la versión italiana desciende aquí el telón, mientras el Cicerone sigue contando su historia.

[173] Frente a la indiferencia general de los turistas, la parejita significa la reconocida permanencia del amor a traves del tiempo a pesar de las posibles dificultades (en este caso, la diferencia de color de los dos jóvenes).